Las afueras de Dios

Autores Españoles e Iberoamericanos

Antonio Gala

Las afueras de Dios

PLANETA

© Editorial Planeta, S. A., 1999
Córcega, 273-279, 08008 Barcelona (España)

Realización de la sobrecubierta: Departamento de Diseño de Editorial Planeta

Ilustración de la sobrecubierta: «La Madeleine pénitente», de Georges de La Tour, The Metropolitan Museum of Art, Nueva York; foto del autor © Ricardo Martín

Primera edición: marzo de 1999
Segunda edición: marzo de 1999

Depósito Legal: B. 7.788-1999

ISBN 84-08-02948-7

Composición: Foto Informática, S. A.

Impresión y encuadernación: Printer Industria Gráfica, S. A.

Printed in Spain - Impreso en España

Dedico este libro a los hombres y mujeres,
cualquiera que sea su religión,
que me han proporcionado el espíritu
y las palabras necesarios para escribirlo.
Y también a quienes lo lean.

ANTONIO GALA

Dios es más grande que nuestro corazón.

Epístola I de san Juan, 3, 20

Al que me busque le pondré todos los obstáculos en este mundo. Si los supera con ecuanimidad, le otorgaré todas las venturas. Si las desprecia, sólo entonces me tendrá.

KHRISNA

De mentes inmortales
digna ocurrencia, extremo
de todo mal, fue para los eternos
la vejez, donde incólume el deseo
se halla, extinguida la esperanza,
secas las fuentes del placer, la pena
siempre mayor y el bien nunca más dado.

LEOPARDI

Hay más respuestas en el cielo que preguntas en los labios de los hombres.

A. GIDE

Cuando volví a Occidente, descubrí que existían tres cosas de las que era mejor no hablar para no desacreditarse. La primera, Dios: su solo nombre se consideraba ofensivo y susceptible de provocar la ira. La segunda, el amor: no resultaba admisible si no iba precedido del verbo *hacer*. La tercera, afirmar que el celibato y la soledad pudieran ser experiencias positivas, enriquecedoras y hasta gratificantes.

W. GROSSMAN

PRIMERA PARTE

—

LA HERMANA NAZARET

1

A media mañana, mientras se mojaba los ojos hinchados por la falta de sueño, la hermana Nazaret cayó en la cuenta de que aquel día primero de agosto de 1967 cumplía cuarenta años. La vida —se dijo— es como un viaje que iniciamos en apariencia por propia voluntad. Creemos saber con exactitud dónde nos dirigimos. Y de pronto nos encontramos en medio de un desierto.

Se tiró hacia atrás de la toca. Se miró de pasada en el trozo de espejo sobre el lavabo de la celda. Hubiera querido ser mayor. Definitivamente mayor. Le habría gustado, esa mañana, que pasara el tiempo en el que todavía no estaba del todo destruida... Pensó en la vieja que había recibido hacía un par de horas en el asilo: los aturdidos ojos indagando no sabía qué, las manos temblorosas y adelantadas como si temieran un golpe, las piernas tan inciertas: una criatura ya extinguida... A los viejos de la casa se había acostumbrado; de ahí que le chocase la recién llegada. ¿Como ella querría ser? Sintió ganas de morir de verdad. Vio cuanto le quedaba de vida como un vacío blanco por el que avanzaba sin pisar, con la desentendida y lenta falsedad de los sueños. Algo había soñado... Ni siquiera —siguió pensando bajo la alta ventana, por la que entraba una luz destructiva— la excitaba ya el atisbo de tentación que la atraía a veces desde el mundo exterior: el sol más delicado de la primavera, un campanillazo en la cancela, una flor en su tallo ensimismada y dadivosa a la vez... *Ensimismada y dadivosa.* ¿Había sido ella así algún día? Hoy sólo la asalta el hastío de las hermanas, el desamor de los viejos, el tedio de todas las cosas, la repulsión por lo feo que la rodea...

Iba a salir y giró el rostro de nuevo hacia el espejo. Envejecer la aterraba también. Quizá ésa era su única emoción personal hoy: el miedo a convertirse en una vieja más. Conocía los síntomas, sufría las consecuencias. *Eso no, eso no: morir antes.* ¿Había perdido la fe? Se miró a los ojos unos segundos. Creía que no. Quizá había perdido el amor. Y desde luego el más pequeño ápice de su antiguo deseo de santidad: tal aspiración no le importaba ni un comino ahora. *Morir. Morir.* En alguna parte había leído (o acaso era más verosímil que su padre, muy aficionado a las corridas, se lo hubiese dicho) que la lidia entera del toro era sólo una preparación para su muerte, una asistencia que lo impulsaba hacia ella... Así era en su caso: la lidia... Pero cuánto se demoraba el cachetero. Puede que toda su vida, cada uno de sus cuarenta años, hubiese sido un insensato y lamentable error, y ni siquiera estaba preparada para morir ahora.

Al cerrar la puerta de la celda y enfrentarse al largo pasillo, evocó sin motivo su sueño de la noche pasada. Recibía las cabezadas cariñosas de un caballo en su cara. Era blanco, vibrante y vigoroso; con las crines, que ella acariciaba, mezcladas de hebras negras. Le pasaba la mano por el ancho pecho, el confortable lomo, la grupa redonda... Introducía sus dedos entre la cola, larga y suelta. Está desnudo —murmuró dormida—. El caballo volvía la cabeza buscándola. Parecía sonreírle con sus ojos inmóviles. Con lentitud y de súbito, como ocurren las cosas en los sueños, levantó una pata delantera y, sin herirla con el casco, la puso sobre su hombro y la empujó con suavidad hasta hacerla caer. Nazaret veía ahora el vientre terso y trémulo del animal. Cuando retrocedía con pasos sonoros para acercar su belfo a la cara de ella, despertó... ¿Qué significaba todo aquello? *Nada, nada.*

Se cruzó con la hermana Mártires. En su alrededor doméstico no notaba que a las demás hermanas les sucediese lo que a ella, lo cual le hacía encontrarse aún más sola. Debería hablar con la superiora o con el capellán. En otras ocasiones había tenido crisis, pero ni tan hondas ni tan bruscas como ésta. ¿Y si no se trataba de una crisis? Porque a sus ojos era un despertar. No como en el sueño del caballo, del que despertó en la invariabilidad de su celda, sino como si se hubiese adormecido cumpliendo mecánicamente sus deberes. Unos deberes religiosos y caritativos, a los que se entregó hace ya cuánto: veintitrés años. Y de pronto, o casi de pronto, este ensordecimiento, este escuchar muy dentro otra llamada —¿la segunda llamada?— arrebatadora, inaplazable, más exigente aún que la primera, y cuyo contenido no entendía.

Se acercaba a la clínica, apesadumbrada por la terrible longitud de las horas, la vana superficie de los días, la insoportable quietud de las semanas. Veía con precisión cada legaña en el ojo turbio, de pez cocido, de cada anciano, cada desgarrón y cada descosido en la ropa raída, cada botón ausente y los hilos restantes... Lo veía todo con un asombroso detalle que lo agrandaba como si fuera un mundo: su mundo, su único mundo. Percibía lo minúsculo —o lo que hasta entonces se lo había parecido— con la inclemente exageración de un microscopio. Todo lo que existía de costumbre en su vida, de monótona pero también apacible costumbre, se había volatilizado. Ahora se sentía en el aire, como desasida de la realidad; tenía que observar cada loseta del pasillo, cada loseta de la sala de estar que atravesaba, para pisar con tino. Alargaba la mano torpe, igual que la vieja de esta mañana, tanteando, sin dar a la primera con el picaporte ni con el tirador del botiquín. Un anciano la esperaba para su tratamiento, la miraba con su pupila vidriosa y un resto de sonrisa sin afeitar en la boca desguazada...

¿Es que perdió la vida su sentido, o no lo tuvo nunca? Días atrás, había nacido en ella otra mujer. No se llamaba Nazaret. Ni Clara. Era otra posibilidad. Era otra opción. En vano Nazaret se postraba en la capilla con la cabeza entre las manos. Inútilmente trataba de olvidarse, deponiendo ante Dios su ofuscación. La recién nacida se burlaba, le sonreía a ella por dentro, pasmada ante ella, preguntándole sin cesar por qué y para qué... *Lo que quede de vida, me dice. Pero qué es lo que queda y cuál era mi vida y en qué ha consistido. No tengo ni idea. Y tampoco de lo que no queda ya, de lo que fue sucediendo a mis espaldas, quiero decir ayer, si lo que ha sucedido puede llamarse vida. Todo se ha vuelto monotonía, rutina, reiteración, aburrimiento...* ¿Llegó a odiar a los viejos? Es posible, aunque la maquinal ejecución de lo que estaba tan conformada a hacer impidiese que el odio y la desgana se advirtieran. *Los viejos han vivido con más fuerza que yo... Echo de menos lo que nunca tuve, lo que les escucho decir con orgullo que han tenido, lo que late fuera de aquí, lo que en el exterior brilla y se mue-*

ve: la tibieza en invierno, unas manos que oprimen las tuyas por algo más que por gratitud, el consuelo indeleble del hijo, el dolor de una pérdida... ¿Los viejos que desaparecen no lo son? Sí; sí que son una pérdida: de ésas sí tengo mucha experiencia... Se le saltaron, a su pesar, las lágrimas.

—¿Le pasa algo, hermana? —dijo el viejo.

Con habilidad había dispuesto lo que el médico, al llegar, requeriría. Con gestos puntuales y eficaces. Mientras, continuaba dudando si se aburría o es que a lo mejor era feliz. La ausencia de preocupaciones visibles y trastornadoras, la supresión de preguntas sobre su inevitable y total aniquilamiento, el solapado y voluntario sopor que la invadía desde muy temprano, el automatismo con que cumplía sus trabajos de ninguna manera exentos de un aparente afecto, las muertes de los ancianos tan reiteradas que se convertían en hábito, el trato incesante con las mismas hermanas carentes de capacidad de ilusionarla, el apagamiento progresivo de su personalidad que parecía difícil de amortiguar o reducir, la inexistencia de un dolor furioso e inconfundible, la continuidad de las penas y los sentimientos ajenos tan análogos unos a otros, la repetición cotidiana de horarios y de ritos y de tareas, todo le producía una sensación de inmutabilidad absoluta, de suerte echada para siempre: una sensación semejante acaso a lo que un día, ya muy lejano, pudo imaginar que se considerara ser feliz... *¿Un día, por lejano que esté de hoy, yo fui así?*

Sobre el paño blanco ordenó el instrumental con la perfección de cada mañana. Pero aún se preguntaba si era, en efecto, feliz, o sencillamente se aburría. O no llegó a preguntárselo del todo... Movió la mano derecha ante la parte de frente que dejaba libre la toca, como para espantar el ruido, sólo el ruido, de una abeja, o quizá sólo el presentimiento de su runrún o del cimbreo de sus alas. Y comenzó a preparar la jeringuilla con que inyectar al anciano su complejo de vitamina B.

—Dolerá un poco —avisó con una voz menuda que ya pedía perdón.

Y pensó sin querer —o no llegó a pensar siquiera— en el absurdo de la vida y en su esterilidad que había que suplir: aceptación y suplencia que no se hallaban lejos de un cierto atisbo de felicidad. Y pudo deducir, pero no dedujo, como quien esquiva un golpe que presagia más que ve venir, que es la muerte, o sea, el fin último —*Ah, no, no absolutamente el fin*—, lo que identifica todas las formas de vida unas a otras. Pero la hermana Nazaret no razonó así. Ni así ni de otro modo. Tenía demasiadas cosas que hacer. Alargó la aguja, golpeó levemente la marchita y terminal nalga del anciano, y pinchó con destreza. El anciano rechinó apenas los dientes: unos dientes que, con imprevisible cariño, Nazaret imaginó flojos y amarillentos.

Había ocurrido a primera hora de la tarde. Visitaba una de las salas. Tocó la frente exánime de una vieja que llevaba en coma ya dos días. Había olvidado de momento su cansancio moral, su debate entre el fastidio y la gana de marcharse huyendo de allí. Mulló un poco la almohada, alzando la cabeza de la moribunda. Pasó después a la cama de al lado, en la que otra vieja fantaseaba hablando con sus propios dedos. Y entonces escuchó a sus espaldas una voz.

—No se vaya, o se arrepentirá toda la vida.

Se volvió. Nada había cambiado. La comatosa yacía imperturbable; la segunda anciana, no obstante, había cesado en su conversación: ¿también escuchó la advertencia? Nazaret reanudó la visita a la planta.

—El mayor sufrimiento —le manifestaba en el confesionario el capellán— no viene del exterior: la regla, las hermanas, los enfermos... Su caridad siempre fue disciplinada, yo creo que aun antes de ingresar en el convento. —Nazaret notó que casi se reía el sacerdote—. Su pesarosa indecisión proviene del Maestro, de las exigencias del Maestro, que se apodera cada vez más de su alma e impone un cambio radical de valores.

—¿A estas alturas? Acabo de cumplir cuarenta años.

—Para él no hay alturas, hermana, no hay edades. Su caridad padece horas de angustia, perplejidades dolorosas, períodos de desorientación, de oscuridad, de inquietudes y escrúpulos. Querer la santidad...

—Pero ¿es que quiero la santidad? —le interrumpió la hermana Nazaret.

—Quererla sin sufrir —continuó el confesor desoyéndola— es imposible. El corazón amante desea compartirlo todo con el amado. Él lo es todo y lo puede todo. Y tiene derecho a nuestros sacrificios, porque se entrega al alma que se abandona a él.

—Después de tantos años, ¿no tendría que estar todo más claro?

—Y lo está. Dios exige todo, y en el don de ese todo es donde la vocación se realiza. Se trata de algo muy sencillo: seguir el faro de cada día, aceptar la renuncia de cada momento, cumplir con paciencia y fidelidad la faena de ahora mismo. Se exige generosidad, a la vez constante y flexible, para adaptarse a las porfías de la gracia. Una gracia que acaso pide pocas cosas, pequeñas e inesperadas, no cabe encallecerse: un servicio nuevo, una mortificación mínima de la sensibilidad (otra), una respuesta amable cuando nos fastidia darla, una sonrisa... Pero pide sin cesar, y ello cansa nuestra naturaleza voluble, que se harta de la abdicación interminable. Hija, el amor es lo único que la sostiene. El amor renovado día por día. El amor del que hay que hacer reservas cada mañana, como se hacen al salir de un oasis a encarar el desierto.

—Pero ¿dónde reencontrar el amor cuando se pierde?

—En la esperanza y en usted misma, hermana.

Sabía que rezaba a oscuras en su puesto de la capilla. Pero repetía una oración que había escrito y aprendido de memoria hacía años: «Jesús, que has tomado por mí el hábito de esclavo y te acercas en la desnudez de la eucaristía, comunica a mi alma la dádiva de la desnudez y del desasimiento para que así sea colmada de ti y revestida de tu riqueza. Ayúdame a vaciarme de mí, Jesús, Hijo del Padre, Verbo de Dios, llega hasta mi alma y realiza tu deseo y el mío de consumarme en ti. Que yo esté donde estás, en el Padre y en la unidad que el Espíritu cumple entre los dos. Arráncame a cuanto no seas tú. Arráncame de mí para que consiga conformarme con tu designio de humildad y de amor».

Dentro de poco llamarían para la cena. Era aún pleno día. Se arrastraba el sol de fuego por la solería impecable, blanca y gris. Nazaret entró en el salón donde los viejos esperaban quién sabe qué. Ella sí lo sabía: esperaban la comida, hablaban de la comida, de lo que suponían que iban a darles, de sus preferencias, discutían sobre los postres. La comida era para ellos un talismán de supervivencia. Era para ellos la única sorpresa: lo que comerían en cada almuerzo, en cada cena, en los días especiales. De ahí que Nazaret insistiese, a su modo, ante la cocinera para que cambiara lo más a menudo posible los menús. Con la comida entraba en sus cuerpos la prolongación de la vida... Nazaret llevaba en una bandeja unos vasos con agua de limón. Se los ofrecía, de silla en silla. Sobre todo a los más indefensos, a los seniles, a los *tontitos,* como ella los llamaba. Los ayudó a tomarlos... *Somos su cabeza, sus manos, sus pies, su todo...* Estuvo a punto de romper a llorar... *Hay que ofrecerles este poco de agua porque ellos no la piden, no saben cómo hacerlo. Hasta los que ya se hallan más lejos de aquí, navegando sin rumbo, distinguen el afecto con que se alarga un vaso...*

El balcón estaba abierto al jardín donde iba a elevarse la nueva construcción, según les había anunciado la superiora. *Ganaremos espacio y perderemos mucho de esta hermosura.* Vio de soslayo los dos grandes pinsapos con los toscos asientos de madera sin desbastar alrededor. *Falta poco para que levanten la dama de noche y los jazmines su olor espeso y cálido.* Diferenció, a fuerza de desearlos, el olor carnoso de la madreselva y el olor de puntillas del dondiego, el abrumador al principio de la glicina que se afila luego tanto, el casi desvanecido del heliotropo, el lento y ácido de la bignonia y el áspero de los geranios... Contrastaba el jardín con el universo de deterioro y vencimiento que ahora la rodeaba. Mientras olía aspirando muy hondo, se fijó en las orejas largas y descolgadas de quien tenía más cerca, y sintió también su olor, el olor de los viejos, que ningún perfume del mundo puede ocultar y que ninguna convivencia consigue que deje de ser repelente. Sonrió Nazaret para encubrir lo que pensaba, y se acercó con su bandeja a un anciano que frunció más la boca ante la limonada. ¿La miraban o no sus ojos recelosos y vagos? No buscaban, no percibían nada, no se fijaban ya. Quizá la miraban sin verla, como si fuesen ciegos. Le tocó en el hombro para llamar su atención y ofrecerle la bebida. Él levantó la mano en un gesto de defensa y de súplica, igual que si alguien más fuerte, siempre más fuerte, pretendiera atacarlo. Luego tomó el vaso y derramó parte del contenido. Nazaret lo recuperó y le dio de beber, mientras limpiaba con su delantal lo vertido sobre la gastada camisa.

—¿Cómo se llama esta flor? —le preguntó otro anciano desde un extremo de la sala.

—¿Quién se la ha dado?

—La hermana sacristana. La trajo de la iglesia para mí. ¿Cómo se llama? Ella no lo sabía.

Le alargaba la flor. *Ya no es hora de aprender cosas nuevas. Es hora de olvidar las aprendidas. Pero ¿cómo dejar que se muera una persona sin saber el nombre de una flor?*

—Gerbera —contestó. Besó la flor de color amarillo y se la tendió al hombre, que le sonreía.

Nazaret lo conocía bastante. Hablaba a menudo con él, que le contaba a retazos su vida, deshilvanadamente. Hasta una infancia nebulosa, con destellos de un imposible olvido.

—Una tarde, tendría yo seis años, me llevaba mi madre de la mano. Nos tropezamos con un hombre frente a frente, y yo sentí que la mano de mi madre se crispaba sobre la mía. Me la apretó hasta hacerme daño, pero yo supe que no era momento de quejarse... ¿Quién sería aquel hombre? ¿Fue por miedo por lo que mi madre apretó la mano mía tan chica? ¿O quizá por amor? Una cosa así nos acompaña ya toda la vida, y marca la manera de relacionarnos con el mundo.

El anciano Jerónimo había sido pintor. Lo supo —supo que no tendría más remedio que serlo— desde su adolescencia solitaria en un pueblo de León. De él salió para hacer el servicio militar y no volvió más nunca. Su juventud —era de ella de lo que más hablaba— fue arrolladora. Siempre regresaba a su memoria, titubeante en lo otro, la primera exposición de sus cuadros... Y también un primer amor equivocado.

—¿Equivocado? ¿Quién puede afirmarlo? Se ama como se puede, lo que se puede, a quien se puede, el tiempo que se puede, ¿no es cierto, hermana?

—Supongo que sí —reía Nazaret—. Yo no sé mucho de eso.

Y recordaba también, una vez y otra, la expresión de los ojos de un agonizante en la guerra civil. Jamás decía si él era el matador. «Los ojos que giraban hacia dentro»... En su maletita de madera guardaba una paleta de pintor muy limpia, como sin usar, una armónica y una pistola desvencijada. Ése era el equipaje que quedaba de un itinerario tan largo. Nazaret le sonreía.

—Gerbera —repitió—. Es un bonito nombre que aprender.

Ahora Jerónimo sabe que su pintura fracasó; que hoy le tiembla continuamente el pulso; que ya no es esperado en ningún lugar de la tierra; que nada de lo que él haga alterará el curso de ninguna vida, ni de la suya... Cierra los ojos y procura dormir y distraerse, incluso antes de la cena. Olvidarse y dormir. No lo consigue. Hay un asomo de disgusto en su boca.

—Gerbera —repite Nazaret.

El viejo mueve con desaliento la cabeza. No lo recordará. No merece la pena. Dormir... Una mañana le contó a Nazaret el sueño que soñó hacia la madrugada.

—Soñé, o entresoñé, que me moría. Y que, al morir, se me caía de la cara la máscara que llevé siempre en la vida. Y apareció la cara de aquel niño que iba de la mano de su madre. Y miraba aquel niño, con su cara verdadera, a aquel primer amor equivocado...

Nazaret contempló —ascendía la luz por la pared opuesta al balcón— el rostro de aquel viejo. ¿Qué pensaba en presencia del rezago de luz que se iba retirando? Los ancianos suelen creer que, una vez amanecido, cuentan con un día más, porque la muerte viene de noche con pasos de paloma. De ahí que pretendan, insomnes, anticipar el alba, acechándola a través de los balcones o de las ventanillas que dan al exterior... Pero la luz interna de este viejo se sobreponía a la de la caída de la tarde. Brillaba a través de las formas obscenamente deshechas de su cuerpo. Había una resistencia que trataba de imponer, sobre esa ruina, sus cualidades de totalidad y consonancia. Recibía Nazaret aquella corriente de hermosura producida entre el anciano y ella, como si le estuviese dedicada, como si alguien gritase detrás de la máscara de hoy y fuese ella la única autorizada para oírlo. Y se sentía en la obligación de hacerlo... ¿Por qué, desde este cuerpo a punto de morir, se levantaba tanta irradiación? Quizá la belleza podía asomar ahora con mayor libertad, menos obstaculizada que en otros cuerpos jóvenes, más convencionalmente bellos, pero también menos traslúcidos.

Jerónimo le ofrecía la gerbera amarilla con una mano vacilante, enramada por gruesas venas cárdenas. De aquella demacrada carne surgía el espíritu, como quien asoma detrás de la puerta de una celda cerrada largo tiempo. Nazaret tomó la flor y la volvió a besar.

—Gracias —murmuró, y supo que se escabullía del pesar que la agobiaba esa mañana.

La belleza —no apartaba los ojos de aquel viejo— *es la condición de un momento completo en sí mismo.* Pero ¿cuándo se produce ese momento, a qué edad? No sabemos. Es un tiempo más o menos largo en que nada falta ni sobra, y que produce un estado de intimidad gozosa con cada persona y cada objeto. Ahí está este hombre consumido, tan parecido a un cadáver, resplandeciendo con su flor en la mano, la flor que Nazaret le había devuelto. *Más sereno que yo, mucho más sabio.* Con razón hay pintores que han preferido a sus modelos viejos, porque ya ni la artificiosa belleza exterior ni la ofensiva seguridad de las frescas facciones interrumpen el trayecto de la luz, portadora de la hermosura verdadera. Cuando se desvanece el diseño lineal del marco físico es cuando se permite que aparezcan mejor las facciones del alma...

El anciano Jerónimo no apartaba los ojos de la gerbera. De improviso, como si escuchase la reflexión de Nazaret, susurró sin mover la boca apenas.

—Es la belleza dentro de nosotros la que nos deja divisar la de fuera.

Nazaret acarició su cabeza y le ordenó el cabello escaso

y despeinado. Él besó, sin alargar los labios, la mano de la monja.

Agradeció Nazaret al azar de los turnos que le tocara de veladora aquella noche. Saberse provechosa disminuiría el peso que la abrumaba.

Nada iba a sorprenderla del transcurso del tiempo hasta el amanecer. Sentada en un extremo del dormitorio de varones, estrecho y prolongado, le llegarían los ruidos habituales: suspiros de desánimo o de insomnio, toses más o menos pertinaces, ventosidades voluntarias o no, vueltas y revueltas en las camas, ruidos de orinales quizá en balde alcanzados... ¿Daría alguna cabezada? Ojalá. Si no, a la mañana estaría más débil para luchar contra el desánimo que la embargaba toda. Tomó el rosario dispuesta a desgranarlo una y otra vez. Rezaría los quince misterios; pero no era su devoción preferida. La encontraba monótona como su propia vida, y suponía sonriendo que también la encontraría así Nuestra Señora. Sin embargo, del mismo modo existe en otras religiones y se utiliza para reiterar sin descanso los nombres de Dios o cualquier imprecación sosegadora. Repetir y repetir, igual que una ola que avanza y choca y retrocede. *Dios te salve, María...* Quizá fuese bueno ese abandono del razonamiento, ese aceptar la pobre dimensión humana que, igual que la de un niño, persevera en decir lo mismo siempre. ¿Sería preferible la lectura de un libro espiritual? Hay quien opina que el rosario es una oración de madurez, muy poco intelectual, incluso incomprensible para una cabeza juiciosa. Consiste en la tozuda simplicidad de un amante que prefiere declarar mil veces *te amo* a inventar inéditos requiebros. Recordó Nazaret cómo el carmelita san Juan de la Cruz habla de las señales del paso de una oración discursiva a otra contemplativa. *Dios te salve, María...* La actividad de la imaginación se produce sin gusto hasta transformarse en imposible; no disfrutan los sentidos posándose sobre cosas particulares: ya no hallan en ellas ni sabores ni perfección en que descansar. *Dios te salve, María...* Al alma le apetece quedarse sola y enamorada, en paz, sin ejercicio de facultad mental alguna. Ella no había llegado tan arriba. *Dios te salve, María*: la cansaba el rosario. Hoy la cansaba todo.

Observó las manchas de humedad de las paredes. El calor entraba por las ventanas a oleadas insoportables. No había bajado la temperatura con la noche. Los muros, el suelo, el techo, los objetos acapararon durante el día el ardor de brasero que ahora irradiaban. Los viejos se arropaban y se desarropaban, con las sábanas se hacían aire desazonados. Alzaba alguno la cabeza y se fijaba en la pequeña luz de Nazaret como acusándola de su insomnio.

Dios te salve, María... La oración es una cita. Si voy a la cita es porque Dios está esperándome: Él acude siempre, aunque yo no lo sienta. Depositó el rosario en un bolsillo de su delantal. Matías, que ella llamaba *el viejo que no se ha resignado*, se sentó en la cama y le hizo un gesto con la mano izquierda. No reclamaba nada: era sólo un saludo. Nazaret respondió con otro recomendando el sueño, animándolo a él... Matías no era viejo por dentro; se resistía con denuedo a serlo.

—Si me resignara a ser viejo —solía decir—, estaría confesando un fracaso: es algo personal. Los otros, si envejecen, no fracasan, porque no se han propuesto negarse a envejecer: se han dejado ir, y ya está. Yo no soy tonto: sé que no depende del todo de mí; que es ley de vida. Pero por lo menos no me consiento dar un paso hacia la vejez. Eso no, tendrán que llevarme a la fuerza o matarme.

No se creía tan viejo como los demás, alguno de los cuales contaba menos años que él, y, a pesar de todo, ayudaba en ocasiones a Nazaret en sus trabajos... Esta noche ella, después de saludarlo, pensó en él como él mismo pensaba cuando se permitía compadecerse un poco: un amigo al que nunca se ha prestado atención suficiente y del que ya ha llegado la hora de ocuparse. En medio del calor, una brisa de afecto envolvió a Nazaret. Los demás viejos consideran a todo el mundo como enemigo suyo, o desde luego no como aliado. Y se transforman así en sus peores enemigos, con sus manías persecutorias que los aíslan y los encastillan, convirtiéndolos en solitarias atalayas endurecidas por el egoísmo.

Dios te salve, María... Olvidó que había echado el rosario en el bolsillo y sonrió. Como consecuencia, el rezo le resultó menos somnoliento. A Matías, cuando llegó, se le consintió traer al asilo una perrilla sin la que era difícil que viviese. *Los abandonados reducen sus ansias a un mundo menor, a una vida animal que atienden y miman, y que les demuestra su necesariedad.* La perrilla significaba todo para él. Hacía un mes que había muerto con dieciocho años. Fue preciso ponerle una inyección.

—Está ya prácticamente en coma. No tiene pulso —dijo el practicante—. No voy a ponerle la inyección en la vena, sino peritoneal.

La perrilla, que se llamaba *Tana,* dio cuatro grititos, o quizá no fueron ni gritos, en el regazo de Matías. Después de seis infinitos minutos se le descolgó la cabeza que el amo acariciaba. El practicante le tocó la córnea de los ojos abiertos. No reaccionó. Se los cerró Matías. La respiración de *Tana* fue aquietándose.

—Ha bastado con un sedante. Quizá hubiera vivido un día más o dos. Si es que eso era vivir.

—No, no es vivir —dijo Matías en un sollozo hondo.

No hablaba del animal, sino de él. *Tana* no estaba ya. No estaría nunca más. No tropezarían sus ojos con los que lo acechaban permanentemente aguardando la caricia o el pan. No lo recibiría, al volver de donde fuese, con su rabo incesante; no alzaría sus manitas intentando abrazarlo; no le lamería la nariz en un beso; no le impondría la veneración por su omnipotencia; no le haría saber, con su ladrido, que su amo era para ella lo más imprescindible y digno y superior del mundo... Todo eso se acabó. Ya estaba ese amo solo, como antes, otra vez. Más solo que antes, porque ahora ya conocía el sabor misterioso de aquella compañía diminuta que nadie le iba a disputar. Nadie más que la muerte, que se lleva a trancas y barrancas cualquier posesión nuestra hacia su oscuro reino. Y a nosotros después.

Entregó el cuerpo de *Tana* a Nazaret. Luego acarició la toalla sobre la que la sostuvo en su regazo. Aún estaba caliente. Sintió rencor al ver sobre el cuerpo muerto de la perrilla una pulga que vivía más que ella. La había recogido, de cachorra, en el umbral de su casa, con una pata rota. Siempre cojeó un poco. El viejo no fue capaz de llorar en público, aunque rebosaba de lágrimas. Sin embargo, las ancianas lloraron todas por un sentimiento, más que de comprensión, de identificación. Se reflejaban en la minúscula perrilla canela, ciega ya, sorda, casi paralítica. Percibieron el fin de todo aquello, su fin también... Matías no lloró. No habló tampoco: no podía. Con Nazaret, enterró en el jardín el pequeño cadáver, después de acariciarlo con ternura y darle un solo beso en la cabeza. ¿Alguien pretendería no comprender que el amo solitario se esconda para llorar a solas, y que un luto real tapice todas sus pertenencias, sus gestos, sus quehaceres inútiles de utensilio arrumbado? Desde aquel día observó Nazaret que se negaba menos a envejecer o tenía acaso menos fuerza para negarse. *Dios te salve, María...*

Los ruidos de la noche de guardia arreciaban en mitad del calor, inevitable y envolvente como una manta gruesa. Nazaret sabía que muchos de los viejos fingían dormir, pero estaban alerta examinándose. Para ellos lo que más importa, su mundo entero, es el dolor de su pierna o de su espalda, sus taquicardias y sus palpitaciones, el escucharse el ritmo de la respiración o la creciente torpeza de su paso, el temor a caerse o a que alguien —otro viejo como él o peor que él— lo empuje o lo trompique quizá adrede, las corrientes, el invierno terrible, los anocheceres en que parece que con el sol se irá la vida para no volver más... Su curiosidad se reduce a lo que suceda en sólo una cama más allá de la suya: alguien que grita de repente, en sueños o desvelado por un dolor sombrío, con lo que prolonga el insomnio de los que asimismo se están examinando; alguien a quien culpar de lo que en todo caso habría sucedido... *Los queridos viejos, Dios te salve, María, débiles y maniáticos como niños.* ¿Cómo acusarlos de que lo defiendan, con uñas quebradizas y dientes depauperados, si aquel hilo de vida es lo que los sostiene? ¿Quién no va a entender que hablen mal de los jóvenes de hoy? *Dios te salve, María...* Ellos son quienes hicieron la guerra, ellos quienes se sacrificaron. Los chicos ahora lo tienen todo y están, a pesar de eso, llenos de miedo al porvenir. Más que los propios viejos, a los que corresponde un porvenir tan corto. ¿Y por ser corto le tendrán menos miedo? No; para ellos lo que les queda es toda su vida. Consideran, sí, que los jóvenes son más altos, pero también más blandos... Y aquí están ellos, los héroes, en este asilo, por culpa de sus hijos. O de sus nueras, porque alguno hay que opina que, si hubiese tenido hijas, no estaría aquí... Esta proximidad de la muerte, entre el calor, detrás de la ventana, llamando con mano helada en los cristales...

¿Es natural la muerte, que dura tanto, o la vida que dura tan poco, sobre todo la de quienes tocan, como estos viejos, la meta de llegada? ¿Es la muerte el estado normal, contra el que la vida sobreviene y lucha, o lo normal es la vida, que sufre el asalto exterior y artificial de la muerte? ¿Quién fue primero? ¿Qué lo advenedizo: la gallina o el huevo? ¿Quién resiste a la otra? O acaso todo es uno y lo mismo, y somos vida y muerte a la vez. Porque la vida está llena de muertes, pero también la muerte está llena de vida, y es aquélla la que más nos impulsa a vivir, a seguir vivos. *Dios te salve, María...*

Nazaret se distrajo definitivamente del rosario. Se distrajo de todo, menos de lo que la atribuló durante el inacabable día de su cumpleaños. Se acordaba del capítulo 5 de san Lucas. Dos barcas a la orilla del lago de Genesaret. Los pescadores, desencantados, lavan las inútiles redes. Se aproxima Jesús a una de las barcas, la que era de Simón y de Andrés. «Quiero decir la palabra de Dios, desde la barca, a este gentío. Llévame hacia dentro del lago, un poco nada más.» Atardecía. Simón estaba extenuado de intentar sacar algo de las aguas desde el amanecer. No obstante, obedeció. Habló Jesús a la multitud, y luego, volviéndose a Simón, le ordenó: «Boga agua adentro y echa allí las redes». Se quejó el pescador: llevaban demasiado tiempo bregando a la desesperada. Pero creyó en Jesús y echó al agua las redes. Y sucedió la pesca milagrosa. Tuvieron que llamar a los de la otra barca, que eran Santiago y Juan, para que los ayudaran a recoger tanta riqueza. Terminó bien la jornada tan dura. Sin embargo, a los cuatro los hizo pescadores de hombres: se los llevó consigo...

He ahí un episodio con un final feliz. Una parábola real que acaba bien... Pero cuenta Marcos, al principio también de su evangelio, que a sus discípulos Jesús no les enseñaba por medio de parábolas, sino que en privado les explicaba todo. Un día, de anochecida, les dijo ya en la barca: «Pasemos a la otra orilla». Despidieron a la gente que lo oía, y zarparon. En esto se levantó una enorme borrasca. Jesús, cansado de predicar, dormía en la proa, la cabeza sobre las redes. Se anegaba la barca y no lograban achicar apenas. El Maestro, ajeno a sus trabajos, dormía o se hacía el dormido. Hasta que los avezados pescadores tuvieron miedo. Lo despertaron, y él increpó al viento y le echó en cara al mar su desatención. «¿Por qué teníais miedo, vosotros, hombres de poca fe?», les recriminó por todo consuelo a los muchachos. Y ellos tuvieron más miedo aún, al ver cómo el viento y el mar le obedecían.

¿Jesús está en mi barca? Se interrogaba Nazaret. *Sí, creo que sí; pero dormido. No hay pesca milagrosa que valga, y se ha hecho de noche cerrada en torno mío. Sólo la tempestad está a mi lado, los truenos y relámpagos. Me es imposible ver su rostro, sus ojos ce-*

rrados, como la noche, que no me miran ya, su boca que no me echa su aliento. Cesó hasta la tormenta que me acompañaba. Ni una luz, ni un relámpago, ni un cabrilleo en el agua. Sólo la fe de ojos ciegos. Con ella tengo que suponer que Dios está en mi barca, una barca que se alza y que cae, ingobernable en medio de la negrura, y me dan ganas de pedir socorro a gritos. Si no lo pido, es por el pavor a que Él no esté, aunque sea dormido. Dios te salve, María... Nada me reconforta, ni la más remota esperanza. Soy toda aridez, aridez absoluta... ¿Y he de dejarlo dormir en el fondo de la barca? ¿Es que tengo fe suficiente para saber que duerme? Nunca gocé del privilegio de las hermanas que comienzan en la sencillez, y se hacen con la perfección más sencillas aún: porque la proximidad de Dios lo simplifica todo. Yo lo sé. Lo he sabido... Hubo momentos en que tuve sed de sufrir y de ser olvidada. Ése era mi camino de entonces: un camino hacia el Dios de la misericordia, que concede siempre lo que se le pide, sobre todo si se le piden dejaciones y despegos. Entonces el cáliz más amargo me pareció el más gustoso. Y sin embargo, ahora...

Nazaret se arrodilló sobre las losas grises y blancas. Cuánta tiniebla.

Y sé que hay que dejarlo dormir en la proa de la barca. Y sé que nadie más que Él podría dormir entre tantos embates. Y sé que mucha gente lo despierta para pedir mercedes... Y sé, en mitad de esta noche sin término, que yo no debo hacerlo. Apretaré los dientes y confiaré. Él pagó por adelantado. Que duerma ahora como duermen estos viejos, traspuestos y doblegados ya por el cansancio. Quizá mientras viva no lo vea nunca más despierto. Sólo en la ribera de allá del lago... Pero ¿existe de veras aquella ribera? ¿Existe la otra orilla? Nazaret se santiguó. *Mujer de poca fe... ¿Tendré que alegrarme, entonces, de tanta sequedad?* Si tuvieras fe, sí. Ahí tienes acostados a quienes son testigos tuyos. *¿De este erial en* *que me he convertido siempre tengo la culpa yo, mi falta de fervor y de fidelidad? Será su forma de felicitarme mi cumpleaños... ¿Por qué no me entristezco más bien por dormirme yo, no Él, en la oración o durante la acción de gracias después de comulgar? Pero no; me satisfago pensando que, para sus padres, los niños son encantadores mientras duermen. O que los médicos duermen a sus enfermos para operarlos mejor. Me conformo pensando que el Señor conoce mi naturaleza, Él la hizo, y sabe que soy un poquito de polvo y mucha agua. De barro somos, y se cansa el barro... ¿Y Él? ¿No tiene Él derecho a dormir en mi barca, por siniestra y por lóbrega que sea la noche?*

Nazaret se santiguó de nuevo. Sacó del delantal un pequeño libro de ejercicios. Trataba de leer, de hundirse en sus consejos. Pero leía sin entender lo que leía: se encogió su corazón. Y si entendía algo, era incapaz de meditar. Quizá si hubiera traído su libro de evangelios... Recuerda cuando fue el libro de su alma: su alimento cambiante y variado, luces nuevas, sentidos furtivos, rompimientos que se abren en la noche como una conversación de enamorados en voz baja. Su voz, en aquel tiempo no tan lejano, resonaba en el corazón de Nazaret sin ruidos, llenándolo, rebosando de él... Pero ésta era la hora de la tiniebla. Como aconteció en el noviciado la tarde anterior a sus primeros votos. Le había dicho a la maestra temblando: «No tengo vocación. Todo fue una quimera, una ilusión falsa, no es para mí esta vida». De rodillas se lo dijo, después de haber hecho el vía crucis. La maestra de novicias la miró profundamente, la escuchó profundamente. Se conoce que el acto de humildad echó fuera al demonio de la duda. Al terminar de hablar, Nazaret ya no dudaba. *Dios te salve, María...* Pero lo que es ahora...

La duda es un espeso túnel. El pensamiento del cielo, una tortura. Vivo sin luz, ¿cómo voy a imaginar la luz? ¿Cómo seré capaz de pedir que, si ésa es su voluntad, se me siga negando? ¿Cómo voy a decir: Creo, Señor, ayuda mi incredulidad? Si es que no creo... ¿Cómo voy a decir: Tú eres la luz del mundo, de ti depende todo? Si la voz no me sale... Yo, que creí que te ofrecería una alma donde los ángeles cantaran sus impares conciertos. Antes, cuando lo buscaba como un tesoro, fue el tormento mi mayor alegría. Si el grano no muere, no es fecundo... Sé lo que antes habría opinado de lo que me sucede. Me lo repito: «La felicidad consiste en esconderse y vivir en la ignorancia de las cosas. Sin amor, nada es nada. Ya no deseo ni el martirio ni la muerte —siempre deseé morir joven para que otros vivieran: me da lo mismo ahora—: el amor es lo único que me sigue atrayendo. Pensé que el padecimiento me empujaba hacia Dios; que la muerte me conducía directa a él. Ya no me importan: sólo me guía el abandono: ésa es toda mi brújula...»

Así me hablaba a mí misma ayer, y lo repito hoy, y no me sirve. Lo oigo como quien oye llover. Me engaño yo, y estoy engañando a quienes me rodean... He sabido antes, antes, que ni lo más resplandeciente, ni el milagro de resucitar muertos o de convertir pueblos es nada sin amor. Él abarca tiempos y lugares, todos los carismas, todas las vocaciones, el universo entero. Es lo único eterno: lo he sabido. ¿Lo comprobé? No sé hoy, entonces me sirvió. Quien esté enamorado lo será todo. Mi corazón fue un pájaro que olvidaba volar, con los ojos fijos en su amado, fascinado por él. No necesitaba crecer; necesité disminuirme cada día... Y ahora navego en una barca donde probablemente él no montó, y no duerme, y no está al alcance de mi mano despertarlo... ¿Qué es lo que he hecho?

Nazaret avanzó de rodillas y apoyó la frente en el antepecho de una ventana. Un gran nudo de llanto le obstruía la garganta.

Acepto comer este pan de dolor mientras quieras, y diré en nombre de los pecadores entre los que me encuentro: ten compasión de nosotros, Señor... Acepto comer el pan de la tribulación, y sustituyo en tan ácida mesa a los demás... Qué soberbia, Señor, perdóname. Acepto sólo lo que tú desees, lo que tú me envíes: tu sueño y tu despertar. Lo que pido es confiar a ciegas, no ofenderte con mi desconfianza... Pero no hay nada dentro de mí, ni fuera. Esta desolación es mi noche del Huerto de Getsemaní. Alargo la mano y miro y nada encuentro. Y la muerte me dará no lo que esperé, sino la incesante noche de la nada... No, no: estoy hecha de fe. Creo, Señor, ayuda mi incredulidad. Que la luz que a mí se me niega la reciba otro más necesitado. No hay mayor alegría que sufrir el desamor por amor... Me estoy muriendo de tristeza, Señor, y sé que esta tristeza no es un velo ni un espejo oscuro, es peor: un muro que cubre el firmamento... Pues bien, Señor, no quiero ver el firmamento: sólo quiero amar sin ser correspondida hasta morir de amor. No rehúso el combate. Me resignaré. Me he resignado...

Durante horas, Nazaret golpeó el antepecho con la cabeza repitiendo su complicado acto de fe en medio de las sombras. Luego se adormeció y oyó como si una voz ni de hombre ni de mujer, y quizá no una voz sino un sentimiento, un manantial dentro de sí, le hablase. Y susurraba:

«Cuanto más avances, mayor sombra y mayor cerrazón te aguardarán, más insípido te resultará el pan. A tus cuarenta años has de resistirte a las consolaciones de los primeros tiempos, cuando te pareció ser la hija predilecta...» «¿Así te portas con tus amigos? —murmuraba no bien dormida ni bien despierta Nazaret—. Por eso tienes tan pocos...» «No sabes si vas hacia delante o hacia atrás, pero temes que estés retrocediendo. Ahí empieza la batalla concluyente: sola al parecer, sin alianzas, sin amparos, armada con lo que vales, y tú no vales nada... Estabas convencida de que sabías ser humilde y servicial con los ancianos, y no eres hoy capaz ni de pronunciar la palabra más sencilla: Padre... Te debiste poner desde el principio en el camino áspero; hasta tus dudas de novicia fueron una ficción. Ésta es la hora del demonio meridiano, la hora de tu última juventud. Te habías escondido tras la niebla de las cosas a medio hacer, o apresurada e indulgentemente hechas. Dios te pone entre la espada y la pared. Sé clara...»

—Soy Clara —murmuró—. Fui Clara...

«Sé clara —le repitió algo en su centro—. La fe sin ojos, la esperanza sin memoria, la caridad sin empalagos. Se acabaron las concesiones y las prórrogas. Es el momento de la gran exigencia. Se estrena el espectáculo: el alma, como una funámbula, con el infierno abajo. Sí; el infierno, que no entraba en tus cálculos. Porque no hay pecado no cometido que no te sientas capaz de cometer.»

La oscuridad era más bronca, como ocurre antes del alba siempre.

«Reflexiona: esa culpa que acaso no se concreta, o se concreta en muy pequeñas faltas y sutiles deslices, pero que todo lo tiñe y nos hace desconfiar de todo y de nosotros además. Esa culpa que consiste en una actitud más que en hechos dignos de confesión. Esa culpa que hasta ahora estuvo oculta o disfrazada, aunque reconocida, hoy se levanta contra ti. A tus cuarenta años, Nazaret. Pereza, cobardía, vanidad, simulación, envolviéndote como una nube que no te deja contemplar cara a cara la verdad...»

Nazaret sollozaba.

«Ha concluido el tiempo de la conformidad, del autoengaño, de los plazos. Los medios eran falsos o eran insuficientes. Se cierran los caminos por los que aturdida transitaste. Te envuelve la alta noche negra. La soledad es tu única hermana y compañera. Hay un sabor a salitre en tu paladar. Te planteas: "Para llegar aquí, para llegar a esto..." Dios te ha abandonado justamente en el momento de la crucifixión. Cuando ya no te queda nada que ofrecer. Sólo pobreza, dolor sordo, impotencia, abyección. Ahí están los ancianos: cómete lo que escupen. Se han acabado las palabras; sólo hay silencio: un silencio sin límites, sin el límite que tienen siempre las palabras...

»Toca el fondo. Aún te queda un camino atroz que recorrer, otro vía crucis que andar. Hasta que aprendas en tu carne, tu sangre y tu alma que sólo hay una solución: dejar hacer, abandonarse, porque solos no podemos nada, nada, nada. Hasta que aprendas que, en un momento, puede resucitarte, como a Lázaro, la llamada, una nueva llamada. Y si no viene, sostén tu cruz y espera. No hay más aurora que el amor, que aclara las agudas espinas de la noche...» *Sí; pero la noche es terrible.* «Más que terrible. En la noche sólo cabe esperar desesperadamente. Por eso, sostén tu cruz y espera.»

Sobre el jardín, por fin, amanecía.

2

Cuando despertó la hermana Nazaret tuvo la sensación de haber olvidado un sueño complaciente. La luz no descendía aún a raudales desde el alto ventanillo frente a su yacija. Se interrogaba sobre lo soñado, mientras se vestía, cogidos los hábitos del perchero fijo a la pared y no lejos de la mesa con dos cajones y la silla: cuanto componía el mobiliario de la celda, además del desportillado lavabo. El agua, tibia no más, la incorporó del todo a la vigilia. Sabía en lo que no consistió el sueño. No era aquel —o quizá no fuese sueño— que se le repetía antes tan a menudo. Nazaret se despertaba como por efecto de una pesadilla, soliviantada lo mismo que una madre que oye el llanto de su bebé. Se despertaba y no estaba entre las sombras, o mejor dicho, veía con claridad la sombra de Dios sobre su lecho. Y le venía a la mente (o no: la asaltaba) la frase de la Anunciación: «El Espíritu la cubrió con su sombra». Y entonces, en voz baja, aceptaba —*«Fiat»*—, antes de volver a dormirse en un sosiego plácido. A dormirse si es que de veras se había despertado. Porque a la mañana siguiente suponía que todo eso era un sueño, incluso la breve interrupción en la que conjeturaba estar despierta. Y se proponía pellizcarse para ratificar el hecho; sin embargo, nunca lo hacía: ¿cómo iba ella a pellizcarse bajo el Espíritu de Dios? Nazaret sonrió.

Mientras se secaba con premura las manos, recordó de pronto el sueño de aquella noche. No era nada: ella se encontraba sentada en un ribazo, entrelazados los dedos, contemplando un paisaje verde, jugoso, abierto, frío, el suyo en definitiva, el norte de su infancia. Quizá era una reacción frente a las circunstancias de cada día: calor, calor, un cielo inquebrantablemente azul, la sequedad de la jauría de agosto en Córdoba, calor... *¿Ves? No son aún las siete, y estoy recién lavada y sudando de nuevo.* Al levantar la cabeza y los brazos para ponerse el hábito, vio su salamanquesa, impasible también como la temperatura, quieta, fija en el mismo sitio del techo en que se quedó anoche. Pero esta mañana la sorprendió: tenía junto a ella otra salamanquesa idéntica, rugosa y gris, pero mucho más chica. Sonrió Nazaret.

—Enhorabuena —dijo en alto.

Le respondió otro animalito que había descuidado: «uic-ic-ic, uic-ic-ic». Su codorniz. Estaba en una jaula no demasiado chica. Se la regaló la hermana Benedicta, de familia de campesinos: su madre se la trajo para que se distrajese. Su penetrante reclamo rompía la pesada y monótona seda del silencio fogoso de la celda. Ahora interrumpió la acción de gracias de Nazaret por aquel nuevo día. Alcanzó la jaula y la descolgó. La codorniz la miraba, ladeada la minúscula cabeza y muy medrosa. *Qué injusticia privar de libertad a un ser de manera tan evidente creado para la gran libertad del aire, pintado para vivir en él...* Abrió la puertecilla de alambre. Tomó en su mano a la codorniz, toda plumas. Sintió desbocarse su mínimo corazón, y eso hizo que el suyo también latiera con más prisa. Era un miedo de otro miedo.

Nazaret, llevando la codorniz en la mano derecha, se subió a la silla, a la mesa después y, por el ventano abierto, soltó, casi arrojó, a la avecilla... No había terminado de hacerlo y ya se arrepentía. La lanzaba a una ciudad en llamas que nada tenía que ver con ella, desconocida y por lo tanto hostil; quizá iba a morir, o la matarían tan lejos de su ambiente... *Como yo. Igual que yo.*

Se santiguó mientras le vino a las mientes otro animalito que tuvo, durante años, en su celda. Un canario que se llamaba *Tarsicio,* y al que bastaban el alpiste, la lechuga, el agua, los cañamones y ser sacado al claustro en los mejores días. Con la jaula abierta, jamás quiso escaparse, y una mañana como ésta —no, todavía era abril— Nazaret encontró insólito el mundo. No sabía a qué atribuir tal extrañeza. Hasta que percibió que era simplemente el silencio. El canario, a pesar de estar ella despierta, no cantaba. El silencio era aún más grande que el gorjeo. Había muerto durante la noche. *De viejo, como todo en el asilo... La felicidad quizá consista en que la canción forme hasta tal punto parte de nuestra vida que, a fuerza de ello, dejemos de escucharla; hasta tal punto nuestra, que sólo nos impresione su ausencia, como si la oyéramos más que nunca cuando no suena ya...* Antes de salir para la capilla, Nazaret envidió a los pájaros que vuelan porque tienen alas, o que tienen alas para volar. Y a las gentes que viajan o han viajado; que han visto y ven lunas nuevas, tierras nuevas, el mar, otras ciudades. Incluso, un poco, a quien anda libre por su propia ciudad... Entonces cayó en que ese día le tocaba postulación con la hermana Sabina, una novicia joven. Andaría por Córdoba; pero ¿dónde toparse con los paisajes abiertos de su tierra con los que había soñado?

Mientras descendía la escalera camino de la iglesia, recordó lo que el capellán le había dicho en una ocasión en que le habló de ensueños, a los que era muy dada. El padre rió primero excusándose: «No hay nada más ajeno que el sueño que otro sueña». «Los sueños contienen los elementos residuales del día —añadió, sin que Nazaret lo entendiese del todo—, que se mezclan, a la vez que su carga emocional inconsciente y los estímulos nocturnos, poco importantes, con los deseos subconscientes y los recuerdos asociados desde la infancia a ellos...» El capellán era un anciano sabio. Estaba en el asilo nadie dilucidaba si por sacerdote o por anciano. En cualquier caso, cumplía muy bien ambos oficios. Y el de sabio, también... «Esos deseos reprimidos —a Nazaret la impresionó que se valorase lo que ella jamás había ni valorado ni entendido—, de ser expuestos, serían susceptibles de generar ansiedad: realmente, la ansiedad que acompaña a las neurosis es una libido transformada...» Nazaret no quiso meterse en más berenjenales. ¿Tenía razón la superiora al afirmar que el padre Claudio era muy avanzado: *Peligrosamente avanzado*, solía ser su expresión, *para la también avanzada edad que lo tiene*? *Que lo tiene*, había repetido: *Porque, a esa edad, no tenemos nosotros a los años, sino los años a nosotros...*

Hubo un tiempo —había concluido Nazaret de bajar la escalera—, y está la Biblia llena de ejemplos, en que se concibió a los sueños como recados de la divinidad, mensajes que se daban en secreto, quizá para proporcionar a nuestro albedrío la ocasión de rechazarlos. Soñaron Salomón, Jacob, Daniel, Saúl, David, Gedeón, José... «En todo caso, reflexionar sobre los sueños —le dijo el padre Claudio— puede servir como estímulo para el conocimiento y el desarrollo propio de nuestra intimidad, de nuestras fantasías.

Es una introspección positiva, del mismo orden que el examen de conciencia o la meditación...»

Nazaret sonrió. ¿Tendrá razón el padre?, se interrogaba cuando trazó, a la entrada de la iglesia, la cruz con el agua bendita, *Sit nobis salus et vita,* sobre su frente y su boca y sus hombros. Y le fue imposible desentenderse del tema. La distraía inevitablemente. Hasta que llegó a su puesto, en el segundo banco a la derecha, recordó una temporada, hacía años, en la que, al tratar de dormir, deseaba averiguar el límite entre la vigilia y el sopor que precede al sueño: esa linde misteriosa y tenue que desemboca en el blando despeñarse de la indefensión. Y sonreía aún al recordar que no lograba dormir justo porque estaba observándose; porque, cuando conseguía llegar al fin de la callejuela velada y sin salida, retrocedía a la luz otra vez, tironeada por su voluntad atenta. *Tendría que ser más sencilla.* Y se le fue la imaginación hacia la codorniz lanzada al mundo. *¿Más sencilla, o más tonta?* Ya empezamos, murmuró mientras ocultaba la cara con las manos, dispuesta a concentrarse.

Después del desayuno se unió en la cancela de entrada con la hermana Sabina. Ésta llevaba un gran canasto al brazo y una limosnera colgada de la cintura. Las despidió entre risas la hermana Fe, que hacía de portera desde que perdió parte de las piernas en un accidente, por lo que su cabeza no llegaba sino hasta el pecho de las otras; pero se había dado maña para moverse con mayor velocidad que antes sobre unos cueros muy gruesos atados a sus muñones.

El sol de Córdoba, en agosto, absorbe los colores. Prácticamente todo es blanco, y más cuando va avanzando el día: torres, casas, zócalos, perros, carros, losas. Iban las monjas hacia el mercado de La Corredera, donde tenían donantes habituales, en especie por lo general, ya que la gente allí no disponía de más dinero que el que necesitaba, o no tanto quizá. Era un espacio noble, una gran plaza Mayor venida a menos, donde se corrían los toros en épocas pasadas. A estas horas, temprano, bajo los soportales sólo había mujeres a medio vestir y hombres callados. Las fondas, con su zaguán empedrado bajo la estrecha y larga mesa común. Al fondo, los patios de paredes blancas y zócalos de almagre alrededor del pozo. *La Estrella, El Molino Azul, El Toro, Los Azulejos...* Siempre alguien, cabizbajo, comiendo, a la hora que fuese, un plato de patatas amarillas, debajo de una litografía con cisnes y con señoritas de rosa que descienden por una escalinata de escayola.

—Esas señoritas tan pintiparadas no se cansan jamás de bajar escaleras, infelices.

La hermana Sabina se reía con las observaciones de Nazaret, mucho más vivaz. En una de las fondas, a mano izquierda, un amplio arco daba paso a dos o tres patios pequeños, pulcros, a los que se abrían las ventanas de las habitaciones. A la entrada, un mostradorcito y un clavero bajo el que un viejo, grueso y tuerto, con traje de rayadillo, entregaba las llaves a los huéspedes. Nazaret no siempre se ponía en lo mejor.

—Me da en la nariz que aquí vienen parejas de paso.

—¿Eso qué es, hermana Nazaret?

—Algo que a nosotras no nos importa, hermana.

El viejo tuerto alargó su limosna.

—El día menos pensado me presento en su casa para quedarme. Estoy harto de bregar aquí con semejante ganado. —Lo dijo mirando a una señorita, más modesta que las de las litografías pero con idénticos meneos, que apareció desde dentro y se fue sin saludar siquiera—. Gentuza. Si no fuese porque se me hace cuesta arriba vivir entre otros viejos...

—No lo crea, no es tan desagradable. A todo se hace el hombre —dijo Nazaret riendo—. También yo pensaba así al principio, y ahora no podría vivir en otra parte. Vaya allí cuando quiera, ya le haremos un sitio. Y que Dios se lo pague.

En medio de las cacerolas y las ollas desechadas, de los tiestos y los pucheros con gitanillas y geranios que cubren las fachadas cuajadas de desconchones, un loro rojo y gris. Desde abajo, un grupo de niñas le grita: «Di papaaá, di papaaá». Y un grupo de niños: «Mariiica, di mariiica». Por las calles que desembocan en la plaza —La Paja, Candelaria, Espartería, Consolación, Trueque—, muchos chiquillos, con algún trapo azul o que parece azul sobre la carne anaranjada, comen sandía o melón, sentados en los umbrales. El calor se está desplomando sobre Córdoba. Una vendedora de chumbos, con la cara recorrida por una cicatriz, llama a las monjas y les da una moneda. Instalan las floristas sus puestos. Desembalan su mercancía los vendedores de lozas y botijos. Y el sol, afirmando por momentos su monarquía, abofetea uno de los cuatro lados de la plaza que parece, con tanta luz impía, más baja, más ancha, más pobre que de noche. O eso supone Nazaret, que va fijándose en las caras desencajadas y ojerosas de quienes duermen —o no duermen, por el calor o lo que sea— en La Corredera. El suelo de piedra, junto a las paredes, está cubierto de pétalos de flores que se desprenden de los balconcillos: rojos, blancos, rosados. Y hay cáscaras de higos, de melón y pipas de sandía: lo que sobra, lo poquito que sobra.

—En el fondo, es eso lo que nosotras venimos a buscar.

Bajan al mercado subterráneo. Las pescaderas les dan monedas con un olor muy fuerte y alguna escama pegada. Las verduleras les dan frutas quizá, en pleno verano, no demasiado frescas. Los carniceros, con sus camisas blanquísimas remangadas a la mitad del brazo, disponen los trozos de carne roja sobre el mármol, blanco también y frío. Hay un chivo negro, colgado de un clavo grande, boca abajo: oscila su cabeza con una gran dulzura; parece a punto de balar. Nazaret se acuerda de un cordero que de niña le regalaron: vivía con ella y lo lavaba y la seguía lo mismo que un perrillo. Cuando creció, su padre dio la orden de matarlo: fue su primera pérdida mortal. Lo sacrificaron, decían los mayores; pero ella sabía que lo habían degollado. La carne le dio arcadas durante varios años. Todo se olvida... Los carniceros le alargan a Sabina, más joven, un par de billetes.

—Es guapa la monjita.

—Como Dios la ha hecho —ríe Nazaret.

—Y la mayor no está tampoco nada mal. No sé yo qué decirte...

—A la vejez, viruelas. —Se alejan, y procura distraer a la hermana Sabina—. Quizá podrían pasar sus limosnas por el banco, pero no creo que las mandaran. Y los bancos, tan importantes, para estas boberías... Es mejor que nos vean así, hechas unas fachas y empapadas. La postulación es una catequesis: les gusta comprobar que aún existen gentes estrafalarias como nosotras, y pedirnos oraciones por esto o por aquello. Limosna y apostolado a un tiempo, ¿qué le vamos a hacer? Más no puede exigirse.

Ya se anima el mercado. Está el pueblo esparcido bromeando, pregonando, insultándose. Las vendedoras de ajos, perejil y limones tienen el pelo enhebrado de oro por el sol. Las de tomates, las manos apoyadas en los brazos de la romana, les dan medio kilo de ayer. Todo es un puro alboroto de colores: de las frutas al plástico, todo bulle y rebrilla: el puesto de toritos de fieltro, el de melocotones, manzanas y plátanos, el puesto de frutos secos, el puesto... Dos limones les regalan. Un niño vende moras de zarza. Nazaret sonríe al evocar las que ella cogía pinchándose las manos. Lo evoca con tal puntualidad que le bastaría volver la cara para verse a sí misma con siete años. Primero aparecían las flores menudas de racimos sonrosados. Ella esperaba con impaciencia el fruto. Luego ya las moras pequeñas y verdes, que iban enrojeciendo para amoratarse y ennegrecerse al fin. Sólo cuando los granos engordaban y las moras se desprendían con tocarlas era cuando estaban bien dulces... Moras, vinagreras, flores de acacia, el pan y quesillo de las malvas silvestres...

Se hace un poco el silencio cuando ellas pasan, vestidas de estameña y con las tocas, por medio del calor. Les abren paso. Mojados los rostrillos, el sudor les resbala por la frente; el de la espalda les empapa el hábito y una mancha de humedad marca hasta el escapulario.

—Pobrecillas las hermanitas —dicen algunas.

—De pobrecillas, nada. Sin hijos, sin fatigas, en su convento todo el día abanicándose —dicen otras.

Entran en una iglesia que les coge de paso. Es de un inquietante barroco, como si hubieran recubierto con un disfraz lujoso un gótico muy tímido. Hace casi frío dentro de ella. *Por contraste, será.* Parece que uno va a sumergirse en una umbría alberca de aguas serenas, pardas y calladas. Hay tal misterio en su espacio que al pavimento de granito llegan los pies sin que la vista lo perciba. *Es precisa la fe para avanzar aquí.* Se tiene la sensación de andar por un aire opaco si se viene del deslumbramiento exterior, del aire exterior de vidrio al rojo. Lejos, hacia el altar mayor, una elegante forma arrodillada. Los hábitos blancos de un dominico caen, plegados, al suelo. En la capilla lateral del Tránsito, donde se detienen las hermanas, la Virgen es una niña de primera comunión con cara de lista y echándose la siesta; la cama es azul con flores bordadas. Una vela se dobla al peso del calor. *¿También aquí calor? Es todo relativo. Cómo estarán las velas de fuera, al pie de los triunfos de san Rafael, bajo el solazo, entre ramos de novias...* Oran de rodillas un momento. Piden una postulación fructífera. Luego salen para subir al centro dando una breve vuelta.

De vez en cuando se detienen en uno u otro comercio, donde son reconocidas y obsequiadas. «Para los ancianitos del asilo», les dicen, metiendo en la limosnera la mano cerrada para ocultar el óbolo. Entre dos tabernas, una frutería casi de juguete. Las frutas ordenadas y escalonadas como para un desfile de belleza; el amarillo de la paja resbala por doquiera; hasta media altura la pared es azul, de un azul absoluto; la mitad superior verde, absoluto también. *Daría gusto permanecer aquí.* Se oye el rumor de los patios vívidos. Con el poyo circular abarrotado de macetas y el pozo descentrado; con los niños, el pelo enrubiecido por el agua y el sol, en un concilio vociferante. Una chiquilla morena como de marfil viejo, el pelo lacio y amarillo, con un polo de limón en la mano.

—Lo lleva como un cirio, y parece una mártir. Distinta

de los otros, como santificada. —Tropieza distraída con la hermana Nazaret y se va el polo al suelo—. Se lo dije: una mártir.

Hay mujeres sentadas en sus sillas de anea cosiendo, abanicándose, haciendo la limpieza de turno —bandejas plateadas, platos de cobre, almireces de latón—, enjalbegando las fachadas, regando los inaccesibles tiestos con cañas en cuyo extremo va sujeta una lata. Las flores, el sudor, el polvo, las discusiones que acaban entre risas... Les dan unas monedas.

—Pidan ustedes por mi niño, hermanas. —Nazaret inclina la cabeza—. No hace ningún fresquito esta mañana, hijas. Y el poquito que hace es muy caliente.

Un anciano, con la piel como pétalos de rosa, tiene en la mano un ramito de alhucema. Avellanado, de cara larga bien afeitada, y sombrero grasiento de ala ancha. Se acerca a la nariz el ramito. Nazaret le sonríe y ratifica el atractivo que la aproxima a la vejez, tan seductora para ella. Adivinándola, con gesto lento y sobrio, el hombre aleja el ramo, y encoge la nariz dando a entender así su buen olor.

—Adiós —dicen las hermanas.

El hombre tiende el ramo de espliego a Nazaret.

—La sierra está llena —le aclara para evitar las gracias.

Dios te anime a vivir, y a asumir tu vejez. Y oye Nazaret las palabras de Jesús a Pedro: «Cuando seas viejo, extenderás las manos y las de otro te atarán tu cintura, y otro te llevará allí donde no quieras». También ella alarga los dedos y roza la mejilla frágil y rasurada del anciano.

En una callecita, un cuadro con cristal de Jesús Nazareno con la cruz al hombro: macilento, esmirriado, con una exangüe expresión. Ante él, latas con flores y alguna mariposa encendida. Pasa, adelantándose a las monjas, un hombre con un niño de la mano. Se detienen ante la imagen y el hombre se santigua. El niño dice:

—¿Para qué rezamos? ¿Para que el Señor se ponga bueno?

—No; tú dile: danos salud, pan y aceite.

Danos salud, pan y aceite para todos, Señor.

Junto a un quiosco de la plaza de Las Tendillas, donde Córdoba, por no querer serlo, resulta pueblerina, un trilero hace sus juegos de manos entre gente que va y viene y se para un momento para comprobar la rapidez del tipo. «¿Dónde está la bolita?» Juega con tres vasos de aluminio invertidos. «La bola está en el de la derecha.» «No; en el del centro.» Nazaret se detiene, cautivada por la convicción de ser una insensata. La hermana Sabina, boquiabierta, se queda junto a ella.

—La monjita más joven: ¿dónde está la bolita?

Nazaret no cae en la cuenta de que se refiere a ellas, tan absorta está en el timo y las apuestas. Va a huir despavorida, pero el trilero le hace un guiño a Sabina.

—Apueste, ganará algo para sus viejecitos. ¿No son de las de La Misericordia? —Sabina afirma con la cabeza—. Apueste.

La joven se vuelve a Nazaret:

—¿Qué hago?

—Juéguese cinco duros. Mucho perder será, pero...

—Juéguelos, así todo el mundo sabrá que aquí no hay trampa ni cartón. —Manipula un momento—. ¿En dónde está la bola?

Sabina señala con su dedo delgado el vaso de la derecha.

—Acertó —grita el trilero con un gesto de triunfo—. Su moneda —la había depositado sobre el fondo del vaso del centro—, y otra moneda igual.

—Que el Señor lo bendiga —dice en voz baja Nazaret—. Muchas gracias a todos.

Y se retiran, satisfechas de su ganancia y de la bondad de la concurrencia, que aplaude. Entonces Nazaret le contó a Sabina un hecho que ella había vivido:

—Es el mismo milagro, digo yo. Apareció un día en el asilo un sacerdote que ninguna conocíamos. Quizá las capuchinas, o eso dijo. Iba de paso y era por la tarde. Corría el mes de mayo. Empezaba la Feria de la Salud: el 25 de mayo exactamente. Se ofreció a darnos la bendición con el Santísimo. Casi todos los viejos estaban fuera, y nosotras, solas. Aquel sacerdote, ni joven ni mayor, parecía inspirado, tan lleno de devoción edificante se mostraba. Veíamos a Dios en la custodia. Cantamos el *Tantum ergo* como nunca, y él nos bendijo. Pasó después la cesta de las limosnas, la que se usa los domingos en la misa para los de fuera. Nosotras sonreíamos como se sonríe ante un niño inocente. Sí, sí... «La capilla estaba llena de ángeles», le dijo a la hermana sacristana, y le enseñó el cestillo con bastante dinero. No volvimos a saber nada más de él. Las capuchinas nos dijeron que no lo conocían. Fíjese qué trilero.

Se agregan a otro grupo, en las anchas aceras. Un charlatán, que tiene un niño como secretario, vende cosas inverosímiles: crecepelos, cuchillas sueltas, sobrecitos con polvos para la impotencia, talismanes, raíces... Finge hacer un sorteo y pide la mano inocente de Nazaret para sacar la papeleta. Las dos monjas, corridas, apresuran el paso. Entran en una freiduría, *La Malagueña,* cuya propietaria las protege bastante porque tiene un tío con las hermanas. Al salir, en la puerta, acuclillados, las contemplan con pasmo unos jóvenes. Nazaret baja los ojos y ve unos zapatos hechos con piel trenzada. Una vieja que había vivido en México le dijo que se llamaban ¿cómo? ¿*Guaraches*? No, no sabe, no se acuerda.... Alza los ojos y ve los rostros galanes, lisos, despreocupados y morenos. Desvía la mirada al notar que la miran a su vez.

No, para Nazaret no son los viejos una prueba de la fealdad de la vida y su mal término. No son un cilicio, sino una alegría y un consuelo. Ella siempre tuvo la certidumbre de que no se cumpliría en la belleza, sino en la verdad; no en el amor personal, que es a lo que estos muchachos se destinan sin duda, sino en el desprendimiento sin límites... Y le representan sus ganas de volver el rostro, noble y desprovisto de cuanto es accesorio, de sus viejos. Las facciones cuyos huesos cumplimentaron ya con orgullo su obligación de sostener la carne y cubrirse con ella. No se trata de la belleza frutal y pasajera de estos muchachos; se trata de una belleza de la que sólo los saqueará la muerte.

En la calle Nueva cuentan las monjas con una familia protectora y amiga. Nazaret quiere darse un capricho. Acepta la limosna, rechaza la comida que les ofrecen,

—Tenéis cara de hambre, y ya es tarde, hermanitas... Un refresquito por lo menos. ¿Tampoco? Y pide la bondad de que las dejen subir a la azotea. Desde ella, a un lado, ve las estribaciones de la Sierra, las ermitas que la motean en lo alto, sobre las últimas villas blancas, y la oscura fronda recortada contra el cielo impecable. El calor hierve sobre ellas y sus hábitos. No se mueve una hoja. Todo está blanquecino y pintado. En unos macetones unas rosas erguidas que Nazaret y su compañera se inclinan para oler... Del otro lado, un paisaje opuesto: tras la calima, que lo hace temblar, el declive del caserío hacia el Guadalquivir y la suave elevación, femenina y feraz de la campiña. Y el mismo cielo azul sobre todas las cosas... Quizá, se dice Nazaret, siempre y en todas partes hay paisajes abiertos. Y sonríe y suspira al mismo tiempo.

Van de regreso al asilo. La postulación no se está dando mal. En la Piedra Escrita, los hombres, con sus vasos de cerveza, a las puertas de las tabernas. Una muchacha, de bata clara, llena un búcaro en el caño de la fuente. Se le acerca un marchoso y, cortando el chorro con la mano, le pregunta:

—¿Está fresca?

La mujer no se enfada porque el agua tocada por el hombre le caiga en el botijo. Con naturalidad lo levanta, lo vacía sobre el joven y responde:

—Tú verás, ¿está fresca o no está? —Todos ríen y ella vuelve a poner el búcaro bajo el caño.

De allí sale una calle recta cuajada de tiendecitas familiares. Desde algunas las llaman para darles un poco de azafrán, un paquete de sal, dos botellas de vino —«Ya me traerán los cascos»— o unas cuantas pesetas. Con los ojos cerrados, Nazaret, por el olor, podría decir la mercancía: especias, helados, zapatos, espartos, lonas... Mujeres gruesas, blancas, medio sentadas a la puerta, medio dando una vuelta a la comida, con los abanicos y los búcaros a la mano, estáticas para no sudar, desabrochadas, con brazos temblequeantes alzados para arreglarse el pelo o enderezarse la moña de jazmines de anoche... Al pasar les preguntan:

«¿Qué, de paseíto, hermanas?», y siguen en lo suyo, llamando a voces a sus hijos o gritando sin más, sin esperar respuesta... Unas niñas, sólo con unas bragas, cantan canciones de rueda, más adelante, en voz baja:

Qué hermoso pelo tiene,
quién se lo peinará,
carabí urí, carabí urá...

Muchachos muy esbeltos, de andar lentísimo, hablan a medias palabras, deslizadas desde sus labios, tan oscuros que parecen morados, con las es muy abiertas, evitando las consonantes fuertes. Recostado contra una fachada blanca y ocre, un adolescente de ojeras lívidas soporta agotado su indolencia: un pie en la acera, otro en la pared, ajeno a todos y también a sí mismo. El timbre de una bicicleta hace apartarse a las hermanas. La conduce un ángel que apenas pedalea, con la cabeza inclinada a la derecha; tendrá dieciséis años; la camisa, completamente abierta, fuera del pantalón, flamea tras él igual que una bandera...

Nazaret va cansada y rezumante como un cántaro. Está deseando llegar de vuelta al asilo. Cuando lo ve, igual que una yegua ya no joven que presiente el establo y galopa a favor de querencia —eso opina ella sonriendo—, apresura el paso. Antes de llegar a la puerta de entrada, apoya el oído en el muro y escucha con claridad el latido de un corazón. *Ésta es mi casa sin la menor duda, y este corazón es y será el mío, por encima de todas las negruras.* La hermana Sabina se adelanta y tira de la campanilla de la cancela. Nazaret, cuando abre la portera, deja que la más joven entregue el producto de la postulación. Sonríe a la lisiada y sube, entre sofocos y transpiraciones, a su celda. Se les ha hecho algo tarde. Dios las perdonará.

Empuja la puerta y entra en unos dominios más privados. *Ojalá la codorniz se oriente y atine, igual que yo, con su casa verdadera,* piensa ante la jaula vacía. La salamanquesa, con su hijita, ha cambiado de sitio: ahora están justo encima de la cama, en el techo, sostenidas por sus invisibles ventosas. El corazón de Nazaret, al que siente latir bajo su mano, se inunda de compasión por todas las desdichas, las invalideces, las necesidades, las flaquezas ajenas... *Y las mías...* Agradece que, en el fondo, el mundo y la vida a ella sólo le ofrezcan un reposo no contradicho. Como si todo en su existencia fuese un dibujo inteligible y bien trazado. Da gracias a Dios sin separar los ojos de las salamanquesas.

Cuando se olvidan las pasiones indignas —se dice sin saber con exactitud a cuáles se refiere—, desaparece todo el miedo. En realidad, Nazaret siempre había desconfiado de que hubiese infierno. Por la sencilla razón de que no lo entendía: se hallaba en el extremo opuesto a él. Era como si su cuerpo fuese el de otra persona: lejano, inexpresivo y mudo. Los ruidos, la alteración y las miserias del exterior no la afectaban: hoy mismo lo había comprobado. *Todo está bien, todo está como debe estar.* Se conformaba con acompañar a los otros... (Quizá no descubría el último secreto; faltaba un paso para la perfección: no bastaba con acompañarlos, tenía que *ser* los otros.)

—Perdón —exclamó hincándose de rodillas—. Perdón por no haberte sabido dar las gracias.

Y la embargó, como una ola, la solidaridad con lo que había visto: con las gentes despojadas del derecho a un trabajo, con quienes bebían la cerveza del olvido, con aquellos a quienes se les sugiere que no son necesarios, que son un lastre para la sociedad, que podrían morir ante su indiferencia. Porque ellos sí que son la luz del mundo y su alegría a pesar de todo, que es la única redentora. Y sintió el impulso de salir otra vez a la calle y convocarlos, porque entendía mejor que nunca al Dios que no renuncia a su profesión, al Dios del hijo pródigo y la oveja perdida, al que tiene horror por la gente honorable y la que está en lo alto; al que dijo a los fariseos que lo que estiman los hombres es lo que Dios abomina; al que convidó a su fiesta a los pobres, a los lisiados, a los cojos y a los ciegos para sustituir a los situados que le enviaron excusas; al que, en casa de Zaqueo, proclamó que no vino a llamar a los justos sino a los pecadores...

Y en medio de su fervor, confirmó Nazaret que por aquel Dios había escogido su nombre cuando formuló los votos perpetuos. Nazaret significa una forma de arder distinta, sin humos y sin llamas visibles. El principio y el final de la vida del Cristo, Belén y el Gólgota, llevan consigo una epifanía: la de la impotencia total y la del martirio total. Nazaret no tiene más mérito que su mediocridad. Eso es lo que queda claro en el evangelio; pero hay que leerlo bien. Al principio, la hermana no captó su mensaje esencial... Jesús había ido con sus padres en peregrinación a Jerusalén. Cuando regresan ellos a Nazaret, él se queda. Lo buscan angustiados; al tercer día lo encuentran en el templo con los doctores. «¿Por qué nos has hecho esto?», le pregunta su madre con todo derecho. Él le replica: «¿Por qué me buscabais? ¿No sabéis que debo ocuparme en las cosas de mi Padre?» Pero ellos no comprendían, añade el evangelio. ¿No comprendieron? María lo miró con asombro; calla pero está hablándole: «Lo que sabemos es que fuiste confiado a nosotros para ser nuestro hijo, nuestro hijo verdadero. Por eso te buscábamos tu padre y yo.» Ahora es Jesús el que sí comprende... Y descendió con ellos, y fue a Nazaret: porque estar allí, no en el templo, era entonces estar en las cosas de su Padre. «Y allí les estaba sujeto. Y su madre guardaba estos sucesos en su corazón.» Y le miraba con frecuencia para entender mejor, y lo trataba como una buena madre a su hijo. «Y él crecía en estatura y gracia delante de Dios y de los hombres...» Se trataba de hacer de él un niño, un joven, un adulto corriente. Eso es Nazaret: el taller en que se forma un hombre que habla y ríe y obra como un hombre, y que, antes que uno con Dios, es uno con su pueblo.

Para eso estoy aquí. Y, para recordarlo a cada instante, elegí este nombre. Para anonadarme y desaparecer tras él como desapareció Jesús. En una casa igual a las que hay muchas a la vera del camino. Viviendo una vida ordinaria después de haber elegido una madre, una aldea, un oficio. Sin los dolores que vendrán luego, ni las persecuciones ni la gloria ni las aventuras ni la cruz. Sin enemigos irreconciliables ni amigos apasionados: sólo la vulgaridad de un trabajo desprovisto de relieve, la comida diaria y ajustada, la invisibilidad a los ojos del mundo, la humanidad carente de privilegios, la convivencia de igual a igual con los paisanos, y la pobreza donde se hallan el desasimiento y la libertad y la verdad de cada ser humano. Y también la soledad, en el recogimiento lejos de observadores, del que no busca agradar a nadie ni triunfar ni dar un buen ejemplo. Un carpintero en su carpintería, o en la carpintería de su padre, que cumple una tarea, y en ella a veces se equivoca: que hace y deshace y rehace cada día.

Tal es el momento clave en la historia de Jesús, sigue meditando la hermana Nazaret. Un asalariado, un obrero, un artesano en un villorrio polvoriento y perdido. Y perdido él también a conciencia, en un quehacer rutinario y monótono, *Como el mío, Señor,* sin recompensas íntimas, durante treinta años. No quiso ser escriba ni fariseo ni rabino. Buscó el último puesto: era difícil que alguien se lo disputara. El puesto de un hombre pegado a su trabajo, por un trozo de pan, año tras año, repletos todos de cosas ordinarias, de faenas anodinas que puede hacer cualquiera. Quizá las felicidades completas no pertenezcan sino a las ocupaciones comunes, que recrean la inteligencia con fáciles dificultades y la sacian de una realidad más allá de la cual no hay que soñar. Sin embargo, los hombres desprecian estas ocupaciones por su falta de interés, por su falta de intensidad y de éxito y de brillo. Para desaparecer, Dios eligió esa identidad adocenada y plebeya con los otros: un clima duro, un jornal corto, un trabajo constante, una vida anónima.

Las vidas como la de Jesús en Nazaret suelen estar llenas de resentimiento, de codicia, de odios comprensibles, de comprensible desesperación. *Yo lo sé, yo lo he experimentado.* Sólo la luz interior las hace incandescentes. Porque de ahí procede la enseñanza —se amonestaba arrodillada Nazaret que no había escuchado la campana llamando a la comida: tenía la cabeza sobre el lecho y las manos cruzadas—. Todas las horas del día son santas. Todas, capaces de contener la inspiración de Dios, la voluntad y el designio de Dios. No hay ninguna hora estéril como la higuera maldita, que fue maldita a pesar de que no era la estación de los higos. Ningún trabajo estéril: ni la maternidad, ni los hijos ni la carencia de ellos, ni la penuria ni la mezquindad de dar de comer a los ancianos inválidos. (La hermana se incorporó como movida por un resorte al darse cuenta de la hora.) No hay rastrojo infecundo si Dios le prende fuego. Nazaret es la prueba de que todo santifica o condena, según Dios esté ausente o presente. Nazaret es sólo ver a Dios trabajar, sudar, comer, dormir, sonreír o llorar; olerlo, desconocerlo, tocarle los callos de las manos, quitarle las legañas de los ojos. Y saber que él es el Mesías.

Al llegar al comedor de impedidos, recogió de manos de una hermana un plato con un poco de puré y se lo daba, cucharada a cucharada, a una vieja de mal humor, que lo escupía de cuando en cuando, ensuciándolo todo.

—Vamos, mujer, anda, que lo único bueno que tienes es el nombre —le decía riendo la monja.

La mujer, retorcida también en lo físico, se llamaba Espíritu Santo. Con toda la paciencia del mundo, se detenía a ratos Nazaret para darle un respiro, y acariciaba aquellas manos llenas de manchas en la piel tan seca, de venas hinchadas, de huesos que se traslucían. *Cuando sienta aversión por estas manos, todo habrá terminado. Tengo que volcarme entera a través de las mías, que la tocan y son tocadas, quizá con asco, por ella. Tengo que producir algún latido de alegría. Cuanto más me repugne el gesto que haga, mayor será el amor que dé. Tengo que palpar, que sobar esta pobreza externa y este mal de los cuerpos, para encontrar el secreto de lo que aflige al alma: las enfermedades interiores son las más mortíferas.*

Nazaret volvía a acariciar aquellas manos, y volvía a dar de comer a la vieja sin dejar de sostenerlas, de apaciguarlas con su mano izquierda. *La estoy invitando a una intimidad conmigo. Estoy tirando de ella hacia un poco de gozo, hacia la realidad; pero no creo que lo logre. Llevo semanas intentándolo. Intentando abatir las barreras que nos separan. Como si yo fuese su niña y ella mi madre; como si yo fuese su madre y ella mi hija. Para llegar juntas a ponernos de acuerdo con la raíz de nosotras mismas y de todos los otros, con las raíces de la vida. Estas manos que cojo, que han sido siempre las mismas, son las que demuestran la confusión de los caminos por los que se llega hasta aquí.* Las palmas hendidas, acribilladas por las profundas puñaladas del tiempo, áridas y al mismo tiempo sagaces. Las uñas estriadas, que acaso no dejaron escapar la fruición de las cosas y la vehemencia de los sentimientos... ¿Cuánto amó esta vieja, transportada hoy al mundo del silencio y la nieve? Porque lo terso es impersonal y gélido. Son las arrugas acumuladas por el uso, por el pesar y por la dicha, las que van imprimiendo el nombre, el apellido y la identidad de cada uno. Esta insensibilidad de hoy acaso procede de un exceso de sensibilidad de ayer. La escasez de la vida en estas manos compungidas de hoy proviene acaso de haber sido una manirrota ayer. Cuánta mudez en ellas, que se niegan a hablar quizá porque ya hablaron demasiado.

Fue suavizándose la tensión de la anciana. Ya no escupía. Observaba a la monja como arrepentida, pero aún desafiante, con un relámpago mate en los ojos reacios y airados, incluso a su pesar. No hablaba ya, sólo lanzaba gañidos confusos. Únicamente manifestaba su supervivencia con cierta forma de maldad impotente; únicamente manifestaba su ternura con cierta forma infantil de hacer daño. Y también era su manera de pedir perdón por ser así, por ser ella misma todavía un poquito...

No hay que tener prisa. La caricia, esta caricia que te hago, exige respeto y humildad por parte de las dos. Y una costosa ausencia de sentimentalismo, tan importante como la ausencia de repulsión. No; no podemos permitir que se oscurezca la última relación que nos une a los demás: a todos. Durante la mayor parte del tiempo oscurecemos el contenido de nuestros corazones. Mi profesión es ésta. Por amor de Dios, ésta. A la anciana Espíritu Santo y a cuantos se me encomienden los debo amar en Dios. Amar a todos los seres en Dios, pues de él desciende el verdadero amor.

Limpió la boca de la anciana con una servilleta tan desgastada como ella. *Igual que todo aquí.* Y la besó dos veces en la frente. Luego la condujo a la zona en sombra de la galería que daba al jardín, a la parte del jardín en que se iba a construir la nueva nave. El Salto al Cielo iba a ser su nombre. Para los asilados a los que reclamara, demasiado impaciente ya, la muerte...

Se le había hecho tarde para comer: hoy ayunaría. Fue a la capilla. Por el camino la inundaron de piedad unas frases de Gandhi. Si cuando se sumerge la mano en el barreño de agua; si cuando se atiza el fuego con el fuelle; si cuando se alinean interminables columnas de números en la mesa del contable; si cuando, quemados por el sol, se hunden los miembros en el fango del arrozal; si cuando se está de pie ante el horno del fundidor, no se realiza la misma vida religiosa que se realizaría si se estuviera orando en un monasterio, el mundo nunca se salvará. *Sí, todo es oración. Todo es Nazaret... Nazaret es el paradigma de toda actividad: que no lo olvide nunca.* Es la concentración y la reserva, la preparación para la embestida hacia adelante. Jesús no funda hospitales, ni asilos, ni iglesias; no predica; no trata de convencer; no hace milagros. No ha llegado su hora deslumbrante. Tiene que comenzar por obrar en silencio, como el invierno que prepara la primavera y el verano. Está sólo dando ejemplo antes de explicar lo que ha venido a explicar. Las palabras vacías no convencen. En Nazaret, Jesús *es el ejemplo.*

La hermana suspiró ahora como quien se ha olvidado por un instante de respirar... Nazaret es el tiempo del ensimismamiento, de preguntarse y responderse quiénes somos, ¿y qué otra cosa es, para casi todo el mundo, la vida entera? El tiempo de la soledad con Dios en medio de la acción: de una acción nada solemne o venerable, no como la de los años de vida pública, ni como la inacción de la noche del huerto hasta el desamparo final. El tiempo del sacrificio no recompensado, en apariencia, aquí abajo...

Y le sobrevino la conciencia de que no se puede llegar a la intimidad de Jesús en Belén, ni en Nazaret, ni en el desierto, ni en la predicación donde no tuvo ni una piedra donde descansar la cabeza, ni en el sudor de sangre, ni en el expolio, ni en la crucifixión, sin haber realizado, dentro de nosotros, el total desapego de las cosas, la auténtica pobreza espiritual, la pobreza de que hablan las bienaventuranzas... *Es fácil referirse a ella con una despensa bien provista y cuentas en los bancos. Es fácil dar un poco de lo mucho que sobre. Es fácil decir que se practica, sólo porque se ha hecho voto de ella, con la comida asegurada...* La hermana Nazaret sintió un vacío en el estómago. Llevaba muchas horas sin probar bocado... *Hay un justo escándalo en muchas almas cristianas: ¿cómo puede tolerarse que un tercio de la humanidad muera de hambre? ¿Qué cristianismo es éste? ¿Cómo pedir, con qué cara, cada día, el pan nuestro, teniéndolo en la mano?* Advirtió Nazaret una respuesta en su interior: «Hay que confiar y obrar y suplicar. El Dios de lo imposible, y ése es el nuestro, hará dos milagros nuevos cuando llegue la hora: multiplicar los panes y los peces, y que el camello pase por el ojo de la aguja...» Pero algo sonreía en el interior de la hermana. *Tendrá que ser un camello sin arreos ni silla, desnudo y pobre. Y antes, su dueño habrá de encontrar la aguja en el pajar, para que el camello pase por su ojo.*

Sonriendo, se levantó y salió para acostar a los impedidos. Luego quizá jugaría una partida de cartas con otros, o vigilaría para que no se hiciesen trampas. Sin embargo, aún iba cuestionándose y haciéndose reproches: había escogido el nombre más difícil de llevar. La hermana Santa Faz, dentro de la dificultad, lo tenía más fácil: sobre todo, si se la miraba bien, porque menudo bigote le sombreaba el labio. Pero Nazaret, con su significado... Daba igual: no fue por soberbia por lo que lo escogió. *Y, por lo demás, qué sabemos de nombres. Se nos dará, después de todo, el nuestro, el que nos corresponde.* Isaías —lo rememoró cuando meditaba para cambiar el suyo— dice que el Señor reconocerá a sus elegidos por su nombre. Y en el Apocalipsis escribe san Juan que al vencedor se le otorgará una piedra blanca con un nombre nuevo en ella, que sólo conocerá aquel que lo reciba. *Me conformaría con que toda mi vida fuese Nazaret. Espero que lo sea... Pero entonces ¿por qué se me desboca el corazón cuando lo pido así?*

Oyó un grito en la galería. Un grito desgarrador. Como el de las mirlas de su infancia cuando alguno de los perros de la casa les arrebataba una cría volantona. Corrió, aleteó por los pasillos. El aire era un vaho candente. A una de las ancianas, una que siempre pasaba inadvertida, le acababan de dar la noticia de que había muerto, ahogado en el río, un nieto suyo de doce años, que ella adoraba. Gritó de nuevo. Movía las manos aspadas ante la cara, como si pretendiese apartar una horrible visión.

—Alguien se ha vuelto loco arriba. ¿Por qué no yo?

Nazaret la sentó, se arrodilló ante ella y descansó la cabeza en su regazo. La miró desde allí.

—Teodora, Teodora, Teodora, ¿qué sabemos de nada? Todo está más allá de nuestra comprensión.

Con entorpecimiento, como una llama que oscila, se incorporó Teodora, auxiliada por Nazaret. Pareció que Teodora iba a huir de ella. Alguien de la familia, quien había traído la noticia, una hermana quizá, o una sobrina, acompañada de unos muchachos, se acercó a la anciana con los brazos tendidos. Ella los apartó a todos con los suyos, de arriba abajo, como un mal nadador, y, cogida del hábito de Nazaret, avanzó muy poquito a poco, gritando, como si lo único que quedase con vida en aquel cuerpo fuera la voz. Muy poco a poco, abrazada a la hermana, hacia el grupo de los otros viejos que, al saberse requeridos, la cercaron consolándola. La galería entera fue un clamor. Aquel conjunto desgañitado de entecos moribundos, que clamaba y se estremecía por la muerte de un niño, emocionó a Nazaret, que salió llorando hacia la cocina. *Dijiste que a cada día le basta su propio afán; pero hay afanes que ocupan más de un día. Ya que no tenemos capacidad para comprender, concédenos la de aceptar lo que no comprendemos. Nuestra vida es gris, Señor. A nadie le llama la atención ni la mía ni la de mis ancianos. Todos nuestros días son iguales y sin gracia, menos los que, como el de hoy, nos llenan la boca de sangre. Por eso es bueno, Señor, sentir en lo más hondo que alguien nos oye o nos mira o nos espera...*

Cuando estuvo hecho el tazón de tila bien cargada, se lo llevó a Teodora, que aún gritaba en un tono desalentado y como roto, desgarrando la espesa lona calenturienta de la siesta. A Nazaret se le ocurrió, quizá por el calor de la tila, que, si encontrara tiempo, le vendría bien una buena ducha helada. No lo tenía de momento. Tomó con su mano izquierda la nuca de la anciana a la que ayudó a sentarse de nuevo, le acercó con la derecha el tazón, algo desportillado, a la boca sin dientes. Los ojos de la vieja, mojados pero sin lágrimas y azulencos, la miraban por encima del borde. *Cuando uno se busca acaba siempre por encontrarse; pero cuando uno se olvida en nombre de los otros, es cuando encuentra a Dios. Quizá yo hago arduo y pesado el yugo del Señor que es tan ligero.* Acompañó a Teodora al dormitorio, la tendió en su cama y la dejó en poder de otras tres viejas para que la marearan un poco hasta adormecerla. Ella se fue deprisa a su celda. Se mojó las sienes y los párpados con el agua que había en el lavabo. Estaba sólo tibia, pero la consoló el silencio.

Sólo el silencio en soledad nos une a Dios: que todo en mí se calle. Aún resuenan en mi cabeza los alaridos de Teodora. Que todo mi ser sea silencio en Dios. No importa que estés dándote a los otros: que la soledad interior te imponga el único silencio válido, el que se parece al de los muertos. Si no, no vivirás en Dios... No olvides que un santo es alguien que se obstina, alguien que espera contra toda esperanza, aunque todo en torno a él sea noche oscura. Alguien que está siempre hambriento y sediento —recordó que también hacía muchas horas que no había bebido nada—, *e insatisfecho de sí mismo. Esa hambre y esa sed y esa insatisfacción son ya pura alabanza... Encomiendo a ese niño inocente, al que yo me en-*

comiendo... No tengo la seguridad de querer la santidad aún. Qué floja y qué sin nervio estoy. Y además me rebela no comprender, ni saber resignarme... Ese niño, Señor... Tenía en el corazón, y no se le iba, aquel nieto simpático y majo, que ella había visto hacía tan poco. *El alma de una hermana de la Misericordia tiene que ser viril: ha de soportar las desdichas de todo su alrededor. Aunque se desprendan las estrellas, no ha de turbarse, porque tiene a Dios dentro. Y la cruz que no te tira por tierra, que no te abruma, ¿qué cruz es tan liviana? Cómo se vuelve de explícito el evangelio: después de que hayamos cumplido con nuestro deber, hemos de confesar: somos siervos inútiles, sólo hicimos lo que ya teníamos obligación de hacer... Es el mandamiento nuevo, tan duro de cumplir. Amaréis a vuestro prójimo como yo os he amado a vosotros: ni siquiera como a vosotros mismos, sino como yo os amé, es decir, dando la vida. Y no el que dice «Señor, Señor», entrará en el reino; de ninguna manera, sino sólo el que cumple la voluntad de Dios, que es aquel amor a muerte. De ahí que tú tomes por mí la apariencia de esclavo y que te acerques con la desnudez de la eucaristía. Comunica a mi alma el don de la desnudez y el despojo total...* Y volvió a recitar aquella oración que ella compusiera y que repetía cuando su corazón, como el de la codorniz la pasada semana, tiritaba en manos del gran desconocido, cuyas previsiones sobre nosotros ignoramos.

3

No bien acababa de entrar Nazaret en la galería cuando estalló la tormenta de verano. Se oscureció la tarde, y su bochorno distrajo de la monotonía del sol y del calor a todos los asilados que allí estaban, que eran la mayor parte. En la hora del recreo, las hermanas que no cumplimentaban otras obligaciones se entretenían con los viejos, o mejor, los entretenían a ellos. Cada uno vivía de su historia pasada, o resucitaba a través de ella.

Nazaret se acercó al anciano pintor que, con dedos de temblor indominable, trazaba un nebuloso retrato a lápiz de ella. Llevaba trabajando en él mucho tiempo, y el parecido, más logrado unos días atrás, se dispersaba ahora.

—Cada vez me dibuja usted más joven, Jerónimo.

—Porque cada vez la conozco mejor —replicó, y sus manos, como dos puñados de papel arrugados por una fuerza airada, se interponían ante el dibujo tratando de impedir que Nazaret lo viera—. Sus ojos son dos nidos, hermana. —Había bajado los suyos—. A medida que la trato más, la veo con las facciones que tendría con diez u once años.

—No crea que me dice un piropo: siempre fui muy fea.

—No se trata de eso. —Las escuálidas manos del viejo volvieron a alterarse, y su respiración—. La vida y las maldades de los otros, y las nuestras también, nos ponen una máscara fina que nos deforma las facciones y las asemeja a las de otras caras. ¿Recuerda usted mi sueño de la máscara? Como esos atracadores que usan la tirantez de una media ante los mostradores de los bancos... Todos nos disfrazamos... ¿Quién reconocería al niño que fue? ¿Quién sería reconocido por el niño que fue? Usted, sin embargo, sí. Se le ha quedado un no sé qué infantil en esos ojos averiguadores, en el arco alzado de las cejas —señalaba en su retrato lo que exponía—, en esta sonrisa rezagada en las comisuras de la boca que deja ver los dientes de arriba. Y más abajo, en el pecho tan liso, como de adolescente...

—Basta —le interrumpió Nazaret taxativa, pero con una gran sonrisa.

—Sonreír así es la mejor forma de la compañía y de la santidad.

—Cállese el vejestorio —le amagó con la mano Nazaret.

—Una forma —continuó el viejo— que no cuenta con el agradecimiento, ni de él depende.

Contemplando a Jerónimo, se preguntaba Nazaret por qué no habría triunfado en la pintura y tampoco en aquel primer amor equivocado que decía. No debía de ser sincero ni en eso ni en nada. A ella, por ejemplo —lo sabía porque las hermanas, en algún concilio prescrito por las reglas, se lo habían reprochado—, la rodeaba un halo de frialdad que la hacía distante. «Vive su caridad —le advirtieron— metida en sí, embargado su corazón por una bondad medio entre dientes y hecha ya costumbre...» *Tienen ra-*

zón. «No se entrega —siguió una de ellas— en cada uno de los casos, quizá para poder entregarse en todos, no digo que no...» «Y no obstante, de repente —había añadido una hermana visitante—, un destello en sus ojos presagia que, en su interior, hay un fuego sofocado que su voluntad oculta con esfuerzo: ¿por qué ese ahínco en parecer más fría?» Nazaret se había resignado a la seguridad de que, entre sus hermanas de Orden, pasaba por ser complicada y tirando a altanera.

—Por eso, para mí, es usted superior a las otras hermanas, que son más simples y explicables, más patentes y más fáciles de clasificar.

—No me gusta esta conversación —comentó seria, despidiéndose con un apretón de manos.

Pero, a pesar de él, estaba convencida de que cualquier expansión física era contraria a su naturaleza. Tenía que sobreponerse. Quizá se percibía desde fuera su repulsión ante cualquier contacto, aun los desprovistos de cordialidad. Recordó, ¿por qué ahora?, en el noviciado a una muchachita que no tomó los hábitos: Estela. Era extremeña y había tenido novio antes, o eso aseguraba. Un día comentó que los besos de amor consistían en que la lengua de uno se introducía en la boca del otro. La joven Nazaret sufrió una náusea irreprimible. Y, por desgracia, inocultable, ya que hizo reír mucho a las demás novicias.

Jerónimo la llamó cuando estaba ya en un grupo que jugaba a las cartas. Volvió despacio a él.

—Necesito hablar, ¿y con quién mejor que con usted? —Ahora le temblaba la voz tanto como las manos—. Hasta hace poco, fuera de aquí, yo era un incomprendido al que todos atacaban, y ahora soy yo el que no comprende a nadie... —Se echó a reír—. Yo bailaría rock. Mi edad verdadera es la del rock. Sólo el miedo al ridículo y al infarto me frenan. —Se había empezado a oír, en efecto, una movida música: alguno debió de encender una radio o un transistor pequeño. Decayó la voz del viejo pintor—. Todo está hecho, ¿no, hermana? Los jóvenes no inventan nada: ni en cine, ni en literatura, ni en pintura, ni en ningún arte...

—Cada edad se refleja a sí misma de una manera, Jerónimo. A las que no son la nuestra siempre las tenemos por fallidas. —Sonrió—. Hay dos indicios de envejecimiento: uno, despreciar a los jóvenes; otro, halagarlos.

—Entonces ¿qué es envejecer? La gente en parte se endurece y en parte se pudre, pero nadie madura... ¿La única sabiduría del viejo será desear lo inevitable? —El agua caía fuera a chorros. Se estrellaba contra los cristales del balcón, y, por las junturas desajustadas de las puertas, entraba formando charcos sobre el piso. *Si no lloviera tan fuerte, abriría el balcón y entraría por él un olor ligero y fresco a la tierra mojada después de tanto sol y tanta sequedad*—. Eso no es ser viejo, eso es estar resignado. Dijo Brama que el poder de un dios está en aparentar que desea lo que no puede impedir y que sabe lo que en realidad ignora.

—Ahora, blasfemo. Eso sí que no se lo consiento. Me voy.

—Espere, por su Dios... Quizá su Dios tiene un cupo de milagros para cada criatura, y quizá mi cupo se ha agotado.

—Es usted un vanidoso. Lo importante no es saber cuánto se va a vivir, sino cómo.

—Los que han vivido mucho, como yo pero no igual que yo, no tienen ya pasiones, tienen sólo propósitos. Y en general sólo propósitos diarios... Deje que me ilusione, hermana Nazaret. Hay gente que, por mucho que viva, jamás aprenderá respuestas nuevas.

—Me pregunto a menudo qué hace usted aquí. Debería estar en una academia rodeado de alumnos.

—Estoy aquí por usted —dijo Jerónimo en voz tan baja que no lo oyó la monja. En cambio, sintió, como en otras ocasiones, mientras observaba el agua estrellarse furiosa contra los cristales, la nostalgia de su propia juventud, a pesar de estarla viviendo todavía. O quizá llamaba juventud a aquella época en que aún no la había rozado la vejez contagiosa, la vejez de que ella había decidido rodearse como sacrificio. ¿La detestaba, pues? *No, no, eso no es verdad.* Seguía hablando con tristeza Jerónimo—. Los viejos, en una nación en que están desapareciendo el concepto de pobreza no sólo honrada sino honrosa, el de la primacía de la experiencia, y el de la familia apiñada, ¿por quién van a ser respetados? Y dígame, hermana, ¿quién puede vivir sin el respeto de nadie? —Hizo una pausa en que todo él temblaba, y agregó—: Yo no siempre estuve solo. Alguien fue mío, completamente mío...

Notó Nazaret que aquel viejo rebelde iba acaso a llorar, e interrumpió su trance:

—Amar no es poseer; no es atraer hacia sí, sino salir de sí, Jerónimo. Nuestra hospitalidad, en esta casa, no es resultado de una simple compasión hacia los abandonados. Es una búsqueda de un contacto con Dios. Nos sentimos colaboradoras con la redención, fíjese qué soberbia... Bueno, sea como sea, éste es un medio seguro para salir de sí, y olvidarse, y avanzar en la unión profunda con el Señor Jesús.

—Cuánto envidio a ese Señor Jesús.

Nazaret se reprochó haber hablado así. Con frecuencia,

como ahora mismo, opinaba que era una mal testigo de Dios, que se encontraba muy a sus afueras. Luego, ya lo estaba haciendo, se recriminaría su supervaloración. Era un mero instrumento, no un reflejo ni una enviada de la divinidad. *No eres nada. No te ocupes de esa nada. Olvídala, anúlala aún más. No te recrees en ella. No la mires ni para perfeccionarla...* Sonrió de nuevo al viejo. De nuevo le estrechó la mano, sobreponiéndose al rechazo, y siguió hacia el grupo de las jugadoras de cartas. Lo formaban cuatro viejas.

—¿Quién gana? —preguntó.

—Todas —contestaron a la vez.

—Luego repartimos las ganancias —añadió una entre carcajadas—. La verdad es que ésta —señaló a la más callada— nos aventaja a todas. Se lleva lo que todas perdemos. —Se mondaban de risa.

—Pero ¿qué se juegan ustedes? No veo monedas ni garbanzos ni nada.

—Nos jugamos años, hermana. La que gana tiene que añadir a los suyos los que pierden las otras.

Las dejó jugar, divertidas. Un viejo, muy aplicado, leía un librillo de historietas. De cuando en cuando cambiaba una frase con un sacerdote, con sotana muy deslustrada color ala de mosca, que se le quejó a Nazaret de lo mal escritas que estaban las guías de Tierra Santa. Era su tema habitual y andaba siempre con una guía en las manos. Aseguraba haber estado varias veces allí, pero donde había vivido era en América.

—En todas partes, menos en Venezuela y el Caribe, por la teología de la liberación.

Tuvieron que ponerle dos marcapasos y lo enviaron a climas más templados. Ya no decía misa porque había olvidado las rúbricas, los ritos y los textos. Tenía además un cáncer de esófago y le quedaban pocos meses de vida.

—Padre —le dijo Nazaret con la mano en su hombro lleno de caspa—, cuando vuelva usted a Tierra Santa estará sano y salvo. Será para quedarse. Acuérdese de mí.

No obstante, ella de lo que se acordó fue de su padre. Le sucedía siempre que pronunciaba esa palabra. Digno, esbelto y estirado. Duró muchos años, pero sin los cuidados de su hija, dedicada a otros viejos. La mañana en que recibió la noticia de su muerte guardó silencio, no lo comentó con las hermanas. En el recreo del mediodía estuvo alegre como de costumbre; pero su conmoción fue tan profunda que, por la tarde, en la capilla, cuando la superiora pidió a las otras una oración especial, cayó desvanecida. El cura aquel le recordaba en lo físico a su padre... Un día la había llevado al cine cogido de su brazo. Era ya una mujercita, y comprendía que le doliera su decisión de entrar en el convento. La película era de pasión y lujo, intencionadamente lo menos indicado. Se aburría de antemano Clara —todavía Clara—, cuando, al abandonar el pasillo para entrar en la fila de butacas correspondiente, olvidada del sitio donde estaba, flexionó la rodilla y se santiguó como si fuese a entrar en el banco de una iglesia. Su padre comprendió que la perdía. Desde el primer instante le remordió no haberse entregado en cuerpo y alma a él. *Quizá no fue preciso. Dios lo sabe.*

Alguien, sobre un menudo velador, había descuidado dos rosas en un vaso de cristal. Llevaban varios días allí. Aún estaban frescas las hojas, pero las flores, rojas antes, se habían convertido en un gurruño negro, repugnante como las formaciones tumorosas que se ven en los cuerpos muy enfermos. *«Corruptio optima pessima»*, recordó en el somero latín de su noviciado. Sin atreverse a tocar las rosas, llevó el florero a un cubo de desperdicios de pedal, lo pisó y volcó en él el vaso. Cayó el ramo como un cadáver en una fosa, y se escuchó el chasquido jubiloso del agua, que respondía con su pequeña voz a la de fuera. *Muerte, muerte, siempre la muerte.*

Giró la cara hacia quien, con cierta insolencia, la llamaba. Era una mujer alta y gruesa. Se había puesto en pie. Tenía fama de agresiva. De cuando en cuando, la enviaban al hospital siquiátrico tres o cuatro días. No se daba cuenta de que se la llevaban, y regresaba bastante normal. Era diabética y tenía los ojos afectados. «Pierdo vista a ojos vistas», solía decir. Lo disimulaba porque conocía a sus compañeros y a las hermanas por la voz. Esa tarde dialogaba con una ciega total.

—Este ojo —explicaba al menor pretexto la ciega, que se llamaba Angelita— lo tuve con úlceras desde el sarampión que pasé a los cinco años, y lo perdí de joven. Este otro fue por las cataratas y la retina desprendida y una conjuntivitis crónica y glaucoma... Veo bultos en lo oscuro, como si fueran grumos. Y almuerzo y ceno sola porque tengo que meter las manos en los platos, y así no me ve nadie. Sólo Dios, pero a él dicen que no le importa. Llevo así ya cuarenta años.

—Hermana Nazaret —había gritado la diabética, señalando a la ciega—. Esta mujer no se da cuenta de que necesito hablar con mi marido.

A la diabética, Elsa, su marido, en lo de perder vista, le

llevó ventaja: había empezado antes, y tampoco oía nada. Todos pensaban que los dos acabarían aislados en la oscuridad, cogidos de la mano; quizá ellos también. Pero él murió. La ceguera progresiva de la mujer —empezaron a dudar los oftalmólogos— quizá se debiera a una catarata negra vigorosa. Determinaron hacer un nuevo diagnóstico, pero ella se negó a ser ni intervenida ni observada. No quería ver más, una vez desaparecida la razón de su existencia. Amaba a su marido, sobre todo después de muerto, y acabó por odiar a los que seguían vivos.

—Quiero estar sola y a oscuras. Mi marido —repetía incansable a quien se resignaba a oírla— era un joven tan guapo... Ustedes lo han conocido como un débil anciano, pero era guapo y fuerte. Nunca pensé, jamás, que lo sobreviviría. Y me avergüenzo de ello... Hablo con él. No me queda otro recurso, ¿qué voy hacer? Al final, como no estoy loca, cuando caen las cortinas de la imaginación, aparece la verdad, y esa verdad sí que la veo: he estado hablando sola...

—Claro que necesita hablar usted con su marido —le respondió Nazaret—. Y a Angelita seguro que no le importa.

Pero la anciana agria seguía en lo suyo, que nada tenía en común con lo real. Hablaba con precipitación y una desbordada melancolía:

—Ahora que soy vieja y estoy sola, no me gusta el invierno... Veo un día de junio del año dieciocho. Yo cumplía diecisiete. Llevaba un traje blanco con lazos amarillos... En mi familia siempre vivimos bien. Había en casa un salón tapizado en damasco oro viejo, con alfombras y cuadros y esos detalles que hacen buena la vida... Y había radio. Yo nunca he sabido manejar una radio: siempre la ponía mi marido, que fue ayudante de un doctor famoso... A veces se me olvida dónde estoy y cómo estoy: me imagino como la muchachita que fui, de pelo castaño y ojos claros, vivaracha, con tacones altos y ganas de agradar. Hasta que me descubro, de refilón, en algún cristal, y noto que apenas puedo andar, que apenas puedo ver, que todo se acabó... Y no creáis, me resisto a que los achaques me estropeen el tiempo que me queda. Me resisto a ser una quejumbrosa. Pero no me agrada el invierno: me siento encogida y tiritona lo mismo que si fuese una vieja. Aquí, con estas techumbres tan altas, todo conspira en favor del frío.

La ciega Angelita se abanicaba denodadamente bajo el bochorno que la lluvia había desencadenado. La hermana Nazaret le oprimió el hombro en una seña de ruego y de complicidad.

—A ver qué va a hacer una —dijo la ciega con los ojos casi blancos clavados ante sí, mientras el monólogo de Elsa se desencadenaba también, como el bochorno.

Nazaret siempre se sorprendía ante estas fidelidades póstumas. Su experiencia le enseñaba que el hombre, en un matrimonio, es el que muere antes, y la mujer, si es muy mayor, apenas se entera y no le hiere en lo más hondo, porque la relación se había gastado y ella alternaba más con otras mujeres que con él. «En caso de duda, yo la viuda», elegían sin decirlo las mujeres.

Para llevarle la contraria, apareció un hombrecillo que andaba arrimado a las paredes. De nombre Curro, ochentón, un marido muy unido a su mujer, a la que vigilaba sin cesar con los ojos, siempre pendiente de ella, que se encontraba inválida, tratando de protegerla y de ampararla.

Cuando ella, Luisa, murió, él se quedó sin oficio que cumplir y sin justificación ante sí mismo. Rechazó aceptar la muerte de Luisa, a pesar de que lo llevaron ante el cadáver en la iglesia. No lo miró, o no quiso mirarlo, y siguió buscándola por las habitaciones, por los pasillos, repitiendo en voz cada vez más baja su nombre. Y ahí estaba ahora, todavía llamándola. Murió casi enseguida.

El caso de Curro no es frecuente, sin embargo. El anciano suele ser egoísta porque se siente aislado. Está atento a lo que le sirven en la comida a los demás; se figura preterido, y es inútil decirle, por ejemplo, que su régimen le prohíbe comer dulce: se queja de que no se lo pongan de postre lo mismo que a los otros... En líneas generales, están solos: los traen las familias o alguna institución, y aguantan en silencio las fricciones con los compañeros, sin decírselo a nadie por temor a caer en desgracia ante no saben quién... De lo que sí se quejan es de que les roban: una manta, un pañuelo, un jersey descompuesto que extraviaron y ya no lo recuerdan. De todo acusan a los demás, aunque pocas veces la convivencia se haga realmente imposible porque olvidan, tan pendientes de sí mismos están. A pesar de sus senilidades, pendientes de sus artrosis, de sus coronarias, de su resistencia a ducharse... Porque lo de la ducha es capítulo aparte: simulan haberlo hecho, y hay que vigilarlos, porque se escapan a la hora del aseo y se les tiene que buscar y meterlos bajo el agua a la rastra... Pero, fuera de eso, van con la mano tendida por donde vayan, tan faltos de cariño se hallan, y buscan antes que nada el beso, la caricia en que apoyarse, la mirada afectuosa, una sonrisa... Los viejos son mi droga. Un poco de sensibilidad basta para engancharse a ellos. Voy por la calle a veces y me digo: Mira esos viejos qué bien andan, qué monos son, ojalá los tuviéramos en La Misericordia.

Y es que basta oírlos. Necesitan cariño. Si el médico o la monja, cuando aparecen, por lo común, siempre consuelan, mucho más a los ancianos... Basta oírlos contar una vez y otra el tema que los obsesiona, en el que su vida, sin saberlo, se detuvo, y al que miran volviendo inconscientemente la cabeza. Hay uno que evoca de continuo el momento en que lo iban a fusilar en la guerra; otro, el momento de la muerte de un hijo con el que no se hablaba. Consuelo, una vieja muy escamondada, se lamenta todavía de una decisión que tomó su marido, brigada, en el año 40: venirse a Córdoba desde Valladolid. Ha pasado por muchos avatares, muchas desolaciones y trabajos; pero está fija allí, en aquella decisión donde su alma se sentó y ya no se mueve. «Vamos a hablar de alegrías, Consuelo, del amor de su marido, de su noviazgo, de sus hijos.» Y lo hace, y lo despacha con cuatro palabras, para volver al tema de la equivocación de su marido, que ella cree la fuente de todas las desgracias que luego sucedieron...

No les importa tanto que les duela algo o que no les duela, siempre que se les escuche hablar del instante en que culminaron sus tribulaciones o su prosperidad. Y es que tienen enfermedades, pero no son enfermos... Su problema más inminente y acuciante es qué comerán dentro de un poco. Su patria es el pasado y a ella desean regresar. Acuden a la enfermería, yo lo he visto, porque quieren hablar. Y para excusarse preguntan: «¿No me va a mandar nada que tomar?» Prefieren la explicación de lo que les pasa a su solución: así tienen algo y alguien que los acompañe... Hablan, por descontado, de lo que han vivido, de aquello que les aconteció, pero no lo datan en tal o cual año, hace treinta o cuarenta; de ordinario lo refieren a la boda de una hija, a la enfermedad grave de un hijo, a la muerte de alguien que estimaban...

Nazaret está mirando a un hombre, apuesto todavía, con un bastón sobre las rodillas. Con él, en ocasiones, amenaza e incluso golpea. Es rigurosamente sordo. Estuvo a punto de ser expulsado porque con el bastón atacó una mañana la imagen en marmolina del Sagrado Corazón del jardín. *Venga a nos el tu reino,* dice el pedestal. Lo defendió ante la superiora Nazaret, a la que un día contó su historia. Había puesto una tienda de bicicletas que producía buenos beneficios. Su mujer, de la que estuvo muy enamorado, lo abandonó por otro. Él cerró la tienda y estuvo en ella sin salir más de una quincena, hasta que un vecino lo trajo a La Misericordia medio muerto. Lo acogieron. Suele ser comedido y simpático. La mujer sólo aparece, pero no quiere verlo, al fin de cada mes, para recoger el cheque con que él la mantiene. En tales circunstancias es cuando se alborota. El resto del mes está como un rey destronado, sostenido el bastón igual que un cetro, quieto y altivo... Por supuesto, no oyó acercarse a Nazaret por detrás de él. Ella le puso la mano sobre el hombro. Al volverse y verla, el sordo sonrió como quien recibe un regalo. Y siguió sonriendo cuando la monja se giró hacia un rincón de la galería de donde brotaba una queja repetida, que no oyó el sordo y que ensombreció aún más la tarde. Era una mujer que gemía:

—Estoy sola, estoy sola. Vuelve... ¿Por qué no vuelves?

El sordo, al seguir la mirada de Nazaret, comentó, señalando su corazón.

—La infeliz Paquita. No la oigo, mire usted, pero la siento aquí... Yo también podría decir lo mismo; sin embargo, me muerdo los labios y me aguanto.

Nazaret hizo gestos muy comprensibles de que acaso todos podrían quejarse de soledad, de haber sido dejados. El sordo aprobaba con solemnidad, y enarboló el bastón amenazando algún recuerdo triste. Nazaret se fingió asustada, y él, humilde, negó con la cabeza y le besaba el hábito a la monja.

—Usted no estará sola nunca, hermana Nazaret. Esté donde esté, nunca se verá sola.

Se despidió del sordo para acercarse a otro viejo al que, en el fondo, temía. Un viejo huraño, de dientes apretados, que jamás sonrió ni hizo migas con nadie. Se hallaba muy cerca del balcón, viendo llover con aquella vehemencia desaforada, como si jamás hubiese llovido ni volviera a llover. La hermana Nazaret compadece a aquel hombre y lo comprende, pero no ha logrado romper el caparazón que lo rodea, tan duro y sin fisuras. Nunca supo quién era. Se llama Anselmo y no tiene apellidos reales: sus padres lo abandonaron, o murieron, o lo perdieron por alguna causa. Sobrevivió de mala manera, con una infancia tétrica, llena de golpes, de privaciones, de fraudes. Quizá no quiso jamás a nadie porque no fue querido. Al parecer, no se casó ni tuvo hijos. Entró al asilo cuando comprobó que ya no se valía. Una mañana, como si hablara solo, sin el menor atisbo de debilidad en la voz, le dijo a Nazaret:

—Lo peor no es sentirse viejo, indeseable o moribundo: lo peor es saberse rechazado por todos.

La monja siguió esa conversación para acceder a él.

—Hay que vivir a impulsos de alegría, Anselmo. El temor a la soledad o la soledad misma no nos salvan, nos salva la alegría.

Anselmo miró, por primera y última vez, a la monja con fijeza. Luego apartó la vista y dijo:

—Una vez en mi vida quise cantar, pero me había olvidado de la letra.

Y se volvió a cerrar en su mutismo. Esta tarde contempla ante el balcón, incomunicado y recogido, la lluvia que sí canta, sin apartarse del charquito que moja sus zapatos. Nazaret le señala el suelo. Anselmo hace un gesto de indiferencia, se encoge de hombros y sigue contemplando las cortinas de lluvia.

Sentada ante el testero, departe una pareja en voz baja, con grandes lagunas en su conversación. La anciana, Visi, desde que, con cuarenta y tantos años, le extirparon un pecho, se volvió resentida.

—Mi marido yo sé que me prefería muerta, no por haber dejado de ser la de antes, sino porque mi falta le recordaba, sin un momento de descanso, la tragedia. Y así es. A los muertos se les acaba relegando: dan la lata cuatro días y después se les mienta cada vez menos y con menos frecuencia; pero una vida deshecha, *despechada,* como decía mi Juan, ¿qué se hace con ella? Yo sé que él tramó asesinarme alguna vez, y yo pensé en suicidarme; a pesar de eso, aquí estoy, sola. Lo mismo que las amazonas. Escuchando cómo todo el mundo habla de pechos sin parar. Mi marido me dejó por otra que tenía las tetas en su sitio, y luego se murió, vaya una vida.

El viejo que está con ella, don Rufo, sólo tenía un amigo en el asilo. Porque filosofaba demasiado, hablaba sin ton ni son pero con remilgos, y hartaba a la gente. Su amigo gozaba de infinita paciencia y lo oía en silencio. Hasta que una tarde, a primera hora, el amigo vio acercarse a su madre, a su propia madre, joven, sonriéndole y llamándolo. Creyó que todos la veían. Se la señaló a don Rufo, y don Rufo lo negó. Su amigo, muy serio, se apartó de él en busca de su infancia, feliz y previa a todos los desastres. No se hablaron más en lo que quedó de jornada. Esteban, el amigo, murió al amanecer. Desde entonces, don Rufo filosofa más todavía:

—Lo más definitivo de nosotros los viejos no es la edad, es que ya no sentimos compasión por nadie. Si alguien la siente es que no ha envejecido del todo. Cuanto le sucede a los otros nos parece una nadería en comparación con lo nuestro. Y quizá sea verdad. Es verdad... Porque tenemos la certeza de que, si la felicidad existiera y nos propusiésemos alcanzarla, no habría en el mundo nadie (ni amigos, ni hijos, ni una mujer, ni un lugar, nada) capaz de ayudarnos en la empresa... Lo que de verdad nos queda es morir, y ser olvidados por quienes no lo hayan hecho ya... De mí puedo decir que han desaparecido todas las personas que me amaron o debieron de amarme, y a las que yo amé, aunque no lo recuerdo con claridad. ¿Y de qué sirve ahora el amor suyo o mío, aquel amor, el escalofrío que me producía, su voracidad como de hambre, la dulzura que me embargaba sin confusión posible? Si han muerto, ya no están; si no han muerto, tampoco. Aquel que amaron no era yo: yo soy éste. Pero ¿sigo siendo éste, o el de ahora es otro distinto? No lo sé. Soy yo; el único que sé que es importante soy yo mismo. Por el momento, al menos... La vida es sólo un gran malentendido. Un malentendido extraordinariamente breve, no sé si por fortuna. No sufro la menor añoranza de lo que, con seguridad, tuve en mi vida. Quizá lo que me gustara sería empezar una distinta...

Y la empezó. Don Rufo era profesor de instituto. Muerto su amigo Esteban, buscó alrededor alguien con quien hablar. Y encontró a Visi, que lo escucharía para ser escuchada. Se relacionaron, se medio comprendieron. Principiaron por echarse algo de menos cuando no se tenían. Y acabaron por estar siempre juntos, con las manos cogidas, mirándose y hablándose, y callando también porque ya no necesitan hablarse tanto. El 27 de agosto se acercó Nazaret para decirle al hombre:

—Hoy es San Rufo, patrón de los afligidos. Felicidades y que él los ayude.

—No estamos afligidos —dijeron los dos al mismo tiempo.

Como dos novios jóvenes, Nazaret los ha visto besarse en la penumbra. Ha visto cómo don Rufo acariciaba el pecho único de Visi, y cómo Visi se extasiaba oyendo hablar a su catedrático, como ella lo llama.

—Anoche he soñado sin parar —le dice, por ejemplo— con lo que tuve y de lo que tú me destapas la memoria. Cuando lo tuve, no me pareció un sueño, sino algo más bien triste y no demasiado limpio... Una cena en familia, con mi mujer y mis hijos callados, haciendo un leve ruido al sorber la sopa, o algún choque de cubiertos con los platos, dejando acaso caer un trozo de pan o una servilleta y agachándose, bajo una lámpara pasada ya de moda entonces... Todo modesto y un poco cutre, todo doméstico y desganado y fastidioso. Y de repente entraba, con una fuente humeante en las manos, aquella criatura gallega y gallarda, desnuda en mi sueño, aquella criadita que no duró en la casa demasiado, que era de Cangas de Morrazo, y que me sonreía moviendo las caderas... ¿Dónde estuvo todo esto durante tanto tiempo? ¿En mi memoria sólo? ¿No quedará nada, concreto y tangible, en alguna parte, en alguna otra parte que no sea el recuerdo apático y desabrido de mis hijos, si es que existen mis hijos y el recuerdo, y no es todo una imaginación mía? Se trata de un tiempo incalculablemente lejano, abolido, desarraigado de este mundo. Sólo yo quedo de él...

—Y yo contigo —le reprende Visi esgrimiendo el dedo índice.

—Es cierto: tú conmigo; pero en este tiempo que es nuestro ya, no en aquel que no es de nadie ahora.

Y se sonríen y se toman las manos y esta tarde la lluvia se derrama dedicada a ellos dos.

Llegado el otoño —no esperaron mucho: tampoco tenían ni tanto tiempo ni tanta indecisión— manifestaron su deseo de casarse. Hubo alguna reacción de asco, incluso entre los mismos asilados. Les repugnaba que el amor, hecho para la juventud y naturalmente pensado para ella, se instalara en dos cuerpos decrépitos. Y es que hay viejos que evocan sus placeres de antaño con arrepentimiento, como si hubiesen sido racimos robados de unas viñas ajenas, o delitos cometidos en medio de una embriaguez obnubiladora. ¿Qué dirán sus hijos o sus nietos? Ni Visi ni don Rufo los tenían, o por lo menos jamás aparecieron, y era su opinión y no la de ningún otro la que contaba. Por haberse enamorado, ni es él un viejo verde ni ella una vieja loca. Don Rufo, que tanto larga, lo expresa bien:

—Producen los años una cierta declinación de la potencia física, pero, por el contrario, también un enriquecimiento de las facultades interiores. En el viaje de vuelta, el descenso de la cantidad se compensa con un ascenso de la calidad de las relaciones más privadas. Entre vacilaciones y reajustes lógicos, se da un reencuentro consigo mismo (y con el otro o la otra, en consecuencia), la oportunidad de una copartición inédita y más profunda, el mutuo regalo de un más feraz entendimiento.

Así opinaba también Nazaret, y le asestaba una puntada la envidia tierna al ver siempre de la mano o del brazo a ambos ancianos. El capellán, don Claudio, había emitido antes su veredicto:

—Durante mucho tiempo la entrega sexual exigió un motivo justificante: la simple expresión del amor no era suficiente para eliminar el pecado. La procreación y la donación del débito conyugal fueron las únicas razones para consumar el matrimonio. Cuanto no estuviera de acuerdo con aquella vía era más bien cosa de la prostitución. Incluso las caricias entre cónyuges, sin tal finalidad, se consideraron pecados mortales...

La Iglesia, no obstante, había cambiado, se había puesto al día con el flamante Concilio Vaticano.

—Billuart —añadió—, uno de los más eminentes autores del siglo XVIII, explicaba que la autorización dada por la Iglesia, para contraer matrimonio, a viejos y estériles, sólo era lícita con la intención de vivir castamente, o usar el matrimonio nada más que para responder y no para pedir el débito. Las prácticas que aconsejaban abstinencia sexual los días de comunión, o en ciertas fiestas, o en determinadas épocas litúrgicas como adviento y cuaresma, se consideraban el ideal perfecto del matrimonio, y así permanecieron hasta ahora.

»Estamos en un convento de vírgenes. La opción virginal se ha entendido durante mucho tiempo como la única posibilidad de seguir de cerca a Cristo, y un estado superior y más santo. La castidad perfecta de los solteros se oponía no sólo al condenadísimo desmadre sexual, sino a la castidad imperfecta de los casados. El matrimonio fue, por tanto, un recurso: más vale casarse que abrasarse. Sin embargo, hoy yo autorizo y felicito a estos dos contrayentes. Reconozco el protagonismo de la compañía: su reciprocidad y su entrega sin límites, y al sexo como una forma de lenguaje y de diálogo.

Hubo quien pensó que el capellán aludía a la facundia de don Rufo.

Jerónimo, el pintor, expuso su parecer al que quería oírlo. Él no había sido muy feliz en su vida, y siempre guardaba silencio sobre la comarca de su corazón. Pero opinaba que la felicidad o su busca era una obligación de todo ser humano, y que había que adaptarse a un nuevo concepto de felicidad, también el de la física, al paso de los años.

—En efecto —continuó don Rufo—. Adaptarse al placer que proporciona el lento y bien saboreado contacto corporal; a valorar, más que la triunfante penetración, la sabrosa compenetración; más que la posesión a sangre y fuego, las demoradas caricias tan hábilmente deleitosas. Existen los valores humanos, independientes de que haya otra vida de tejas para arriba, que no puede entenebrecer el penúltimo tramo de ésta. Es imprescindible que esta vida permanezca íntegra hasta su término, con sus ofertas y sus recortes...

Fue Jerónimo el que regaló a los novios dos alianzas, sin fechas ni iniciales, que jamás habían sido usadas. Quizá eran un resto de aquel amor equivocado. Las dos descansaban, en un estuche de terciopelo burdeos, sobre raso blanco.

Viendo cómo Visi y don Rufo se las probaban, y sin saber por qué vías llegaba a semejante conclusión, pensó Nazaret que cualquiera, sentado al atardecer junto al cuerpo que ama, con el suyo deteriorado, al escuchar los pasos de la noche, mientras se encienden las estrellas, concluirá que la vida descansa en la razón. Pero al mediodía siguiente, entre los perfumes del jardín y el enloquecimiento de los pájaros, cualquiera pensará que la vida transcurre en la pasión... Y suspiró, al reconocer que acaso en tal equilibrio es donde reside todo acierto.

La superiora, en el acto de la boda, no les ahorró a los cónyuges la verdad. Regordeta y sonrosada, las manos dentro de las mangas, les dijo:

—Si un viejo se enamora y es correspondido, la vejez ha de ser la condición *sine qua non* y la mejor cualidad de su atractivo. No tienen que buscarse otras que la hagan olvidar: ni una simpatía, ni un salero, ni un buen talante que enmascaren las manos secas, los ojos pitañosos, la boca descolorida o desdentada, no. Sólo la vejez misma en sí, porque lo llena todo, porque precede a todo y lo sigue y lo rebosa.

Don Rufo quiso grabar en las alianzas las palabras que pone Ovidio en boca de Filemón y Baucis, dos ancianos también, que en una disipada ocasión había leído: no en vano era catedrático de Literatura. En la alianza de él decía *Auferat hora*; en la de Visi, *Duos eadem.* Aclaró que el texto total era: que muramos los dos al mismo tiempo. Visi, cuando entendió el contenido de la súplica, se abrazó a él llorando. Y prometió aprendérsela en latín.

El día de la boda, a fines de septiembre, fue feliz si bien no para todos. Algunos continuaron murmurando que aquel espectáculo había sido un dislate; otros anhelaban la suerte de los recién casados. Nazaret, durante la ceremonia, como si algo le fuese en ella, tuvo que contener las lágrimas. Nunca había asistido a una boda antes, y le dio por recordar algo que, en principio, era lo más contrario. Cuando lo oyó contar, se le había grabado de manera indeleble. Era una historia feroz de guerra. Los regulares, en el 36, se presentaron en casa de un tío suyo, hermano de su madre, para requisar las armas que con todo derecho poseía. Cuando se las entregó, las probaron en él, en su mujer, y antes en sus dos hijos. Luego, riendo y empujándose, salieron de la casa saltando sobre los cadáveres. ¿Por qué le venía, sin poder desecharlo, tan desastroso recuerdo en un momento como aquél? ¿Por la inscripción de las alianzas?

Cuando aún no había sobrevenido aquel final en boda, en medio de esta tarde de agosto desbordada por la tormenta de verano, se cuestiona la inexperta Nazaret si el amor es ciego. Y se responde que, en todo caso, será hipermétrope, pues ve virtudes y bellezas donde el ojo humano corriente no ve más que desperfectos. Gira la vista, y en su rincón habitual tropieza con las dos mujeres en quien ahora pensaba, Rafaela y Martina. Aparte siempre, en silencio o cuchicheando muy bajito, con las manos cogidas, quizá con la cabeza de una sobre el hombro de la otra. Rafaela fue dueña de una flotilla de taxis, y Martina, dependienta de una tienda de tejidos. Desde que se conocieron en el asilo, andan sus rostros como iluminados, y no se cansan de dar gracias a Dios por reservarles esa dulce amistad para amortiguar y decorar los últimos tramos de sus vidas. Los otros ancianos dicen que están liadas; Nazaret no puede ni imaginar qué es eso. Pero entiende que el amor no es un objeto como lo son una mesa o un cuadro, sino un sentimiento que cada cual interpreta de un modo, de un modo inalienable: lo mismo que una oración o que un anochecer.

Recostada en la pared un momento, no lejos del último de los tres balcones, ve el ir y venir de otras hermanas, distraídas atendiendo como ella a unos y a otros, dando conversación y procurando que la hora del recreo transcurra animada y se haga corta. Escucha a la hermana Teresa hablar con una mujercita que, durante mucho tiempo, las ayudó viviendo fuera, y que, pasados los años y la cabeza casi perdida, había terminado por asilarse. Le regaña la hermana como se hace con una niña que está rompiendo a hablar. Junto a ellas, extrañada, sonríe una hermana de paso en la ciudad.

—Qué creerá la hermana Celsa, que no le quieres decir buenas tardes. Qué gente tan ordinaria hay en Córdoba, saldrá diciendo de aquí.

La antigua voluntaria, una viejecita de preciosas facciones, mueve los ojos de una monja a otra, asustada y deseando agradar, casi haciendo pucheros. De repente rompe a cantar *Asturias, patria querida.* Sor Teresa, riendo, la corrige.

—No, no, no, saluda. Di buenas tardes. Di cómo te llamas.

La cara primorosa de la anciana, igual que una niña disfrazada de vieja, se ilumina, y mirando a la visitante balbuce:

—Soy Rosita. Yo soy Rosita. Diecinueve años tengo... Rosita.

—¿Y estos pimpollos tan relindos? —Después de reír, la hermana Teresa cambia de mira para presumir de otros viejos ante la visitante. Le presenta a dos hombres, íntimos amigos, siempre unidos o buscándose entre sí: Boni y Miguel—. A éste viene, de vez en cuando, a verlo su padre, con más de noventa años. Son una lindeza, ¿o no? —Miguel tiene sobre sus rodillas un teclado de niño, que maneja con un par de dedos—. Toca el himno nacional, anda, Miguelito. O toca el *Venid y vamos todos con flores a María.*

La hermana Teresa desea lucirse a toda costa. Después de hacerse mucho de rogar y de pedirle a Boni que lo corrija cuando se equivoque, Miguel toca *El vino que tiene Asunción / ni es blanco ni es tinto / ni tiene color,* ante la decepción de la monjita de casa y el regodeo de la otra. Miguel es artrósico; a muy duras penas puede mover los dos dedos con los que toca. Boni es un modelo de regresión a la infancia. Está deseando explicarse ante la hermana nueva, pero lo hace con mucha dificultad y farfullando:

—Yo tenía dos hermanas y un hermano cura. La Beniteja estaba con él, y se murió. —Se le saltan las lágrimas—. La otra está con mi padre... —La tristeza se convierte en una alegría desbordante—. La huerta de mi pueblo es la que da toda la fruta. Todita la fruta del mundo.

Miguel sigue con su cancioncilla y susurra las notas: do, re, mi, do.

—¿Cuántas redondas vale una semifusa? —le examina la hermana Teresa, muy magistral—. ¿Qué valor tiene una semifusa?

—Semifusa, confusa, difusa. Fusa, fusa —le responde el viejo con una carcajada.

Y de repente, golpeando en el hombro a la visitante, se acerca un viejo que paseaba entre los otros, y le dice a gritos, mientras mueve con agilidad su andador:

—Noventa y siete años... Mira, toda mía, toda —vocea enseñándole la dentadura, aunque la verdad es que tiene los dientes muy gastados, y unos pocos tan sólo.

Nazaret llega a la altura de un viejo de ojos muy bonitos azul turquesa y sin el menor rastro de arco senil. Lo saluda por su nombre. Se llama Alejo. Cuenta siempre historias muy exuberantes. Según se deduce de ellas, fue chulo: *gigoló*, dice él. Habla de mujeres enloquecidas por su amor, y de los regalos opulentos que le hacían y que él gastaba en otras mujeres, en fiestones y en viajes. A los oyentes, si lo creen, se les salen los ojos de las órbitas —«de las clavículas», dice él— escuchando hablar de un mundo que ni siquiera imaginaban que existiese.

—Doy gracias a Dios por mi memoria —comenta Alejo a menudo—, porque me permite revivir lo vivido. Aunque para no tenerle miedo a esta vida, hay que estar muerto... Cuando me despierto y no me duele nada, me digo: ya está, ya me morí. Porque no conozco a ningún viejo que tenga motivos de alegría, ni a ningún negro que le dure la risa... Ahora soy un estafermo y no amo a nadie, a mucha honra. Pero he amado mucho y también me han amado.

De cuando en cuando narra un sueño que, según él, se repite. Se halla dormido en su cama; lo despierta el chirrido de la puerta, porque la cama donde está es la que tuvo antes de venir al asilo. Ve que se acerca un hombre que blande un cuchillo. Está encima de él. Va a caer contra su pecho la hoja, que lanza un brillo casi ruidoso. Él sabe, sin saberlo, quién es el asesino. Se le cae de la cara el pañuelo que la cubre. El hombre que va a matarlo es él mismo.

—Yo soy, es bien cierto, quien ha deshecho mi vida. Lo he pasado muy bien, no me arrepiento; pero no era mi vida la que yo viví.

Hay momentos en que, a solas, se queda abstraído y sonríe con una sonrisa parada y algo lela. Si se le pregunta por qué sonríe, contesta más o menos lo mismo:

—No sé por qué. Ni siquiera sé que estaba sonriendo. Pensaba en una novia que tuve antes de la mili. Nos separó la guerra y yo no la olvidé. No, nunca la olvidé... Creía al principio que no se podía vivir sin amor; luego aprendí que sí; y, por fin, he aprendido otra vez que no. Yo tengo ahora el de aquella noviecita, que nunca envejeció para mí. Sus ojos eran de un verde muy claro, y se llamaba Orosia. Las otras mujeres, para mí, fueron sólo de paja...

Cuando escucha palabras como aquéllas, evoca Nazaret a san Agustín, y lo comprende mejor que nunca. *Nondum amabam et amare amabat*: todavía no amaba yo, y ya amaba al amor. ¿Le sucede eso acaso a ella? Sonríe para sí, ruborizada, como si alguien materialmente le hubiese hecho la pregunta. Y ni por asomo la contesta.

Ha amainado la lluvia. Resbala por los cristales con menos furia que antes. La tarde, benevolente, ha traído una luz tamizada y amistosa sobre la galería y sus personajes. Nazaret puede ver ya a uno que antes quedaba casi en la sombra, en la parte más alejada de ella. Es Purificación, una inocente con fama de santa, a la que el rosario no se le cae nunca de las manos y que está siempre sola. Rezando y sola. Sucedió algo una vez... Nazaret se acuerda de que, cuando aquello sucedió, sintió más conmiseración que nunca por los seres que habitaban aún, fuera, en el mundo de las desilusiones. Luego se preguntó, como solía, quién era ella para compadecer a nadie, y se dijo que también, y antes, esos seres vivieron en el mundo de las ilusiones... ¿Tenía alguna ella? Lo sucedido la perturbó... Porque aquellos seres también vivían en el trasiego de los deseos carnales. ¿Y estaba segura, sin haberlos experimentado, de que esos deleites eran sólo cáscaras vanas e ilusiones vacías? ¿No se habría dejado contaminar por los viejos, entre los que, para más inri, aquello había sucedido?

Hubo una muerte sospechosa. Nazaret estaba entonces de portera y acompañó a un comisario de policía hasta la superiora, que más tarde, después de dos infartos, fue portera a su vez.

—Algo en común tenemos, madre —le había dicho el agente—. Usted trabaja para los medio muertos y yo para los muertos. Porque alguien tiene que hacer algo por ellos para que sean vengados.

—¿Cree usted que es ésa la mejor manera de enfrentar este asunto? —le interrogó la superiora.

Parecía imposible que, juntos aquí y ahora, unos viejos hubieran tenido pasados tan distintos a otros. Habitaba en aquellos años en el asilo una mujer cuya vida había sido, por lo visto, bastante pecadora. En su pelo se advertían restos de tinte rubio, y una cicatriz le corría paralela, desde la oreja derecha, hasta la mandíbula. Gozaba contando que se la había hecho un hombre celoso al descubrirla acostada con su hermano. Rompió el verdó de la mesilla de noche y con el cristal le rajó la cara. Cuando corrió al espejo, decía, la herida se abría como un sexo de hembra. Se reía al relatarlo y al constatar el efecto que en su auditorio, todo masculino, producía. Las hermanas le afeaban su comportamiento, y delante de ellas procuraba contenerse; pero su actitud era tan inconfundible como inevitable. Fue primero prostituta, y después, dueña de prostíbulo. Al final puso un bar. Era conocida como *la Hormigona,* y tenía una melena muy rizada y abierta que caía sobre sus hombros. No hacía caso a las monjas que le recomendaban recogerse aquellos pelos, y contestaba con una risotada, detonante entre las púdicas paredes del asilo. Y lo peor era que, después de la risotada, entonaba una letra de alboreá:

Jesucristo me espera
desde su huerto,
coronaíto de espinas
y el pelo suelto.

Ausentes las monjas, narraba episodios de su vida relativos a hombres y a gajes de su primera profesión, y cuando alzaba la voz se le agudizaba, cortante y fría, como un cuchillo de vulgaridad y provocación. La superiora la conminó con expulsarla si insistía en perturbar las normas y la serenidad de los demás ancianos; pero ella, pasada una semana, volvía a las andadas, urgida por los hombres, deseosos de escuchar sus porquerías. Mientras las relataba, meneaba con sensualidad la boca, los hombros y los brazos; se atusaba las cejas con el pulgar y el índice, y luego se secaba con ellos las comisuras de los labios si notaba que alguien la miraba con cierta intensidad; coqueteaba con todos, exagerando los rasgos de hermosura que aún le quedaban por el lado izquierdo, en el que la cicatriz no se veía.

—Las que somos vivas siempre tenemos suerte. Ahora estoy muy cómoda; bueno, pero antes también, en cuanto dejé el mundo de la acera y me instalé en un gran piso con las niñas. Ése fue mi mayor acierto. Porque lo de buscar es mala cosa. Disfrazarse al atardecer como de carnaval para que se te reconozca, qué guasa tiene eso. Moverse como las mareas, avanzar, retroceder, sonreír ante un escaparate viendo en él reflejado al maromo, corregir con el lápiz la línea de los labios que no necesita corregirse —fingía hacerlo poniendo la boca como para ser besada y cerrando los ojos—, hacerse la encontradiza, ay, simular un tropezón con un hombre quizá muy irritable, perdón, agacharse y recoger lo que no se te ha caído a riesgo de que el pardillo te pise una mano o te dé una patada en el culo, volver a sonreír, discutir el precio, manosear a un asqueroso perro para conquistar a su amo, volver a discutir... Mucho para este cuerpo. No sé cómo he podido llegar a esta edad en que, por la bendita gloria de mi madre, tengo sosiego sin trabajar ni tener que despatarrarme boca arriba...

»Los hombres han sido para mí como unos compañeros de oficina, o como gente de la que se vive: lo que son para los políticos. Nunca me gustaron demasiado. Puede que ahora me gusten más que nunca. —Y reía con una risa descompuesta y rijosa—. Los hombres... —proseguía, con su auditorio admirándola sin perder una sílaba—. Yo siempre he sido muy profesional.

—Sin embargo —la interrumpió don Rufo—, sin embargo, Napoleón decía que en la guerra y en la prostitución los mejores son los no profesionales.

—Ese Napoleón, de putas no entendía. Las que no sean profesionales que se casen... A mí, en cuanto me miraban con intención los hombres, se me redondeaban las nalgas, ellas solitas, abultando la falda. Me crecían y me rebrillaban los ojos, se me ponían en pie las tetas, se me acuchillaba la boca y me esponjaba toda. Una profesional de cuerpo entero... De los hombres, los ojos. Y un poco el culo; pero los ojos por encima de todo. Qué seríamos las mujeres sin ellos. Viejas todas y feas y escuchimizadas. —Se dirigía en ese momento al rincón en que se instalaba Purificación con sus rosarios. La enfrentaba a ella un verdadero odio o desprecio o asco—. Son los ojos de los hombres los que nos hacen como quieren. Su deseo es el que nos trabaja como a la masa el panadero, como los plateros a la plata. Y su deseo por nosotras es también lo que nos da alegría para seguir viviendo. Ay, sin vosotros que estáis aquí oyéndome, viejos y todo, ¿qué sería de mí?

Enseñaba, a quien se prestaba a ello, versos y cartas que le remitían sus adoradores desde fuera. La policía descubrió más tarde que los escribía ella. Mostraba fotos en las que se veía joven aún, lozana, cachonda, con trajes apretados y grandes escotes, siempre del lado izquierdo. Y en las historias de su pasado mezclaba nombres conocidos de Córdoba, familias de toda la vida, direcciones, teléfonos... Así logró conquistar, para divertirse según creían todos, a un viejecillo honesto y apocado, de Hinojosa del Duque, con unos dineritos ahorrados que destinaba a sus nietos del pueblo. Ese viejecillo era justamente el único al que Purificación hacía algún caso. Con el que al atardecer, a veces, rezaba sus rosarios, y asimismo el que más respetaba a la virginal vieja, sin consentirse jamás, ni consentir a nadie, la menor broma sobre ella.

Enterada *la Hormigona* de que Purificación fue en tiempos ama de llaves en una buena casa cordobesa, la ruina de la cual la había obligado a asilarse, comenzó a sacar trapos sucios de esa familia en voz muy alta. Contaba que ella había sido la amante del señor de la casa, y con tales pruebas que no cabía la menor duda del hecho. Contaba que, a petición de él, desvirgó a Antonio, su primogénito, cuya ama seca había sido Purificación. Ésta, con los labios mordidos, se alejaba en cuanto oía mencionar a los López de Ariste. Pero la velocidad de su retirada no era tan grande como para no oír que Soledad, *la Hormigona*, había recibido en su casa de citas a la señora López de Ariste que se enredaba allí con un amigo de su hijo. *La Hormigona* vociferaba el nombre de aquel muchacho riendo a carcajadas. Llegó a contar que su amante, don Antonio, bromeaba con ella porque se había enterado de que una de las criadas de su casa, a la que llamaban la tata Puri, lo miraba con ojos de carnero degollado, enamorada de él hasta las trancas y sin la menor probabilidad de éxito, la muy zorritonta.

—Y esa criada es esta tía pelmaza —añadía muerta de risa, con el menosprecio que la lubricidad siente por la castidad siempre.

Cuando engatusó bien al viejecillo de Hinojosa, que llegó a pedirla en matrimonio y a proponerle llevársela a su pueblo y tratarla allí como a una reina, Purificación cayó enferma. La visitaba el capellán de vez en cuando, y salía de su conversación con el entrecejo fruncido y las manos trenzadas a la espalda, signo en él de gran preocupación. Hasta que una mañana Soledad, *la Hormigona*, no se despertó al toque de la campana común. Estaba muerta. En aquel asilo una muerte no sorprendía demasiado, pero ésta sí. El médico, don Sebastián, aseguró que, para él por lo menos, era una sorpresa; que no había nada que la justificara; que el corazón no se hallaba en malas condiciones y que ningún síntoma hacía prever una muerte semejante. Que todo era posible; sin embargo, él, en el certificado de defunción, escribió, muy a pesar de la superiora, muerte por causa desconocida. Se imponía la autopsia. No obstante, él debió de pensar en alguna causa, porque comunicó al concilio de familia, formado por la superiora y sus tres discretas, una de la cuales era Nazaret, que la muerte se había producido no por estrangulamiento, sino por asfixia, aunque no hubiese señal física de ella. Como si alguien con mucha fuerza —añadió— hubiese apretado la almohada contra la cabeza de la difunta.

La policía no obtuvo prueba alguna. Nazaret se dijo que, cuando los medio muertos no tenían dinero, resultaba difícil para nadie tomarse el trabajo de vengarlos, si es que la venganza era un trabajo que mereciera la pena. Y así pasó de largo aquel suceso que conmovió hasta los cimientos el asilo, donde no hay noticia que no se retransmita y corra, aterró a los residentes, devolvió a Hinojosa al viejecillo, y a Purificación, recuperada la salud, a su rincón de siempre a rezar sus rosarios.

En un grupo, junto a la puerta de entrada desde el pasillo, sentadas muy cerca unas de otras, unas cuantas mujeres, las más viejas del centro. Entre ellas, tres monjas ya relevadas por la edad de sus funciones. La mayor, casi centenaria, aquella superiora de los dos infartos, en su silla de ruedas, en torno a la que se apretaban las otras. *Amor, amor,*

amor, se repetía, irónica y cariñosa a la vez, la hermana Nazaret cuando las veía juntas. Amor a Dios de las hermanas, una de las cuales, la hermana Cecilia, de más de noventa años, gozaba del privilegio de ver al ángel de la guarda de todos, y lo describía con pelos —mejor, con plumas— y señales. Prácticamente no veía otra cosa. El ángel de Nazaret, según ella, que se mostraba muy desconcertada, era cambiante: rubio o moreno, alegre o apenado según las circunstancias.

—Tiene que tener su caridad mucho amor por su ángel. La mira con tanta ternura... Sobre todo el que lleva el pelo rubio. Del moreno, preferiría no hablarle.

Otra vieja, seglar, se refería siempre, a pesar de tener ya bisnietos, a un primo suyo que murió a los diecisiete años, cuando ella tenía ocho o nueve. Nazaret suponía que, durante tan largo tiempo, había reinventado al personaje, porque cada vez lo pintaba con mayor detalle. *No, no es ciego el amor.* Una segunda anciana asilada hablaba de sus pretendientes. En su barrio de Santa Marina se preguntaban unos a otros: «"¿Tú por quién vienes? ¿Tú por quién vienes?" Y siempre era la misma la respuesta: "Yo, por Torcuatita." Así tenía la calle debajo de mi balcón». Y apiñaba los dedos dando a entender que no cabía la gente.

—Porque yo era de graciosa... No un gran qué, ésa es la verdad, pero de graciosa... A mí el que me gustaba era Agustín Pardiñas. Estaba mochales por él, y él por mis huesos. Pero me dijeron que tenía enfermedades que le habían contagiado las mujeres malas, y me casaron con un soriano feo y frío. Nueve hijos tuve con él, menos mal que era frío... Yo en mi vida he olvidado la nuca de Agustín, ni sus manos tan fuertes, ni sus caderas tan estrechas, Dios mío...

La tercera vieja fue madrina de guerra de un soldado muy joven. Ella era talludita ya y se enamoró de él por carta. Sólo lo vio en foto, una instantánea de 6 × 9, bueno, pero qué le importaba. Cuando se lo mataron, a ella le dolieron los centros de su cuerpo y la cal de los huesos y se le abrió la tierra. No quiso saber más.

—¿Y por qué no se hizo monja usted? —le preguntaban las monjas.

—Porque tenía mi corazón llenito de mi ahijado, y Dios no quiere corazones partidos.

—Eso es verdad —se conformaban ellas.

—Y todavía lo tengo.

—Cuánta fidelidad, verdaderamente.

—Pues yo he sufrido más que nadie —interrumpía la cuarta asilada—. Un muchacho me pretendió, y yo me moría de amor por él, vamos, que me moría. Tenía el color cetrino, era delgado y alto. Porque lo que un hombre tiene que ser es eso: delgado, alto y moreno. Lo demás son ganas de llamar la atención... Íbamos a casarnos cuando se cundió por Villarrubia, mi pueblo, que mis padres no se habían casado nunca. Para evitar habladurías, él me dejó. Y cómo me dejó: me quedé sin su amor y con un rencor sordo que les tomé a mis padres. De sufrimiento cogí una enfermedad. Me vine a servir a Córdoba, y ya todo fue puro tropiezo. Porque, cuando se quiebra el sino, se cierran las veredas.

Aún lloraba, limpiándose con rabia las lágrimas calientes que le rebosaban de los ojillos acuosos.

—Todo eso son paparruchas trasnochadas —alardeaba una quinta vieja—. Lo mío es lo peor porque pasó hace un año. No me lo invento yo, que vosotras lo visteis. Yo tenía mi novio, Julio, que venía los domingos a verme. Si él era o no casado, eso a nadie le importa, ni a mí. Todos los domingos aquí estaba. Una hora de visita que me daba la sal y el perejil... Y de pronto, un domingo no vino. Ni al siguiente. Hice por enterarme y supe que ni siquiera se había muerto: era que no quería verme más. Dijo que estaba vieja... Fue cuando me corté el moño y por poco me afeito la cabeza. Porque cuando una es joven, otro vendrá; pero ya qué puede esperar una. ¿Para quién quería yo ya los pelos largos? Cuando se ha perdido la memoria de casi todo, lo poquito que se mantiene qué dificilito es de olvidar.

Y también lloraba. Y lloraban todas, hasta las monjas, que sabe Dios qué historias del corazón tendrían también. *Amor, amor, amor. Cuánta contradicción.* Antes de conocer las historias pasadas de los ancianos hubo momentos en que Nazaret reconocía que la falta de vida a su alrededor era acaso lo que más la empujaba a vivir y a ser valiente. Ahora, por el contrario, confesaba sentirse tentada de conocer experiencias que siempre fueron arcanas para ella, y suscitaban en su interior remotas curiosidades y la seducción de dejarse caer pozo abajo, como Alicia en el País de las Maravillas.

Así cavilaba, apoyada la frente en los cristales, cuando reparó en que había dejado de llover. Abrió el balcón y vio los árboles lavados, chorreando agua aún. El olor de la tierra empapada y del arrayán de las borduras subía como una humareda desde el jardín. En los charcos se reflejaba el cielo que comenzaba a abrirse y permitía entrever lo azul. Sin saber lo que hacía, como arrastrada, dejó el balcón abierto, salió del salón del recreo, corrió por el pasillo y bajó desalada la escalera. Cuando llegó fuera llevaba las sandalias en la mano. Las arrojó y se puso a chapotear con los pies desnudos en el barro. Disfrutaba como una niña chica que hace algo prohibido. No miraba ni a su derecha ni a su izquierda, concentrada en su gozo terrenal e inmediato de salpicarse los hábitos sostenidos a media pierna. Después de unos instantes, al caer en la cuenta de que estaba faltando a las reglas, alzó los ojos al balcón abierto. En él estaba el viejo huraño que jamás sonreía. Estaba, y sonriendo. Cuando notó que ella lo miraba, dejó de sonreír. Nazaret pensó que, por lo menos, algo bueno había salido de su falta. Se lavó los pies en la fuente que rebosaba, se calzó las sandalias, moderó su expresión de contento, ordenó sus tocas como Dios le dio a entender y subió para servir la cena.

Mientras lo hacía, recordó lo que, en distintas circunstancias, le había dicho el viejo que no hablaba con nadie y que, por fin, había sonreído.

—Si ya no hago proyectos, ¿para qué quiero la memoria? Si ya no necesito la previsión ni la cordura, ¿de qué me sirve la experiencia?

Un día que ella le planteó la cuestión, por enzarzarlo, de si no le preocupaba o le dolía imaginarse la persona que pudo haber sido y no fue, alegre y repartiendo la alegría; imaginarse las vidas no vividas y a aquellos que pudieron compartirlas y no las compartieron por culpa de su amargura, el viejo hirsuto le respondió:

—Yo he sido siempre como un actor sin público. Lo que me extraña es que no haya caído ya el telón.

El telón cayó aquella misma noche. Con una cuchilla de afeitar se abrió las venas en una ducha. La sangre salía por debajo de la puerta. Nazaret no supo si sentirse responsable, aunque el capellán la disuadía. Tardó mucho en olvidar —nunca lo hizo del todo— aquella última y primera sonrisa viendo a una monja descalza pataleando en el lodo del jardín.

Paseó esa mañana entre las aspidistras, las esparragueras y los filodendros de la galería de recreo. Pidió regarlas ella a la hermana jardinera. Acarició el sillón de anea en que el viejo huraño había estado sentado, desde el que le dijo sus postreras palabras, del que se había levantado para asomarse al balcón que ella abrió. Las plantas permanecían indiferentes a cuanto ocurría, terrible o sin importancia, a la redonda. Cuando echaban un brote o se secaban, nadie adivinaba ni cuestionaba la causa de su progreso o de su destrucción. Igual que sucedía con los seres humanos. Allí estaban las aspidistras y los filodendros: estáticos, seguros, cuidados; pero dentro del asilo, al otro lado de cuyas puertas se estremecía y reía a carcajadas y lloraba a canales —o eso intuyó Nazaret aquella mañana— el mundo. De este lado quedaban el silencio del olvido, de la ausencia y de la muerte.

Por la tarde le enseñaron la maleta del muerto. Dentro de ella había una colección de fotografías de una mujer hermosa que sonreía en todas, de dos niños, rubios y risueños, cuyas facciones recordaban las del viejo huraño; un tapete bordado: por sus dimensiones, de un macetero —no, era un pañuelo con tres manchas de cera—; un crucifijo grande y otros más chicos que recordaban los que se ponen en los ataúdes; un recorte de un periódico de Navarra donde se hablaba de un accidente en que había fallecido una familia entera, menos el padre, que conducía el coche...

Nazaret comprendió que las monjas piensan de todo el mundo lo que les dicta su propia simpleza, su propia sencillez o su propia bondad, como quiera llamarse. Eso las enceguece, porque les es imposible imaginar siquiera ciertos recovecos del corazón humano. Aunque sean listas, y reconozcan en principio que así es y que la separación del mundo las infantiliza y las hace desconocerlo. Porque, si no conocen a sus semejantes, más, si no se hacen semejantes a ellos, ¿cómo podrán amarlos?

4

En los primeros días de septiembre comenzaron a desbaratar los arriates y a talar y desarraigar los árboles de buena parte del jardín. La superiora, que en la orden llamaban *la Sirvienta,* había recaído en una anemia perniciosa que la aquejaba de tanto en tanto, probablemente por no alimentarse lo necesario.

Aunque don Sebastián diagnosticó que era hereditaria y además muy propia de la presenilidad.

—Pero ¿y esos colores tan sanos de la cara?

—Son edemas faciales, hermana, no salud. Ha dejado de tomar su B12 y éstos son los resultados.

Su mandato recayó en la hermana Nazaret. No se le ocurrió plantearse que acaso su familia, la que quedaba, que era poca y retirada, se sentiría satisfecha de ella, cuya ida al convento tanto había lamentado, acusándola de despreciar sus dotes para realizar una labor que podría cumplir, acaso con ventaja, cualquier tonta. Sólo se le ocurría a todas horas, al contemplar el estropicio producido por la obra, cuánto se opuso siempre a arrebatar cualquier tipo de vida. Desde muy niña fue reacia, aun antes del convento, a cortar flores, a aplastar hormigas o moscas; se contentaba con espantar las avispas manoteando, o con agitar un mandil para aventar las abejas. Recordaba sin querer, erizada, cómo mataban las gallinas, y con qué naturalidad, las mujeres de su pueblo: aplastándoles el pico contra el cuello y abriéndoles de una cuchillada la cabeza, sin soltarlas hasta que no concluyeran los estertores... Y ahora veía cómo, para edificar la nave que iba a ampliar el asilo, se destrozaba tanto verdor, tanta lozanía que costó años, siglos quizá, como en el caso de los gruesos pinsapos, levantar.

Aceptaba Nazaret que la obra, una vez concluida, favorecería a la casa al posibilitar el traslado de los viejos inválidos a otro lugar; pero le tomó aversión por el destrozo que ocasionaba. Una tarde, cesado el bullicio de los albañiles, quiso comprobar los adelantos. Y se encontró, por casualidad, creyendo la obra vacía, con el maestro de ellos. Era un hombre de edad indefinida (Nazaret, hecha a los viejos, calculaba muy mal los años), amable sonrisa y toscas manos, que le explicó lo que se había hecho y lo que quedaba por hacer. Cómo se habían excavado los cimientos para las paredes maestras, destinadas a soportar después las cargas; las zanjas eran de un metro de profundidad y setenta centímetros de anchura. «Para sostener la superficie se harán después los encofrados con tubos y planchas de madera que sujetarán el hormigón durante los veintiocho días que tarde en fraguar... Pero para los pilares, que habrán de aguantar más, los encofrados tienen que ser de hierro... En cuanto a los suelos anteriores al solado, ¿me sigue usted, hermana?, se hace una solera que consiste en una capa de unos quince centímetros, que lleva un mallazo de hierro y el correspondiente hormigón. Si el suelo es en alto, un forjado con entramados de hierro, uno superior y otro inferior, de veinticinco o treinta centímetros según las cargas... Aquí están las cubetas para el mortero, formado por cemento, arena y agua, que la grúa trae desde la hormigonera...»

Fue con una de esas cubetas, abstraída e intentando atender lo que el maestro le indicaba, con lo que se golpeó en la frente la hermana Nazaret. El maestro, compungido y abochornado por haber pretendido presumir ante la monjita, le humedeció el sitio del golpe, que se hinchaba en un chichón considerable, y la llevó hasta el interior del asilo. La antipatía por la obra, en el pecho de Nazaret, no hizo más que crecer al ritmo del chichón. «Sobre la solera —se repetía aquella noche— una capa de arena y una especie de cemento para sostener el solado cerámico...» Intentaba recordar. «Y las paredes, de ladrillos de un pie, atravesados, para exteriores, o de medio, que se llama citara, o en vertical, denominado tabique o tabicón...» Aunque quizá se llamara panderete cuando el ladrillo estaba de canto, y tabicón era con los ladrillos a soga... Le impedía coger el sueño el repaso de las lecciones, tan confusas para ella, que le dio el maestro de albañiles, y las molestias del chichón que adquirió ella por su cuenta y que ahora le ofrecía al Señor. Hasta dormida siguió intentando memorizar: «Luego se tiende el yeso y se pinta... No; antes, las rozas para las instalaciones, y los yesos sólo en los interiores; en el exterior, el enfoscado de cemento. Estos obreros son los más conflictivos, ¿o los más conflictivos eran los alicatadores?»

Pero, jornada tras jornada, Nazaret fue entusiasmándose con la construcción, y la visitaba y vigilaba su crecimiento. Reiteraban los trabajadores que el jefe de las obras, o constructor, o aparejador, o Dios sabe qué, vendría de una mañana a otra, porque siempre estaba ocupadísimo. Se había convertido en una broma amenazar a alguien que holgazaneaba con la llegada de don Diego Bastida.

—¿Va a venir hoy don Diego Bastida? —preguntaba riendo Nazaret.

Y los hombres le contestaban también riendo:

—Hoy mismo o mañana, hermana Nazaret.

Un día, de pasada entre sus ocupaciones, se asomó al balcón de la galería de recreo y presenció cómo, al entrar un hombre en la nave, levantaba el vuelo una bandada de palomas que picoteaba la tierra removida por allí. Una de ellas le dio un aletazo en la toca. Nazaret dedujo que don Diego Bastida había llegado. Lo vio de espaldas, y se dijo, algo decepcionada, que no era para tanto, y que podía haber llegado mucho antes. Era muy alto y flaco. La ropa, aún de verano, le caía formando pliegues desde los hombros y desde la cintura. El pelo le griseaba por las sienes, y la mano con la que se había apoyado en el listón de madera que cercaba el hueco de la puerta era delgada y larga, más propia de alguien dedicado a trabajos muy distintos. *Tiene manos de santo... Qué boba soy.* Ese día no bajó a la obra. Bajó al siguiente y él ya estaba esperándola.

—Tengo mucho gusto en conocerla —dijo con voz muy grave.

Pero ella no lo oyó. Estaba pendiente de sus ojos. No había visto nunca otros iguales: grandes, almendrados, rodeados de pestañas espesas y muy vueltas, y de un color que pardeaba o verdeaba, según la luz le diera desde uno u otro punto. *Son igual que dos uvas.* Parecía que, en lugar de para ver, los tuviese para iluminarle la cara, que era también larga y un tanto seca, con dos surcos que le unían la nariz y las comisuras de los labios. No obstante, los labios eran infantiles: gruesos y sonrosados. En mitad de la barbilla, no abajo, tenía un hoyuelo muy hondo. *Le debe de resultar difícil afeitarse.* Y la frente, amplia y marcada, acentuaba la impresión de santidad que las manos le habían producido.

—Mucho gusto en conocerla —repitió mientras le tendía la mano derecha.

Nazaret escondió las suyas en las mangas e inclinó la cabeza. *¿Eres tonta?, ¿por qué no le estrechas la mano?* Hizo otra inclinación.

—¿La obra va bien? Pronto vendrán las lluvias.

—Por eso quiero poner las cubiertas cuanto antes. Mi intención era empezar en julio. No sé por qué se retrasó el arranque.

Qué voz tan gruesa. Le sale de mucho más abajo que la boca. Y tiene algo material: se la puede tocar. Es distinto, completamente distinto... Es vital. El Salto al Cielo va a ser maravilloso.

—Las limosnas —replicó—. Fallaron quizá las donaciones. Yo no soy la superiora. Ella está enferma y yo...

No había entrado en la nave, cuyas paredes estaban casi construidas. Sin ninguna razón, Nazaret se despidió.

—Tengo mucho que hacer.

—¿Vendrá mañana? Podrá venir a lo mejor esta misma tarde.

—Vendré lo más posible. También esto es mi trabajo.

Nazaret subió la escalera con una torpeza insólita. Se tuvo que agarrar a la barandilla. Era como si hubiese bebido: ese efecto que, a veces, por Navidad, le provocaba una copita de agua de la Virgen del Carmen, o cuando de pequeña se quedaba, sin pañuelo en la cabeza, mucho tiempo en las eras contemplando trillar a los mozos. *Quizá he cogido una insolación: lo que faltaba.* Y corrió a echarse agua para calmar el sofoco. *Es que todavía hace demasiado calor.* Y de repente le dieron ganas de llorar. *En efecto, soy tonta... La vida nos devora y también nos alimenta...* No sabía si pensaba en sus viejos o en sí misma. *Mientras tenga algo que comer, persistirá a nuestro lado, o dentro, o donde sea su sitio, royéndonos. Depende de nosotros, en el fondo, el vivir o el morir; depende del alimento que le demos... Pero ¿qué hago ahora filosofando sobre la vida?... Cuando nos vea vacíos e inservibles, se desahuciará ella a sí misma y nos abandonará con el desdén con que se tira una cáscara de almendra ya comida a un lado del camino...* Se distrajo un momento al acordarse de las allozas verdes, tiernas todavía, llenas sólo de un agua espesa y blanquecina... *Pero ¿qué más da todo? ¿Para qué aplazar unos días, unos meses apenas, la caída de la espada que nos va a degollar?... Soy tonta, pero mala.*

Entró en la penumbra fresca de la iglesia. Se arrodilló delante de Jesús Nazareno, alrededor de cuya imagen se había construido el asilo. Se refugió en su mirada tan oscura, compasiva y doliente. Suspiró. *Soy completamente estúpida.* Bajo las tres potencias de plata sobredorada, la corona de espinas igual que un gran turbante. Trató de rezar un padrenuestro, pero no le salía. Apoyó la frente sobre el banco. *Señor, Señor...* Las manos del Nazareno le recordaban las de Diego. *Las de don Diego Bastida, Señor.* Y le vino a la imaginación de nuevo lo que reflexionaba en el pasillo. *La vida es suntuosa. Es necesario malgastarla para que ella se sienta agradecida. Odia a los avarientos, a quienes la pesan y la miden. Odia a los tibios... Tú eres la vida, Señor. Y la verdad y el único camino.*

Desarrolló con normalidad sus obligaciones, si bien se sentía la cabeza repleta de grumos de algodón. «Tengo la cabeza llena de agua», le había dicho hacía poco un viejo, desmemoriado ya. Así la tenía ella. Pero cumplió sin que nadie percibiera nada extraño.

En su celda, a la noche, entraba mucha luz por el ventanillo. Resbalaba sobre la rampa y se estrellaba contra los desiguales mazaríes del pavimento. Debía de haber una luna muy grande. Estuvo tentada de salir, o de verla al menos desde el patio principal. Sin embargo, se contuvo y, alzando una mano, la miró, corpórea y proyectando su propia sombra, a la yerta y azulada luz que bajaba de lo alto.

No durmió apenas. Se encontraba asustada sin motivo alguno e ilusionada con menos motivo todavía. Lo atribuyó al calor y a la responsabilidad de la obra, que le había caído encima como algo imprevisible, añadida a sus tareas personales. Volvió a reflexionar en la mejora que, para el asilo, suponía separar los viejos que aún se valían por sí mismos de aquellos supeditados para todo a las hermanas. Dio gracias al Nazareno y a la Dolorosa por la merced que les habían concedido, y trató de que la imaginación, aun insomne, se sujetara, en vez de seguir el camino inverso al de la luz y escapar por el ventanillo.

Al mediodía siguiente le mandó el constructor recado de que ya estaba allí. Era la hora del almuerzo de los obreros y también de los ancianos. No le era posible bajar. Le suplicó que la esperase o que dejara la entrevista para otro día. Pero en cuanto se quedó libre bajó. Vio a don Diego Bastida, más alto aún que ayer, acercarse entre los escasos arriates que aún sobrevivían. *En este pequeño jardín, ahora diezmado como mínimo, contemplé e hice durante muchos años oración y el poquito ejercicio físico que me mantuvo ágil para desempeñar mis tareas. Y aquí he visto salir la luna temerosa, e ir cayendo o desplomarse de pronto las sombras de cada atardecer, en verano o en invierno, y hasta aquí me ha llegado el rumor creciente de la ciudad que nos rodea, que asedia al convento igual que un enemigo... ¿Por qué digo esto? ¿Es Córdoba un enemigo? Sí, un enemigo que amenaza saltar sobre los fosos de un castillo cercado...* De nuevo tuvo ganas de llorar. *Por el jardín decapitado, por supuesto.* Diego Bastida se acercó sonriendo.

—Dispense que haya tenido mala suerte en la hora: no sé sus reglamentos.

—No importa —respondió. *¿Qué importa más, la muerte que dura tanto o la vida que dura tan poco? ¿Quién gana la batalla? Estoy meditando esto demasiado en los últimos días. En definitiva, las dos son la misma cosa. No dos siamesas de distintos colores, no la doble cara de la misma moneda, sino un fruto que madura, una imbricación inseparable. La vehemencia, la intensidad, el regusto de la vida dependen de la muerte: sólo existen porque ella existe.* Miraba de hito en hito el rostro de Bastida—. No, no importa.

Escuchaba su voz, pero no lo que le decía. *«Espesa» es la palabra para definir esta voz.* Vio que su mano afilada señalaba la nave nueva y no supo por qué. La mano se asemejaba a la del Nazareno, que sujeta la cruz con majestad y desánimo a la vez, con la certeza fracasada de que podría arrojarla a sus pies cuando quisiera. Y el olor... *Es un olor a maderas antiguas, como el que desprenden las cajoneras de la sacristía*; de maderas que han acumulando muchos aromas, macerándolos, integrándolos en uno solo para exhalarlo luego, confuso y atinado al mismo tiempo, múltiple y único...

Diego Bastida, apenas con dos dedos, la tomó del codo para llevarla hacia la obra. Los trabajadores enlucían la cara externa del muro con... *Ya no me acuerdo.* Dejó caer la mano a la vez que Bastida dejó caer la suya. Se rozaron. Nazaret supo que se habían rozado, y dio un paso hacia atrás. ¿Había sentido algo así como un calambre? Quizá fue igual en el milagro de la hemorroísa. Un montón de gentes rodeaba a Jesús y él se volvió a Pedro: «¿Quién me ha tocado?» «Señor, entre esta multitud, ¿preguntas quién te tocó?» «Es que de mí ha salido gracia...» No; no fue un empujón, ni un tacto, ni una rozadura corriente: éste había provocado un milagro para alguien. La hemorroísa se prosternó: «He sido yo, Señor». Su fe la había curado... Era un milagro muy bonito; desde niña se lo había parecido. Lástima que se llamase hemorroísa, una palabra tan encumbrada y tan solemne, a una infeliz mujer que padecía de almorranas... Diego Bastida le hablaba. *Va a creer que soy sorda, o maribobales, como santa Teresa llamaba a sus monjitas...* Y de pronto notó que sus mejillas palidecían. Lo supo con absoluta certidumbre. Sintió un hormigueo, una perceptible bajada de la sangre, un frío que brotaba de dentro afuera y que le perlaba de sudor la frente y el labio de arriba, de hielo los pómulos. Se desmayaba. *No puede ser.* Respiró hondo. O quizá suspiró. Veía, lejos, la expresión, entre afectuosa y consternada, de Bastida. Se recostó en el quicio de cemento sin refinar de la puerta.

—¿Se encuentra mal? —oyó, muy distante, la gruesa voz.

—No se preocupe, no. Ha sido una bajada de tensión, yo creo... —La mano del Nazareno la sostenía ahora. Mejoró. *Tonta es poco, lo que soy es absolutamente idiota*—. Este arco quedará bonito, ¿no le parece a usted?

—Es de medio punto. Los maderos están sujetando lo recién hecho; se llaman moldes; con ellos bastará. Si fuesen más grandes y metálicos, se llamarían cimbras. A veces ponemos tablas flexibles, cerchas las llamamos, que sirven también para los escayolistas.

—Ah —comentó Nazaret con toda la inteligencia de que fue capaz, ya que no se había enterado de nada y aún no se había repuesto.

—El exterior lo están terminando con un enfoscado que va directamente sobre el ladrillo. —Extendía su mano de Nazareno señalando a un albañil—. El mortero de cemento se aplica así, ¿ve usted?, con el fratrás, y luego se limpia y se termina con el palustre y la plana, que alisa. La esponja, al final, es para afinar más y quitar las rebabas.

—Qué bien. Está muy bien —volvió a comentar Nazaret, aturullada.

—¿Y usted?

—¿Cómo?

—Que si está ya bien.

—Ah, sí, perfectamente... Me habría gustado poder ayudar a sus hombres, pero soy muy negada para los trabajos manuales.

Bastida se rió. Nazaret se dio cuenta de que se hallaban dentro de la nave, glacial comparada con el exterior y húmeda, y de que estaban solos. El cemento de las paredes era áspero. Apoyó fuerte la mano contra él y la arrastró en penitencia hasta arañarse. *No; es yeso lo que tienen que dar en el interior.* Se sostenía con cierta dificultad encima del suelo rugoso, como si le temblasen las sandalias. Vio una cochinilla hacer su camino lentísimo y se distrajo un momento con ella. Hasta que entró por el vacío de la ventana una golondrina, revoloteó a su alrededor advirtiéndola de algo con su grito quebrado, y volvió a salir al sol. También salió Nazaret.

—Adiós, señor Bastida. Gracias por sus explicaciones —dijo con atropello, y se apresuró hacia la entrada de atrás del edificio.

Aquella misma tarde, como si fuese la continuación de lo que había pensado, aunque ella no percibiera esa relación, se planteó de nuevo el sentido de la vida bajo un cielo recién estrenado, fuera ya de la monotonía de los cobaltos del verano, un cielo blanco y casi tangible como los que ofrece Córdoba, soleados, próximos, femeninos, durante algunos privilegiados días de septiembre. Las sombras adquirían un matiz violeta... *No, la muerte no es el problema esencial de la vida. Amar a los hombres —siempre el amor, siempre el amor—, sean jóvenes o viejos, no es contemplarlos en su cruz de dolor, y alentarlos advirtiéndoles que el dolor es sagrado porque Jesucristo lo santificó y lo bendijo, y porque bebió hiel y vinagre en el tormento. Amarlos es procurar, por todos los medios y con todas las fuerzas, desenclavarlos de la cruz y abrazarlos estrechamente en la alegría...*

Se habían ido ya los albañiles. Se sentó en un poyo de azulejos junto a la puerta trasera, que daba a la cocina, y percibió con todo su ser la delicadeza de la luz a punto de declinar y la solicitud con que se asía a los volúmenes, reposaba en las hojas, irisaba en los pétalos de las pocas flores que aún persistían erguidas... Y, sin embargo, tuvo como nunca la conciencia de su propia muerte. ¿Por qué? ¿Qué había sucedido de particular en su vida que acentuase la desgarradura que supone el abandono de ella? ¿Y lo supone de veras? Volvió la cara. A través de la ventana, vio el rosa fuerte de unas sandías abiertas: el postre de la cena. Se recreó en la serenidad jugosa de ese color... *No necesita Dios a nadie que hable de él, ni predicadores ni apologetas, ni argumentos para manifestarse tal cual es. Aquí está la luz de fuera, y la luz ahí dentro, como de un cuadro antiguo, quizá flamenco, en el que se agitan los hábitos de la cocinera y su ayudanta. Ahí está ese rosa de la sandía... Por un lado, la muerte que multiplica la melodía de la vida; por otro, la vida que, a partir de una edad, se transforma en una costumbre donde nos cuesta distinguir entre la pena de morir y lo que vale la pena de estar vivo...* Nunca sintió el peso de la edad como esa tarde. La finitud de la luz, del día, de ella misma, eran una sola cosa, algo que se escapaba, como arena, de los dedos sin remisión. *Nada dura.* Y se le hacía un nudo en la garganta. ¿Por qué? ¿Y por qué hoy? *Ya está el rédito tasado, colmada la medida, la hora señalada y cortante. Todas hieren, pero la última mata.* Sentía amor por todo: por las rosas todavía ensalzadas y por los rosales sacrificados y por el intachable color de las sandías; por los viejos, tan próximos a la última pisada, y por el azar divino, que no entendemos nunca ni tenemos por qué. Amor por el atardecer limpio y sin mancha que la envolvía, y por la noche, cuyos pasos escuchaba por levante. Amor por el silencio en que se mecía todo, y por el alboroto que, dentro del pecho, entre sus huesos, armaba su destarifado corazón.

Se incorporaba ya, pero volvió a sentarse. Tenía llenos

de lágrimas los ojos. *¿Por qué?* Los sucesos que, en apariencia, la vida nos impone, la misma vida los olvida. Pero nosotros necesitamos que duren un poco al menos, quizá no para siempre... Y es esa perduración, que los prolonga igual que un eco tenue, lo que nos da una idea de nuestra propia vida —¿cómo distinguir una ola de otra sino con la mirada y el ritmo de nuestros latidos?—, lo que nos da una idea de nuestra propia perduración... De ahí que busquemos detener los sucesos: que se afirmen como enfermos un momento en nosotros, que no desaparezcan para que no desaparezcamos tras ellos. *Nos va en ellos la vida.* Y eso es la memoria: la infatigable ansia de vivir, la obstinada mandadera que nos reconoce y nos conforta y nos despierta cada mañana, recordándonos que somos los mismos que anoche, los mismos que anoche estuvimos a punto de olvidarnos en el profundo o en el ligero sueño. Ése es el oficio sutil de los espejos...

Los ancianos no se miran en ellos porque suelen ser demasiado fieles y no se reconocen en su crueldad. Porque los que todavía razonan, no razonan como es debido, y creen que son los que eran antes, los de siempre... Pobres, ¿qué siempre, qué anteayer y antes de anteayer quieren decir? Son los que han ido llegando hasta aquí, erguidos y aún enamorados, o enamorados simplemente, luminosos, esquivos, casi gráciles, balanceando sus manos al andar o sus cuajadas caderas, moviendo con malicia sus ojos y con una sonrisa de complicidad asentada en la boca... Pero no: ¿dónde fue todo eso? «Está aquí», confirman casi gritando, «Estoy aquí»... Sin embargo, los espejos no quieren creerse nada. *De ahí que los viejos abdiquen de sí mismos, bien lo sé yo, que siento ahora una angustia atenazando mi corazón como si to-*

case ya mi futuro inmediato. Dejan pasivamente que la cabeza se les llene de agua, donde flotan imágenes confusas que no controlan ni desean. Las ven, sentados con estupor creciente, como quien ve una película ante una pantalla: ¿a quién alude? Ya no se implican en sus propios recuerdos; se han ido de ellos como quien abandona un paisaje, que fue toda su vida, para regresar a una casa extraña... Alterados, desconocidos de sí mismos, persisten en un silencio que roen como ratas unos rumores no entendidos del todo, ni acaso queridos entender; voces que apelan a sus oídos ya duros, ya difuntos, en una penumbra para aclarar la cual no hay lentes de aumento suficientes... Con la boca entreabierta, de la que se desliza un hililllo de baba, se ausentan de lo que fueron, de lo que aún son sin saberlo, y se aproximan, sin saberlo también, sin oponer resistencia, a aquello que serán. Atónitos y desfallecidos, se ofrecen como víctimas, tienden el cuello al hacha, deseosos en el fondo de que la expectativa concluya por fin, y los invada, hasta sus últimos rincones, el vacío... Y van pasando así, a trompicones, enajenados, fuera ya de sí mismos, de las penúltimas a las últimas soledades, y después a la nada...

Nazaret, sin poderlo evitar y sin quererlo acaso, desconcertada, rompió a sollozar cubriéndose la cara con las manos. *No; no a la nada: eso no. Yo sé muy bien que no.*

Unas fechas después volvieron a verse Diego Bastida y Nazaret. Ya techaban alguna habitación y en las paredes había marcas hechas con azulete. Ante la curiosidad de la monja,

—Son para los electricistas —dijo el constructor—. Dibujan así las rebolas o las rozas, las cajas de empalme o de los mecanismos: interruptores, pulsadores, etcétera. En los techos señalan los puntos de luz: ventiladores, detectores de incendios, iluminación, música, todo eso que no hay aquí... Esta cubierta no está enlucida porque habrá un hueco entre el forjado y el falso techo que forma la escayola. Es muy interesante ver ponerla. —La monja no estaba segura de entenderlo—. Las placas se disponen sobre la mira o regleta, que sirve para nivelar y apoyar mientras las traba el escayolista al forjado. Se sostiene, desde el encofrado, con una especie de soga de esparto humedecido en la lechada de la misma escayola. La soga se fija en un punto arriba y a la vez en los filos de la placa, que es donde lleva el arañado para que prenda bien. —Nazaret miraba con ojos perplejos al techo, y comenzó a sentir cierto mareo—. Hay placas macho o hembra, para que encajen bien unas en otras, ¿me comprende?, y en las ranuras de las placas se pone estopa con la escayola amasada viva para que tome cuerpo...

Nazaret salió de la nave con la mayor prisa de la que fue capaz. Dejó a Bastida con la palabra en la boca: escayola, machos, hembras, cuerpo, podrían ser la palabra. Y llegó corriendo hasta su celda. *No me interesan aquellos que discurren y piensan sólo con la cabeza. Todo lo que vale la pena sale de la médula de los huesos.* A pesar de haberse desahogado en el trayecto, una vez en su celda, después de cerrar la puerta, inició una especie de danza que ni ella misma comprendía. *No sé qué hago. No puedo detenerme. Es la danza la que me hace girar y no al contrario. Ella me lleva...* Las vueltas y revueltas seguían el ritmo de una canción que cantaba su cuerpo, tan desconocido por ella como una tierra no bien descubierta e inexplorada todavía: una canción entonada por todos sus miembros y su alma al unísono. Suele entenderse, de modo equivocado, que se alcanza la totalidad de la persona a través de la voluntad y de la mente lúcida. Pero existen energías distintas tanto de la voluntad como del pensamiento y de la sensibilidad consciente. En el momento en que se hace el amor con la vida, se hace a través del cuerpo y de sus emociones. Por eso Nazaret danzaba vertiginosamente en torno a la mancha de sol que el ventanillo proyectaba sobre los desnivelados mazaríes.

Cuando logró frenarse, salió de nuevo al tránsito, descendió atolondrada la escalera y apareció en el jardín por la puerta principal. Desde ella vio salir, por la verja, al jefe de obras.

—Señor Bastida —lo llamó, pero él no la oía. Subió la voz—: Señor Bastida. —Volteó el rostro Diego—. Yo no entiendo más que de cuerpos viejos. No entiendo casi nada de corazones, señor Bastida —jadeaba al hablar y tenía las tocas descompuestas—, pero me da la impresión de que tiene usted el suyo lleno de cadáveres de esperanzas. Abra las ventanas de ese cuarto prohibido de Barba Azul y que entren el sol y el aire libre. —Sonreía con una mano sobre el pecho, que se resistía a sosegarse—. Todo vale. Hasta los fracasos. Hasta el pecado vale, señor Bastida. *Etiam peccata,* dice san Agustín. Todo vale para el amor.

—Usted es una fuerza de la naturaleza, hermana Nazaret —dijo Diego con una sonrisa boquiabierta.

—Quizá. Y entonces usted es otra. Ejérzala.

Dio media vuelta y entró de nuevo, todavía corriendo, en el asilo. Bastida se quedó de piedra mirándola desaparecer y luego, sonriendo todavía un poquito, movió a un lado y a otro la cabeza.

Fue el primer día de lluvia del otoño. De lluvia plácida y natural, como es debido, no con la rabia incontenible de una tormenta de verano. Tras el balcón cerrado miraba Nazaret mojarse la nave, techada casi del todo. Se alegraba de que lloviera para tener así un pretexto por el que no bajar. No obstante, Bastida apareció en la puerta, cuyo airoso arco estaba ya libre de apoyos y sostenes. Le hacía gestos para que descendiera. Nazaret abrió el balcón, pero permaneció dentro de la sala.

—Tienes un cuerpo, ¿no? Pues no te quedes al resguardo del portal. Sal fuera y camina bajo la lluvia. —Nazaret recibió como una pedrada en el pecho ese tuteo. Bastida continuó—: Es una frase de un poeta indio del siglo XVI. Se llamaba Kabir.

—He ahí una manera de entregarse —replicó Nazaret, no sabía si defraudada o no, no sabía si entristecida o no—. Hay otra: dejar que la naturaleza nos inunde. Para ello basta mirar por una ventana, ésta, y se establece el diálogo.

—Pero hay mucha gente que no lo oye. —¿Por qué la voz de Diego, al ascender, era puntiaguda y se clavaba en ella?—. Hermana Nazaret, la conversación entre nuestro instinto de seres vivos y la naturaleza es continua, aunque no salga a flote algunas veces... Nuestro corazón, el mío al menos, salta ante esta lluvia y el jardín y la luz mitigada. Antes, en la antigüedad, los poetas prestaron voces a los árboles, al agua, al viento... Se rompía una rama, y sangraba y se quejaba... ¿Quién escucha, quién vive hoy de esa manera? El que tenga oídos ha de oír y el que tenga ojos, ver.

—Así es —decidió continuar Nazaret, después de una

interrupción que se hizo interminable y en la que esperó que Bastida reanudara sus observaciones—. Así es. Está usted hablando como el propio Cristo.

Y cerró de golpe las puertas del balcón. Lo hizo a tiempo. ¿A tiempo de qué? De dejarse caer en una silla. Le llegaba desde dentro, desde abajo, una suerte de rugido de mujer montaraz y primitiva, que era ella misma. Una mujer dispuesta a romper las cadenas que la aherrojaban y le robaban la libertad. Los reflejos, los instintos, los apetitos que no dependían de su gobierno propio, se habían puesto de pie y reclamaban su comida como las fieras de un zoológico cuando llega la hora. Se izaba un latido inmenso dentro de ella, conturbador e irresistible. No le permitía respirar; la ahogaba como si alguien se hubiese sentado sobre su corazón, sustituyendo sus habituales y débiles latidos. Le ardía la frente. Desconocía de qué se trataba; de dónde provenía ese loco anhelo sin una causa comprensible, ese empujón que, igual que una fuerza bruta, igual que una puerta que se cierra o se abre de golpe por el viento, la abatía y la levantaba a la vez. Se le ocurrió que los animales en cautividad son los únicos que se aburren. Se le ocurrió que es difícil constreñir para siempre, tras rejas y alambradas, lo que hay de más normal o quizá de más agreste en nuestro corazón. *¿En mi corazón también? En mi corazón también...*

Bajó a la iglesia y se postró en su sitio, el tercero del segundo banco a la derecha. Cerca, quedaba el altar de la Dolorosa, escoltada por san Juan. *¿Es incompatible la vida doméstica con la vida salvaje? ¿Es la irracional la única auténtica? ¿Tenemos que rugir para ser verdaderamente humanos?* Razonaba: el hombre es preternatural, tiene dones preternaturales. Un árbol crece mejor y más fuerte si se lo poda a su debido tiempo... Hay una tercera vida, no otorgada por la naturaleza y tampoco reprimida por ella. Un ser humano nace; sin embargo, para que llegue a serlo del todo, le queda mucho camino que recorrer: es la tarea de toda una vida o quizá de más tiempo... De la interacción de estas dos fuerzas, la doméstica y la salvaje, como de la existencia de las placas de escayola machos y hembras, surge una calidad diferente y superior a ambas. Y es, a su manera, una clase de amor... Desvió los ojos hacia la Dolorosa, mujer y madre de Dios y, en nombre de la cuarta palabra —*Ahí tienes a tu hijo*— le dio las gracias con todo el cuerpo y toda el alma, ahora tranquilizados. Sólo ahora.

Pero no por mucho tiempo. Habían pasado unos tres días. Yendo de un quehacer a otro, Nazaret se asomó a una ventana del piso bajo y se recostó en el alféizar. Un albañil había dejado cerca una radio de pilas. De ella emanaba una música que invadía, que arrastraba, que besaba con suavidad y rudeza el alma de Nazaret, tomada de improviso. En el pecho, oprimido de nuevo, sintió el silbido de una alarma, pero no le fue dado resistirse. Sintió, como en alguna otra ocasión reciente, una añoranza de juventud, de la suya ya desaparecida, huida sin regreso no se sabe hacia dónde. ¿Sería de veras contagiosa la vejez? Tuvo deseos de salir corriendo tras de su juventud; pero la vejez, que ella había elegido, la retenía con sus manos sarmentosas y estériles... Y evocaba la llegada al asilo, tan aséptico, tan distante y tan íntimo a un tiempo. Ésta era su armonía. Sus paredes iban a ser límites de su vida...

Y sonaba la música apasionadamente, reiterando su dolorido gozo, prometiendo un placer intocable... Quizá en la vida no es imprescindible recibir placer, pero sí darlo, parece que repetía la música... ¿Hay sentimientos que nos son desconocidos a pesar de invadirnos, o los sentimientos son lo más evidente de cuanto nos ocurre? ¿Y es siempre, cualquier sentimiento, incorregible y a la vez inocente? La música no respondía a su propia pregunta, a la pregunta que la misma música planteaba... ¿Qué es el amor sino ese extraño e invisible hecho de que dos personas, de improviso, se separen un poco, se miren hasta lo más hondo, y comprendan que les va a ser imposible, de ahora en adelante, vivir la una sin la otra? Ay, cuánto desamparo, qué poquedad, qué nada para ofrecer. Aunque el amor humano, como el de Dios, consista en la vergüenza por nuestra mezquindad y en la gratitud por que se nos acepte como somos, aunque sea así... Las lágrimas resbalaban por las mejillas de Nazaret. Trató de secárselas de dos manotazos cuando vio aproximarse a Bastida. Él la miró como si la tocara. Ella bajó los ojos.

—¿Puedo ayudarla?

—He oído esa música... Nunca antes...

—Es el concierto número dos para piano de Rachmaninov.

—Parece mentira que, sin necesidad de conocer el nombre de su autor ni una palabra de la técnica, se nos pueda herir tanto...

—O servirnos tanto para conocernos mejor.

—Buenas tardes, señor Bastida —murmuró Nazaret antes de cerrar la ventana. *Siempre me estoy despidiendo.*

Pero continuó pensando en su llegada al asilo. La trajeron los padres de otra religiosa que estaba ya aquí... Y se remontó más lejos aún, cuando nada era previsible, cuando nada se había concretado. Una tía suya era carmelita en Toledo, pero todavía Clara, todavía era Clara, no había escuchado llamada alguna. Iba a la escuela, luego al colegio, y estudiaba. En los veranos trillaban todos riéndose en las eras; ella, retirada, leía, no sabía por qué, libros de santos. Y de repente, aquel verano, llegó la hija del comandante del puesto de la Guardia Civil. Empezaron a ir juntas a misa los domingos, a las cuatro de la mañana. Tenía dos años más que Clara. «Yo me voy a ir de religiosa.» «También a mí me gustaría, pero no sé a qué Orden.» «Tengo una prima, que se dedica a la enseñanza, Hija de Jesús Pobre.» Pero a ella no le tiraba la enseñanza. «Un tío mío enfermo se relaciona mucho con las Hijas de la Caridad.» Eran muy agradables y atendían con el amor a flor de piel; *pero no me encontraba dispuesta para ellas.* La niña del guardia civil llegó un día de Medina de Pomar: había conocido a las Hermanas de la Misericordia. Tenían casa en Burgos, porque en el hospital del Rey habían sustituido a unas monjas de clausura, cosas de la posguerra. *Fuimos. Y me encantaron. Hasta por el hábito, de estameña, tan basto. Mi padre aceptó a regañadientes, después de mucha lucha, con la esperanza de que no durase.* «A Córdoba yo no puedo llevarte.»

Aquí estaba el noviciado. Me trajeron los padres de otra religiosa, que venían a verla. Mi padre me acompañó a Burgos, tan delgado, tan alto. Me miraba a través de la ventanilla del tren. *Para siempre, para siempre.* Nos unimos con otro guardia civil y su mujer que iban a la profesión de dos monjas. Era un tren larguísimo y muy pobre... Cuando llegamos aquí, lo primero que hicimos fue subir a la azotea para ver la ciudad, y hacía mucho frío, más que en Burgos. Yo creo que lo llevábamos por dentro. En Burgos además teníamos la gloria que calienta los suelos. Aquí, con eso de que hace tanto calor, no tenían nada. Y las puertas y las ventanas nunca encajan, y dejan pasar los cuchillos del invierno...

Hasta mayo, y con frío, no tomé el hábito, que estaba deseando tomar aunque sólo fuera para calentarme. Toca y babero blancos, velo y cabezal negros después del noviciado, un ancho escapulario, de estameña como la túnica, y el escudo de *Iesus Hominum Salvator* en el centro del pecho... Era el tiempo de las ferias, y nosotras no nos quitábamos el hábito nada más que para dormir. Teníamos un camisón de tela tan basta que raspaba, y nos tumbábamos en un tabladillo con un jergón muy fino. Cuando me despertaba me reía preguntándome cómo podía haberme dormido: de cansancio, claro. El trato con los ancianos era lo peor y lo mejor, lo único. A mí me gustaba mucho, y me gusta, darles de comer y hablarles y escucharlos. Había una mujer con cáncer de laringe que estaba rebosando dolores y escupía y gargajeaba. Yo, tan sin experiencia, tenía que distraerla y quitarle los trapos y lavarlos... Fue mi primer ensayo. A la hora de comer llevaba el mal olor en el estómago. Y lo que nos daban nada tenía que ver con lo de casa. La vocación y la renuncia son muy bonitas; pero el día a día es otra cosa. Me acuerdo de una especie de puré de habas que yo nunca había visto. Intenté tragarlo, pero lo vomité. Fue el segundo día o el tercero. Y luego había, menos mal, espinacas; pero cocidas sin aceite, muy malas.

Se acercó la superiora y me dijo: «También aquí y en esto hay una prueba.» Revolvió las espinacas con el puré y me ordenó: «Come». Y me lo comí... Luego estaba el gazpacho, que tenía aspecto de agua sucia y yo no sabía lo que era. Y las ensaladas, con cosas verdes flotando en el agua... Ahora dan ganas de reír. Y aun entonces. Porque Dios estaba compensándolo todo con su amor... *Con su amor.* Ahora me dio de regalo esa música. Esa bendita música que me ha puesto en pie todo.

Con el permiso de la hermana sacristana, sobreponiéndose a su reparo, había cortado las últimas rosas del jardín, *qué pocos rosales después del terremoto de la obra,* cerca de la linde de atrás, y se las llevó a la Dolorosa. Cada mañana calculaba a qué hora podía estar Bastida, pero no aparecía. Trataba de evitarlo porque su presencia la sometía a una presión que Nazaret no juzgaba conveniente a su alma. Después de rezar una avemaría ante la imagen, subió a dirigir los ejercicios de los ancianos no impedidos. Antes los hacían, con el buen tiempo, en el jardín, que incluso algunos ayudaban a cuidar por entretenimiento; ahora, en una habitación de la planta baja que antes era una sala de espera. Había que forzarlos a caminar, a mover los brazos arriba y abajo, a hacer pequeñas flexiones que los desoxidaran. Era un trabajo triste y acaso inútil para todos, o así lo veían los viejos, que se resistían a hacer lo que ni de jóvenes hicieron.

Aquel mediodía sirvió la comida a los impedidos. No habló nadie durante el almuerzo. Se oía sorber la sopa, roer con dificultad un hueso, el ruido de un vaso de aluminio que se escurría de unas manos. Una anciana, con cabeza de pájaro, tan menuda como una niña de siete años, le retiró a la monja la mano de su boca cuando le daba de comer y le dijo mirándola de hito en hito:

—Soy de Montoro.

—Ya lo sé, querida. Eres de Montoro y te llamas Lucía.

Al oír la voz de la monja se desencadenó una especie de salva de comentarios que enseguida se redujo al silencio. «Aquí estamos, aquí estamos», exclamó una mujer gorda con un pañuelo negro a la cabeza. «El recambio», clamó a gritos una anciana escuálida, cuyas manos temblaban. Un alarido animal se levantó de una esquina seguido de murmullos sin destinatario, y una voz descompuesta, que introdujo el silencio, dijo: «Todo el culo lo tengo dañao», y repitió y repitió la frase en muy distintos tonos... Nazaret supo que en ese despojado comedor estaba Dios. Y, no obstante, sintió una sequedad dentro de sí, acaso como nunca la había sentido. *Si pudiera compartir esta carga con alguien...* ¿Con Bastida, por ejemplo?, le preguntó, dentro de ella, un diablo malicioso. Nazaret prefirió negarse a responder.

Fue a su celda. Desde ella se escuchaba el soportable alboroto de los albañiles, sus expresiones no todas respetuosas —las menos, las hacían en voz baja—, sus bromas llenas de picardía y de mala intención. Se hablaban unos a otros desde lejos, entre el acarreo de los peones y el bullicio de los muchachos que porteaban los cubos de agua. No comprendían que ella era sólo hermana (en realidad no conocían más que a ella y a la sacristana).

—La madre tiene mal aspecto. Estaba más guapa cuando llegamos.

—Claro, con esos hábitos... Demasiado, pobrecilla.

—Yo creo que ahora baja menos para evitar al maestro de obras.

—¿A don Diego?

—A don Diego. Para mí que él está interesadillo en ella.

Nazaret se tapó los oídos con ambas manos, se arrodilló, posó la frente sobre el jergón y rezó con la mayor intensidad de la que fue capaz. Con todo, no pudo impedir que algo saltase de gozo dentro de ella. *¿Por qué? Qué incomprensible el ser humano...* Y, aunque se resistía, su mente divagaba. Recordó la primera vez que le tendió, por fin, la mano a Bastida. Hay gente que no estrecha la mano, que no la oprime con lealtad y fuerza, sino que la pone encima de la del otro y la deja allí un segundo. Casi todas las monjas lo hacían así. Ella determinó, ya que eran colaboradores, expresarle sinceramente su amistad, y observó que Bastida sonreía muy bien impresionado. *Yo sé ver en el paisaje de su rostro, delgado y largo, cambios como los que se perciben en un cielo de otoño que se cubre o entreabre...*

La última vez que coincidieron, después de unos cuantos días de esquivarlo:

—¿Ha estado usted enferma? —le preguntó él—. No tiene buen aspecto.

—No; he tenido una chispa de trabajo.

Entonces adivinó en la cara de él, de improviso, la aparición de otra cara, mucho más joven, que sonreía, que aprobaba, que animaba, y que luego empujó hacia adelante la cara conocida. *También yo querría tener esa cara más joven.* Estuvo tentada de mirarse en el trozo de espejo de encima del lavabo, pero se contuvo. ¿A qué venía semejante curiosidad? *Qué disparate. Una monja no tiene rostro. No debe tenerlo.* ¿Ni corazón tampoco? *Sólo el que ocupa Dios.*

El verano se iba como un gustoso aroma que se disipa. No; somos nosotros quienes nos alejamos a través de nuestra engañosa ilusión de inmovilidad. Nos hemos ido del verano que tanto nos cansaba. El cielo fue, hasta ahora, durante el día, de un azul obcecado, inclemente y violento. Cada noche dejaban las cigarras su lugar a los grillos. ¿Quién dijo que las cigarras son ociosas? ¿No es trabajo cantar? ¿No es cumplir su destino sonoro llenar la claridad y celebrarla? Nazaret se había asomado a uno de los balcones, el del centro de la sala de recreo: la sala desnuda, tan blanca, con sus macetas tan calladas... Durante las primeras horas del día, un viento fuerte trajo y llevó un rebaño de nubes. El cielo se hizo comprensible, comprensivo y casi desmayado. El ánimo de Nazaret no podía ya con el deslumbramiento del verano. *Va a extinguirse el excesivo olor de la madreselva y el jazmín y la dama de noche: olores tan poco monjiles, tan exigentes, que empujan para penetrar dentro de una, que impiden andar con soltura...* Nos aburrió el rutinario e indiferente reino del verano. Creíamos inmortal su monarquía, y añoramos los tornasolados y comedidos ventanales del otoño, la primera brisa que destrona las hojas. *En este otoño, menos, porque han dejado pocas ramas vivas.* Veía el revuelo de los albañiles que la observaban con el rabillo del ojo como sabiéndose observados... Volvemos la cabeza a lo que no tenemos, a lo que nos esquivó o abandonamos. Se acortarán los días. Vendrá una fingida paz. Recuperarán su cordura los pájaros... *Y yo.* Puede que nada haya cambiado en apariencia. Sigue el sol dorando la copa de los árboles restantes, todo tiembla, todo se despereza antes de que lo hiciera ayer, pero no porque haya pasado la hora de la siesta, sino porque se ha de despedir la tarde en pie... Nazaret estaba triste, o sólo algo apagada quizá. Buscó con los ojos a Bastida. No había venido. Tampoco había venido hoy. *Nosotros sí hemos cambiado, creo. Yo he cambiado. Vamos, ligeros, cumpliendo la labor de cada día, joviales a ser posible, sin advertir hasta qué punto solos y extraviados, camino del otoño al que pertenecemos...*

Mientras así reflexionaba Nazaret, Bastida, desde abajo, la había visto en el balcón y se atrevió a subir. La portera de las piernas cortadas le indicó por dónde se llegaba al salón de recreo. Al entrar vio la esbelta silueta de Nazaret contra la luz del día, menos otoñal de lo que ella estimaba. Pronunció su nombre, pero acaso en voz demasiado baja; o acaso ella, inclinada a los ruidos de fuera, no lo oía. Se acercó más Bastida y repitió su nombre, ahora sí muy quedo. Llegó hasta ella y la tocó levemente en el hombro. Nazaret, que buscaba a Bastida abajo, se volvió y lo encontró al alcance de su mano.

—Diego —murmuró, y sintió que una mano le atenazaba la garganta. Le sonreía asustada, rejuvenecida esta vez su cara, complacida también y anonadada. Luego quiso borrarlo todo: el nombre de él en el aire, la sonrisa de sus labios, el galope de su corazón—. No lo he oído entrar.

—Venía en busca suya. La llamé pero no me escuchaba. Querría consultarle...

Ella no preguntó qué. Apoyó la mano en la barandilla del balcón. Él dio un paso más y apoyó también la suya. De nuevo se rozaron las manos. Sin querer, por supuesto. Nazaret retiró la suya con tanta prisa que hizo sonreír a Bastida. De ternura quizá, de adivinación, pero también por causa de aquella coraza de castidad, de aquel engreimiento espiritual y frío. Comprendió que Nazaret no había sido rozada jamás por la pasión y no halló nada risible en ello; al contrario, sintió el deseo de acunar aquella mano entre las suyas, de arrullar aquella frente tan pura, casi velada entera, sobre los ojos tan claros como el día, sobre el instinto privado y taciturno del alma de aquella monja indescriptible.

La monja siempre había sentido una repulsión física muy especial hacia los tactos que pudieran ir teñidos, aunque fuese imaginariamente, de lubricidad. Su mente también los repudiaba. Lo suyo era el retraimiento y la reserva. Toda expansión en tal sentido era contraria a su naturaleza... ¿Por qué en ese instante recordó Nazaret que un mozo de su pueblo, cuando ella tenía ocho años, la había toqueteado y besuqueado? *Noli me tangere*, prohibió el Cristo a la Magdalena en el domingo de la Resurrección. Es penoso vivir con ciertos recuerdos, pero imposible abandonarlos. Cuando parecen ya vencidos, se presentan más vivos que nunca. Ocho años... Lo soñaba a veces, precisamente cuanto más intentaba desterrarlo de su imaginación, lo que conseguía durante largas temporadas. Un momento confuso, nada explícito y, no obstante, tan irrebatible. Alguien, en su sueño, la acariciaba con las manos manchadas de barro: sentía el asco y la morbidez del barro sobre su cuerpo, como una segunda piel negruzca y aberrante, bajo la mano enorme y tosca y ágil y sabia del acariciador...

Diego Bastida avanzó su mano y rozó otra vez la de Nazaret, apenas el dorso de la de Nazaret, quizá también su dedo meñique. La monja no movió la cara, no lo miró, cerró los ojos y dejó su mano donde estaba. Su rostro, que iluminaba un rubor suave, era más juvenil que nunca. Pero ella no podía saberlo. Tampoco sabía que así se inicia cualquier planteamiento del conflicto, irreconciliable, de la castidad y la pasión; ni que cuando el instinto, nunca muerto del todo, reviste con su rubor un rostro humano, puede llamarse ya con el nombre de amor. Y probablemente tampoco sabía que en aquel momento, en que el roce de las manos se reiteraba, no involuntario ya por parte de ninguno, acaso los dos intuyeron a ciegas lo que sucedería, quizá eso sí de forma involuntaria. El amor, entre otras cosas, es profeta, jamás ciego, y menos cuando aparece imbuido de espiritualidad.

Diego Bastida, no arrepentido sino respetuoso, retiró su mano cuando los dos habían sentido ya la quemadura. Y se alejó. Con aquel gesto previno a Nazaret contra el futuro, contra él, contra lo que iba a ser. ¿Lo entendió ella así? No; Nazaret entendió aquella prevención de retirada como un verdadero acto de amor mudo que, en lugar de apartarla, la atrajo más aún. Ella no dio el nombre de amor, sin embargo, al cataclismo aquel. Lo vio como un trastorno inmenso, como una turbación surgida de profundidades que ella, a pesar de estar hecha a la oración y a la reflexión, no hubiera creído que existieran. Porque se trataba de profundidades también físicas y, por tanto, todavía más desconocidas. *Erunt duo in caro una. No pensar eso, no. ¿Dos en una carne sola?* Apartó con un gesto visible tal idea.

Diego Bastida partió hacia su casa con un pensamiento inevitable y oneroso. Tenía dos hijos bastante mayores, que ya no lo necesitaban, y una mujer enferma irrecuperable, con la que cualquier contacto, no sólo el corporal, había concluido hacía mucho. Por el contrario, en Nazaret, desde el primer momento contempló la plenitud de la vida y la nobleza. Contempló en ella la exaltación del agua, que parece que siempre tiene prisa y siempre es infantil. Fue para él como los perrillos sin amo, que corren para acudir a una cita invisible para nosotros. Fue como un pájaro quieto un segundo, y a punto cada instante de levantar el vuelo. Tardó bastante en saber que la amaba. Tardó en saber que sentía celos de los viejos, que a ella lo habían conducido y que exigían su atención. Y de todo, de todo, porque ella sólo parecía existir para quienes no fueran él: albañiles, ancianos, hermanas, animales, vegetales, aire, nubes, lluvia, menos para él.

En realidad, Diego no había sabido lo que era el amor hasta conocer a Nazaret. Ésa fue la razón de que no lo bautizara de inmediato: se trataba de algo distinto y nuevo. Consideraba que el amor era otra cosa, incluso otra emoción más cotidiana y más vulgar, más carnal también, más inmediata, no esta transfiguración de abajo arriba y de dentro afuera. Ahora sabía que amaba a aquella monja como a la alegría cuando se la conoce, como a la vida, como a la esperanza. No podía concebir sin ella sus días y sus noches; ni desayunarse sin la confianza de verla enseguida; ni trabajar sin fingir una consulta y escuchar su voz tan limpia y grave, tan firme y amable; ni despedirse sin un hasta mañana... De ahí que los últimos días hubieran sido tan ásperos para él, que se juzgaba rehuido y arrinconado, definitivamente vencido por los viejos y Dios. Porque se sentía atraído sin remedio por Nazaret, como las limaduras de hierro por el imán. Y comprendía que tal amor, aunque no fuese correspondido, lo elevaba, lo completaba igual que un polo completa al otro polo. Intuía que hay pasiones que liberan en vez de esclavizar, y que empujan hacia lo alto sublimándolo todo.

Había cumplido más de cincuenta años: no se engañaba como un adolescente. Tenía los ojos más abiertos que nunca, y se había resistido a ser así arrastrado. Pero era como si no tuviese otra necesidad más perentoria que la de aquella mirada de color tan mudable; como si no tuviese otro requerimiento que el de nombrar a Nazaret testigo de su vida. A veces se sorprendía de la sensación de haberla reencontrado, como si la hubiese conocido hace ya mucho. Igual que el hombre primitivo que un día inventó el fuego para no poder vivir jamás sin él en adelante. Ella era, y él lo comprendió pronto, el absoluto. No se veía capaz de alcanzar sin ella la explicación del mundo. Todo en las manos de aquella monja era signo, todo razón de ser, todo respuesta a cuestiones que él, hasta entonces, ni siquiera se había formulado.

Por su parte, cuando Nazaret se percató de la atracción de Diego fue invadida por la auténtica angustia, es decir, por el temor de lo que se desea. Pero ella misma se disolvió en tal angustia, aun debatiéndose en su negativa. Sabe, adivina, que no saldrá de allí malparada porque no puede ser mala una conmoción que la ilumina tanto. Un vértigo vital, el miedo a perder las justificaciones de la vida y de sus actos, no lo sintió nunca Nazaret. Y es que, cuando conoció a Diego, se transformó sin darse cuenta en otra. Todas sus murallas, que eran inexpugnables, se desmoronaron como las de Jericó ante las trompetas de Josué. La animó la convicción de que sería algo fugaz, y no lo fue: al contrario, crecía con la resistencia. No lo atribuyó nunca a la carne, que ya no era tan joven; no lo atribuyó a una trampa que el instinto le tendía, lo cual habría sido más fácil de superar. Se trataba de muchísimo más que todo eso: una desconocida enfermedad total, un atosigamiento en estricto sentido.

Su castidad, transformada en una segunda naturaleza, la había llevado a carecer de deseos, sobre los que con facilidad habría triunfado. Ahora era como si un cadáver, el de su instinto, levantase la cabeza y le hablase y la gobernara y se erigiera en protagonista de su vida. Como una incongruente represalia que sorprendiese su confianza en el seno de Dios, donde se había refugiado. Como una sordera que hubiese desaparecido y le llegase, sin preámbulo, todo el tumulto del mundo, de sus promesas y sus cánticos. Como si el estiércol de una golondrina, lo mismo que a Tobit, le hubiera arrebatado la vista y mantenido ciega, y Tobías y el arcángel Rafael se la hubiesen devuelto, y ahora ella, deslumbrada, presenciase el infinito colorido del universo.

Trató de refugiarse en la oración, y la oración se le llenó de evocaciones y susurros. Ella, esposa de Cristo, no era tentada por los cuerpos hermosos, ni por la riqueza, ni por la libertad, ni por los goces; pero sí por un amor fuerte y sereno y hondo que le ofrecía presentes desconocidos y felicidades sin revelar. Y la acongojaban a un tiempo todo esto y una sensación de pérdidas irrecuperables. Tan imposible le era negarse como dar un paso hacia adelante o hacia atrás. Cuanto más inverosímil percibía su sentimiento, más inverosímil se le hacía sobrevivir sin él. La palabra que no cesaba de pronunciar era *imposible.* Como si hubiese averiguado la realidad verdadera cuando ya ésta había dejado de existir, y su vida anterior hubiera sido algo rotundamente puro y también rotundamente ilusorio.

Concentrarse en la oración y en la contradicción de su secreto la obsesionaba ante una emotividad —¿todavía no la llamaba amor, o sólo en el más recóndito rincón de su alma se atrevía a darle tal nombre?— provocada por un hombre que era, para mayor desquiciamiento, de otra mujer: una emotividad condenable en todos los sentidos. Decidió entregarse, dadas las dificultades de la oración, a la contemplación y al abandono en las manos de Dios. Pero eso era peor: las ramas despojadas, las ondas de la luz, las nubes, las hormigas, el chirlear de los mirlos, el parpadeo de las velas, la ataban como los liliputienses a Gulliver con sus millones de estaquillas, según recordaba haber leído en un libro de su infancia. En la última esencia y el postrer significado de cada criatura, por minúscula que fuera, se representaba su derrota: su gozosa derrota. Porque el alma se le truncaba en un combate del que siempre iba a salir aniquilada, ya que combatía contra sí misma.

Por eso decidió no ver más a Diego Bastida. Fue una noche en que el sueño se resistía a cerrarle los ojos y en que, por las cuatro esquinas de su celda, escuchaba surgir llantos de niño. Se ratificó en su decisión a lo largo de la misa y en la acción de gracias de la comunión. Pero a media mañana, en contra de todo lo planeado, resolvió hablar con él. Para reducirlo a sus verdaderas dimensiones; para humanizarlo, empeorarlo, empequeñecerlo. *Es sólo una persona. Es sólo un hombre. Y no joven, con la cara marcada por surcos, con la amargura visible de alguien no realizado.* Y pensaba en sus párpados, que a veces se plegaban sobre los ojos como negándose a seguir mirando, entrecerrados y sensibles. Y pensaba en sus mejillas, no siempre bien afeitadas, que días y días de tensión hendieron. Y pensaba en sus manos, tan grandes que podrían sostener cualquier peso... Un hombre, sí, pero un hombre de una abominable realidad, de una fascinadora realidad, que la atrae y la oprime y la altera y la vence... Es un sentimiento vulgar. *No hay sentimiento sincero que lo sea.* Por él vas a perder el cielo. *No es Dios tan ruin, y Diego estoy segura de que también tiene su cielo...*

Pero aquella mañana no se entrevistó con don Diego Bastida.

Cuando se recogía, meditaba Nazaret en que, si su trabajo era un reflejo de su energía y de su entrega, originaría una identidad estable, no sujeta a mudanzas ni a liviandades, y se ratificaría el significado de su vida. *Al servir a mis ancianos me realizo. Hay personas con profesiones de asistencia que se hallan desilusionadas: conozco a enfermeras y a médicos. Y hay incluso quienes, con creencias religiosas, a fuerza de nutrirse con la noción de la caridad y la primacía de los otros se apesadumbran y resienten. Pero ése no es mi caso. No será ésa la causa de mi decepción. Porque sé que lo que determina el acto de servicio no es lo que hacemos, sino la dimensión desde dónde lo hacemos: lo que se haga por temor, por ejemplo, nos separará de los demás aunque les seamos beneficiosos; pero lo que hagamos desde nuestra plenitud siempre será servicio, hasta en nuestro favor... No sólo hay que hacer lo que se ama, sino amar lo que se hace. La significación última no se halla en ninguna experiencia externa: es la premisa de vivir y de obrar en el mundo sin pertenecer al mundo.*

Tal había sido la serena actuación de Nazaret hasta ahora. De ella procedía su sensación de consistencia duradera y de identificación de deseos y fines. Partiendo de ella, nada podría ir esencialmente mal: ahí basaba su principal apoyo. Y si no había nada que temer, se rompía la dinámica habitual del mundo y del yo cotidiano. Su mente estaba puesta de tejas para arriba; su alma, en definitiva, no pertenecía a la realidad ordinaria. Pero era otra realidad, la de Diego, la que la perturbaba: la única que podía hacerlo. Porque, hasta ese instante, su razón de obrar no había sido otra que el amor sin trabas por todo: Dios, la vida y los otros incluidos en ella. Y tal cualidad consistía en la ausencia de interés personal, que era lo que proporcionaba la auténtica sustancia de la identidad de Nazaret, cosa que los seres del mundo común buscan en otra parte.

Otro problema añadido, que dejaba apenas en suspenso a la monja, era si sus obras acercaban a los ancianos a Dios o simplemente se trataba de gestos buenos *como podría emprenderlos un cuáquero.* Ella creía más en el testimonio de amor que en el proselitismo; no era una burócrata de la caridad; lo personal para ella se situaba sobre la organización externa. Y de ahí que la respuesta que a este asunto le daba fuese un encogimiento de hombros. Recordaba un chiste que le hacía gracia de niña. Un viajero había montado en un tren con un billete hacia un destino distinto del que el ferrocarril llevaba. Cuando se lo advirtió, con cierto nerviosismo, el revisor, el viajero, con la mayor tranquilidad, le replicó: «Ah, está bien, está bien. Eso dígaselo usted al maquinista...» «Eso, al maquinista», repetía Nazaret.

Pero junto a estos triunfos se hacía también otras menos victoriosas consideraciones: *Cómo voy a decirle a ese niño que llora por las noches, y que yo veo tan semejante a mí, que nunca lo tendré entre mis brazos, ni lo meceré, ni le bisbisearé al oído su nombre para adormecerlo. Que nunca nos miraremos el uno al otro, y nunca le preguntaré qué le gustaría comer mañana o de qué se ha ensuciado la camisa. ¿Cómo voy a decirle que no lo he conocido ni lo conoceré; que no va a vivir a mi lado jamás, porque él y su llanto y mi tristeza son imaginaciones mías, sueño mío, un dulce sueño en que descanso deprisa alguna vez? ¿Cómo voy a decirme a mí misma que no ha cambiado nada, que persistiré al margen de lo que ocurre fuera, que me reclama otra tarea, que no me es lícito quedarme junto a ese llanto, junto a ese niño, en convivencia con los seres que amo y que habrían sido para mí todo lo hermoso de este mundo? ¿Cómo decirles a ellos, y a mí misma, que el suyo no es mi mundo? Que es otro el que tira de mí y continúa tirando. Que no me han dado opción, o quizá sí al principio, cuando aún no escuchaba el llanto de un niño no nacido. Después de haber olido la fragancia de una casa en marcha que no existe, de la cena preparada para quien va a llegar y cuyos pasos presiento, de la sonrisa del bebé que crece y del hombre que se convierte en niño junto a mi corazón, después de saber que los dos me habrían amado tanto, ¿cómo volver aquí otra vez sola, otra vez con la afligida certeza de que yo soy su único hogar y otro no tienen, de que mi sueño es su vida y mi despertar su desaparición? Ay, fuerzas pido para desaparecer yo porque sé que, al menos, desaparecerán ellos conmigo. Quiero olvidarme de que no existen, de que nunca existieron, de que jamás existirán. «Adiós, hijo; adiós, Diego», les digo a ellos, murmuro para mí, y salgo camino de mi soledad.*

5

Para contrarrestar sus titubeos, si es que podían llamarse así, Nazaret se empeñaba más que nunca en la batalla de cumplir con exasperante escrupulosidad sus tareas. Hasta que la turbó también una aguda lección del noviciado: «Un peligro para las monjas es mimar con exceso a sus ancianos para compensar su incapacidad de amarlos; juzgar que su altruismo es lo contrario del egoísmo en sentido habitual, siendo así que puede convertirse en un síntoma más de él, y quizá el mayor». Cuánta confusión padecía Nazaret en su alma, sosegada o destemplada sólo en Dios antes, como un remanso sobre el que de improviso alguien hubiese arrojado una gran piedra. ¿Sería cierto que una inconsciente hostilidad contra la vida podía invalidarla, y yacer, detrás de la fachada de su devoción por los ancianos, un intenso y sutil egoísmo? A veces se deduce que, como resultado de unos auxilios, los ancianos percibirán la magnitud de un sacrificio y de un amor; pero el efecto no siempre es el esperado, precisamente porque se lo espera. Los ancianos no obtienen el bienestar que experimenta el convencido de que lo aman: al revés, se angustian; les aterra la idea de ofender a las monjas: no se permiten criticarlas ni decepcionarlas. O sea, las temen.

Ninguna virgen será suficientemente madura si no es capaz de hacer feliz a alguien con su amor, incluso a un hombre al que uniese su vida. Si las monjas fuesen capaces de amarse a sí mismas, quizá serían también capaces de otorgar a otros el contenido de su amor, su jovialidad y la dicha: el efecto de ser amado por alguien que antes se ha amado a sí mismo. Porque al prójimo hay que amarlo como a uno mismo: es el primer peldaño del mandato. Si no es por amor por lo que se da la vida, no valdrá nada darla. Ahí estaba la contradicción, la penumbra, la falta de motivaciones en que el alma de Nazaret corría el riesgo de naufragar y hundirse.

Una madrugada, aún adormecida, antes de que la inquietud que usaba por almohada la desvelase del todo, Nazaret oyó con claridad una voz: «Vas a morir; un día morirás». Y esa idea la penetró hasta el fondo de su ser, y la estremeció, y se despertó afligida... Todo a su alrededor se hallaba igual que anoche al apagar la mezquina bombilla. Repasó sus quehaceres del día, se lavó lo mejor que pudo, se vistió el hábito. Todo era lógico. Todo había sido digerido de antemano. *El hombre fue creado mortal.* Se peinó sus cortos cabellos, los cubrió con las tocas, y salió de su celda reincorporada a la vida, a la rutina, es decir, a la muerte. Reincorporada, en el fondo, a la voluntad de no saber del todo, de no elegir del todo.

Mientras cumplía sus obligaciones dentro de los muros del asilo —aquel día tenía asignada postulación, pero prefirió permutarla con otra hermana: no hallaba el coraje para echarse a la calle—, la cruda monotonía diaria, que sólo alteraban pequeños fracasos o retrocesos en el estado de salud de algún anciano, o alguna improbable mejoría, llevó a Nazaret al convencimiento de que estaba representando una extraña comedia, a la que no terminaba de adaptarse, y cuyos papeles recitaba sin convicción a fuerza de desempeñarlos cada día. *Todo es una tragedia risible que nunca concluirá. Tan sólo con la muerte. Mientras, la pura vida queda fuera del teatro... Me recrimino por pensar así. Tengo que conseguir que no me perturbe ir de una obligación a otra, de un viejo a otro, de una alcoba a otra. Debería de haber salido a postular: he quebrantado la regla. Tengo que conseguir que no se apresure mi oración, que el corazón no me aletee: ¿más aún, Señor? Por debajo del huracán, en el centro del eje, la inmovilidad. Todo lo que me altere será malo. El confesor me ha recomendado, sobre todo, el silencio, el silencio interior...* «Despoja tu oración, simplifícate, ponte ante Jesús sin ideas, como una pobre ignorante, sólo con la fe viva. Inmóvil en un acto de amor. En silencio ante el Padre. No trates de alcanzarlo con la inteligencia, eso es soberbia: nunca podrás, ni siquiera en la eternidad con la visión beatífica. Alcánzalo con el amor. Callada y en lo oscuro. En la noche de los sentidos. Nada depende de ti, no te arrebates, no te acongojes, no corras: somos siervos inútiles.»

Nazaret trataba, a ojos ciegas, de entregarse en sus tareas. Lavaba el cuerpo, piel y huesos, de la anciana Espíritu Santo, tan protestona y renuente. Ponía las gotas, ya inútiles, en los ojos de Angelita la ciega, que con ellas afirmaba mejorarse. Trataba las escoras de los acostados sin remedio. Peinaba los pocos pelos de Jerónimo, el anciano pintor. Depositaba cremas desinfectantes en las heridas incurables abiertas... Y aún le quedaba un resquicio de inteligencia que la mortificaba. Recordaba lo sucedido, hace tiempo, con un viejo moribundo. Durante todo el día le había pedido y pedido el crucifijo de su hábito. Nazaret sonreía como ante un capricho: «Mañana le traeré otro; éste no me es posible». Al darle las buenas noches, el viejo, tocando la cruz, repitió con una voz arruinada: «Es la última vez que se lo pido». Nazaret, al principio de la noche, soñó que el crucifijo se transformaba en un puñal que se hundía en su pecho. Despertó soliviantada y corrió a ver al viejo para llevarle el crucifijo. Lo encontró muerto, con las manos cruzadas.

Quizá el purgatorio sea sólo eso: querer remediar, sin conseguirlo, el no haber realizado un acto de amor, perfecto a ser posible. El reato de aquella negativa le duró días, semanas, años. Todavía laceraba su mente y su corazón al evocarlo. A la tarde seremos examinados en el amor, dice Juan de la Cruz. El amor, una palabra que ahora le cuesta tanto decir, y es la base de todo: lo que hace moverse al sol y a las demás estrellas. En el Antiguo Testamento se dijo: «Ama a Dios sobre todas las cosas y al prójimo como a ti». En el Nuevo: «Amaos los unos a los otros como yo os he amado»: *Usque ad mortem, mortem autem crucis,* hasta la muerte, y muerte de cruz. *Y yo le negué mi crucifijo al viejo.* Nos llaman al amor perfecto, universal, sin sombra de resquemor o antipatía, sin límite alguno, fundidos como quienes se echan juntos al fuego, y en él arden. *Y yo no fui capaz de dar mi crucifijo, cuando precisamente en él está representado el que amó más, el que ordenó amar como él, usque ad mortem.*

Sí —se decía mientras limpiaba las manos a una anciana que las había metido en su papilla—, sí; el purgatorio es la imposibilidad de volver atrás para enmendar el haber perdido la ocasión de un acto de amor; no poder hacer ya lo que antes se pudo y se debió haber hecho. Cuánto tiempo pasará para borrar el desamor de aquella negativa, para probar la madurez que nos abra las puertas del reino. *Quizá toda esta apariencia de amor humano que ahora me asalta y me tortura esté sólo destinada a borrar el desamor con que obré... Pero* —y se agolpaban lágrimas en sus ojos— *¿todo amor transforma en Dios? No lo sé, sé que el pecado es rechazar esa transformación.* Somos tan vanidosos y egoístas —se lo oí decir a un misionero que pasó hace unos años por aquí— que tomamos por vida este estado de hombres y mujeres, que impide la renovación en la caridad partícipe de Dios. Ella representa el verdadero *eritis sicut deos* del demonio en el paraíso. Seréis como dioses. No es el bautismo lo que eleva a un estado sobrenatural. Hay que progresar más; el proceso es la vida, y en él es el amor lo que nos diviniza... *¿Creo de veras todo esto? ¿Lo creo hasta la médula de los huesos?...* Besó en la mejilla a un anciano que no reaccionó, cabizbajo ya para siempre. Dio a besar a otros el crucifijo de su hábito... *Este crucifijo es la puerta de mi purgatorio. ¿De qué vale recitar el oficio, ni la misa, ni las plegarias, si no cumplo el precepto de amor? ¿De qué vale haber renunciado a todo si no renuncié a lo que se me pedía por amor? ¿De qué vale batirse por la Iglesia, o dar la sangre de una vez en el martirio, o gota a gota en este asilo, si no supe dar lo pequeñito que se me suplicaba?... Estoy detenida a las puertas de mi purificación.*

Corrió a la capilla para encontrarse con el capellán. Era imprescindible que hablara con él. No estaba. Le dejó una nota sobre la cajonera de la sacristía. Luego, allí mismo, se postró. Rememoraba otras crisis y los consejos que entonces había recibido... A fuerza de renuncias, de penitencias y de abdicaciones, el alma llega a decir como el fariseo: «Señor, te doy gracias por no ser como los demás.» Nos creemos superiores: desvirtuamos la bondad, y nos enorgullece y nos sirve de veneno. Invertimos el deseo de santidad: ya no es amor, sino ambición de reconocimiento; no caridad, sino egolatría. Y por eso se hacen en apariencia locuras por amor, y se recogen la orina y la saliva de los viejos. *Qué camino tan peligroso, porque tires por donde tires te extravías. Tanto, que obliga a Dios, para corregirnos, a maltratarnos, a ponernos a prueba, a enseñarnos que tenemos pies de barro y podemos caer, como yo ahora.* Es el camino del dolor el que nos salva del egoísmo revestido de santidad: aridez, amargura, insensibilidad, aspereza, tiniebla... Ni la generosidad ni la oración consuelan: han perdido su norte. Reveses, desilusiones, enfermedades, vejez, desamor humano: todo lo que se le dio a Job... *¿No soy como los demás? Sí soy: temo, tiemblo, me acobardo, lloro...*

Y Nazaret lloraba, arrodillada sobre las losas casi negras de la pequeña sacristía. La ensordecía el precepto del capellán: «Sólo el dolor purifica el amor y lo hace gratuito. Quema tú lo que no es más que amor propio. Sin la cruz no existe redención. Separa el amor del gusto, de la sensibilidad, del sentimentalismo...» La voz del capellán se amplificaba, resonaba en la bóveda como un eco: el gusto, la sensibilidad, el sentimentalismo... «Hasta que ya no seas capaz de amar las cosas por cálculo y no aspires a otra recompensa que amar. Ésa es la lógica de Dios: a todos les da un denario, tanto a los madrugadores como a los rezagados. "¿Es que no puedo hacer con lo mío lo que quiero? ¿Será tu ojo malo porque yo soy bueno? Los últimos serán los primeros, y los primeros, últimos..." Dichoso el que entiende tal lógica una noche antes de morir, porque entonces habrá entendido el reino.»

Apoyó Nazaret la frente contra la solería. Tenía la garganta seca como si no hubiera bebido en cien años. Sobre su alma se juntaban todas las cargas, se acumulaban todas las desazones. Al flaquear por una ala, el ejército entero quedaba destrozado. Porque una cosa es elegir y otra soportar día a día, esforzarse hora a hora para permanecer en el último puesto. Volvía la voz del padre Claudio: «El victimismo es un cáncer que crece con los años. El trabajo está mal distribuido; yo llevo el peso de la casa; nadie me lo agradece. He sacrificado mi vida y no me han comprendido, ni me han visto llorar cuando me hundía el esfuerzo, ni sufrir en silencio los descuidos ajenos... Y hay razones para quejarse: eso afecta a todo nuestro ser... ¿Cómo sentirme bien en un convento que desprecia mi auténtica individualidad, que me confunde con las otras, que ignora mis méritos? ¿Cómo va a persistir mi entusiasmo cuando se me relega y se pone por delante a las inútiles? Ya no amo, no puedo amar así... Muy bien; pues amar es, guste o no, el fin y el porqué de la vida, el único gozo constante para siempre...» *Eso sí lo sé; más, lo siento, lo soy. Desde que no amo como amaba, desde que me distraigo en el amor, he perdido la alegría. Me roe por las noches una carcoma que me impide el descanso. Trato de rezar y se me avinagra la oración, y pierdo su sentido. Grito al cielo reclamando justicia o paz, y nadie me oye...*

¿Es que Dios ya no es justo? «Quizá es que Dios ha pasado la hoja de la justicia y ahora pide otra cosa. Es el secreto de este Dios nuevo: después del Calvario, no se miden las cosas ni las almas con tribunales ni con leyes, sino con el corazón de un Dios que se hizo pecado por nosotros. Él es el que

inaugura la dinastía de las víctimas, de los desatendidos y de los abandonados por su Padre. En el Getsemaní y en el Gólgota. Por eso ama al que da con júbilo. Él ya lo hizo: convirtió la muerte en vida, el agua en vino, el vino en sangre, perdonó pecados, restauró virginidades, santificó a prostitutas y a publicanos: venció al mundo...

»Hay que seguir sus pasos, ser víctima verdadera. Subir por la cuesta del dolor y dejarse caer del otro lado en brazos de los hermanos; de todos, pero primero de aquellos de quien tengo más queja. Si en el pretorio de Pilatos, Jesús se hubiera vuelto contra el soldado que lo abofeteó diciéndole: Pero ¿tú sabes quién soy yo?, no habría habido redención. *Cómo se esconde la divinidad.* Sufrió y calló. Ahí está la novedad de su amor: en la contradicción que siembra en el alma del hombre. Si amáis a los que os aman, ¿qué mérito tenéis? Si hacéis bien a los que os lo hacen, ¿qué mérito tenéis? Amad a vuestros enemigos y haced bien sin esperar nada a cambio, y seréis hijos del Altísimo, porque él es bueno con los ingratos y con los perversos... Así las cosas, no son ya suficientes ni la verdad ni la justicia. Se nos está invitando a ir mucho más lejos por el insondable camino del amor.»

Nazaret se levantó. Atravesó la capilla. Hizo una genuflexión y salió camino del jardín. La deslumbró la diafanidad dorada de un otoño que lo había galvanizado todo con su moderación. Sintió un escalofrío y cruzó los brazos. Al bajar la mirada vio sus pies desnudos en las sandalias como si fuesen de otra; al alzarla tropezó con los ojos, siempre con un poso de tristeza, de Diego. Estaba en la puerta de la nueva nave, ya casi concluida. No avanzó hacia ella. Se observaron como si lo hicieran por última o por primera vez, con la seguridad de que no eran precisas las palabras. Nazaret oyó unos pasos que descendían los peldaños detrás de ella.

—¿Me buscabas, hija? He encontrado tu nota. —El capellán saludó a Diego con la mano—. Vamos. —Fueron juntos a un pequeño despacho que utilizaba el padre como recibidor—. Aquí estaremos mejor que en la capilla. ¿O prefieres el confesionario?

—Da igual, padre, está bien.

Nazaret, después de acordarse de su padre como cada vez que decía esta palabra, vació su alma en la mesa de aquel despacho, ante la que estaba sentada, y en la que el sacerdote apoyaba los codos y sostenía con las manos la cabeza atenta. Le informó de su angustia y de sus dudas, de los estremecimientos de su corazón, de sus tentaciones, de su soledad de ojos fijos, de su rechazo a dejarse llevar, de su flaqueza, de su confianza y de sus recelos, de su esperanza y su desesperación. A veces le tiritaba la voz, y tosía para eliminar un sollozo; pero no dejó escapar ni una lágrima. El capellán la escuchaba, bajos los ojos, y de vez en cuando atisbaba a la monja superficialmente para no impresionarla. Procuraba que se expresase con libertad total, sin coacción, sin conducirla, como si estuviese a solas con su propia conciencia. Al terminar puso los brazos sobre la mesa, juntó, separó y volvió a juntar las manos. Se hizo un silencio que pareció durar una eternidad.

—Hermana Nazaret, quizá se le antoje fuera de lugar o excesivo; pero, en puridad, creo que hemos de hablar de sexo.

»Muchos prejuicios dificultan el acercamiento a un tema que es limpio y natural. Sobre todo, tratándose de una monja con voto de castidad. Hemos de ser prudentes, pero no temerosos. El miedo es un barranco que nos impide aproximarnos a una realidad que todos llevamos dentro y fuera. Me temo que su educación al respecto se haya basado en una ética rigorista de ignorancia y silencio. Y más en un ambiente como el nuestro: todo se habrá reducido a medias palabras, suposiciones, pudores compulsivos, cambios de conversación, faltas de naturalidad... Al sexo lo tenemos, en general, como un monstruo, un monstruo despreciable. ¿Y qué se ha conseguido? Convertirlo en el gran protagonista: para entregarse a él o para rechazarlo con todas nuestras fuerzas; para fomentar una sexualidad larvada y sin objeto, en la que lo que se imagina es más torvo que lo real, y en la que todo se basa en una promesa no explícita y además nunca cumplida. Nos ocurre como a los niños, que inventan el fantasma y acaban asustados por él.

»Y no se puede marginar el sexo de la vida, aunque no sea más que porque de él viene ella. No es posible prescindir de algo que nos configura, no de forma evidente (eso es lo genital, más inmediato), sino informando y tiñendo nuestro cuerpo y nuestra alma, si es que los dos no son uno tan sólo. La castidad se ha considerado una virtud angélica, hija mía. Y puede que lo sea; pero no si se estima como la supresión de la sexualidad en todas sus manifestaciones, porque eso es imposible. Si se echa el sexo por la puerta, entrará rompiendo las ventanas: no sé quién dijo eso. La castidad no es sinónimo de continencia absoluta; es llevar la libido, el deseo sexual quiero decir —lo aclaró ante un fruncimiento de cejas de la monja—, a un estado de integración y de armonía. La continencia puede llegar a ser un corsé que oprime y que produce sólo una tranquilidad externa, no íntima; que acaba, o suele acabar, manifestándose con disfraces y caretas, por menos aparentes mucho más peligrosos. Un ser humano puede creerse casto porque no experimenta tentaciones; pero ese narcisismo concluye de la peor manera, porque es sólo una continencia biológica, no madura, no adulta, no asumida... Supongo que me entiende, hermana Nazaret.

—Hasta ahora, sí, creo —susurró ella.

—El sexo no es un delincuente que amenaza nuestra vida. Dios lo quiso y, por tanto, esconderlo, ignorarlo, fingir que no se tiene, es exponernos a comportamientos muy confusos. Quizá le sorprenda, espero que no la escandalice, mi manera de hablar. Pero otra cosa sería perjudicarla. Ahora mismo la Iglesia, después del concilio, sufre en esto un rechazo y un disentimiento manifiesto. Haberse reducido a una dirección, y con excesos, ha provocado la reacción contraria y asimismo excesiva. Usted no tiene idea porque, por propia voluntad, está fuera del mundo; pero no es malo que lo sepa. Lo que busco con mis palabras es un alivio para sus tensiones. Su caridad, hermana, no ha pecado, no ha faltado seriamente a las reglas. Y además ha hecho bien consultando. Por el momento no hay nada perdido. Cumpla bien su deber, y no se obsesione, no se ofusque, no se ponga tampoco a tiro del enemigo. Hermana Nazaret, no se escuche demasiado, déjese ir en Dios...

»Le habla un viejo. Nosotros somos sólo el hilo conductor; la electricidad es Dios. El único poder que tenemos, por desgracia, es interrumpirla con nuestra ingratitud. Pero, si la dejamos pasar, tampoco nos enorgullezcamos:

transmitir es nuestro oficio. Dejemos que Dios obre. La tentación más frecuente en nuestro campo es pretender que algo depende de nosotros, o sea, no creer radicalmente en la acción divina; creer en ídolos de madera o de barro (o de carne), en dioses torpes de dinero y de éxito, de temores y de futuros.

»En una equidistancia tonta entre Dios y el mundo transcurre a veces nuestra vida religiosa: oramos, sí, nos sacrificamos, pero nuestra fe no es sólida, sino sentimental. Sólo Dios es, sólo Dios sabe, sólo Dios puede: ésa es la única realidad que nos fundamenta. Nosotros no tenemos que plantearnos los grandes problemas, las grandes cuestiones; se resolverán: no dependen de nosotros. Guardar silencio, esperar, no hacer grandes proyectos es lo nuestro. Ya llegará la hora del mensaje de Dios: no la precipitemos, no vivamos tampoco para ella. Ya se nos mandará. Pero las maravillas que entonces sucedan no serán cosa nuestra.

»La caridad (Dios en nosotros) es lo que da la Orden: ahora arrodíllate, ahora camina. Es lo que justifica la aparente inutilidad de las horas de rezo, mientras nos parecería más lógico actuar; es lo que explica la aparente futilidad de nuestra mísera obra, ante la evidencia de que la muerte abole todas las obras de los hombres. La caridad es lo que aglutina todo, el puente que une acción y contemplación, cielo y tierra, Dios y nosotros... Ocúpate de amar. No preguntes más veces cuál es tu camino, o si es acertado el que sigues. Ama. Ama y haz lo que quieras. El amor es la perfección de la ley, la norma de la vida, la solución de todos los problemas, el camino exclusivo de la santidad. Más aún, *es la santidad.* Porque se muestra terrible en sus exigencias, y no te consiente hacer tu voluntad sino la de Dios, que es quien gobierna y rige vida y muerte. Si esa alta voluntad te asignó a los ancianos, cúmplela, y desentiéndete de lo demás, hasta las últimas consecuencias... Si te llamase a fundar una familia —la monja percibió que la voz del capellán se atenuaba—, carga con esa cruz en medio del mundo, no lo dudes; allí hallarás la paz. Donde no halles paz es porque no está la voluntad de Dios. Tu nombre, Nazaret, si en él te buscas y si en él descansas, te guarecerá... Perdóneme el tuteo. Vaya ahora en paz.

Y la bendijo mientras la monja se apresuraba a arrodillarse, aunque lo único que consiguió fue golpearse con el asiento en las espinillas.

Aquella misma tarde, don Sebastián, el médico, mayor, viudo, socarrón y muy amigo de las bromas, que llevaba en el asilo desde que hizo el servicio militar, y que tenía con la monja una gran confianza, pues le ayudaba mientras pasaba consulta, le dijo entre un paciente y otro:

—¿Se ha preguntado usted, hermana Nazaret, ya que parece la más listilla del convento, el porqué del amor?

La monja no supo qué contestarle, aterrada ante la posibilidad de que se trasluciese su estado de ánimo, ya que no se le ocurrió ni por asomo que el capellán hubiese quebrantado el sigilo cuasi sacramental. Balbuceando, dijo:

—¿De qué tipo de amor, don Sebastián?

—¿Es que hay muchos? En definitiva, todos son uno solo. Todos son la vida frente a la muerte, frente al dolor inútil, frente a la vejez desengañada, frente a la decadencia irremisible, frente al mundo mal hecho tal vez, o que a nosotros nos parece así... Todos son una interrogación a Dios si de verdad existe como lo imaginamos, una querella contra lo desconocido, la búsqueda de una realidad menos efímera y más fuerte. Todos los amores son el mismo: la necesidad de sentir, junto a otro, en el transcurso de todos los días que dure nuestra vida, la serenidad y la desgracia, la felicidad aparente y huidiza y también el temor a perderla, la decepción y la esperanza a pesar de las decepciones, la plenitud y el vacío de todas las cosas. En definitiva, buscar la compañía y la complicidad en este crimen de estar vivos y de estarnos muriendo...

A la hermana Nazaret, abismada en lo que el médico le decía, se le cayó una bacinilla de las manos. Hizo un ruido tremendo, que a ella misma la sobresaltó. Se agachó para recogerla.

—No entiendo mucho de ese tema, pero pienso que tiene razón, don Sebastián.

El médico canturreó una musiquilla de *La verbena de la Paloma*:

—«Tiene razón don Sebastián, / tiene muchísima razón.» —Y soltó una carcajada—. ¿No estará usted agotada, hermana Nazaret? ¿No tiene la Orden, en un pueblo próximo, una casita que llamáis Betania, donde se descansa? La noto un poco pálida y un poco ida. No le vendría mal comer algo de jamón y tomar aire serrano. Aunque dicen que por aquí, cuando se le da jamón a un pobre, o el pobre o el jamón están malísimos.

—El descanso es propio de esa gente a la que no le sirve de nada descansar —contestó riendo la hermana Nazaret—. Cuando me caiga yo a la vez que la bacinilla, me iré fuera un poquito. Con usted; porque tampoco es que usted descanse mucho.

Durante una semana, cierta paz se instaló en el interior de Nazaret. Quizá porque, al no pugnar con todas sus fuerzas contra los que se le antojaban malos pensamientos, procedían éstos con llaneza, sin echar abajo barreras artificiales ni saltar furiosos sobre las barricadas. Algo le decía, no obstante, que, fuera de su actitud, lo cual no era poco desde luego, no se había resuelto nada. Al salir una mañana de misa, el capellán la llamó con un gesto, y le planteó la conveniencia de tener una conversación con la superiora. Los tres. Advirtiéndole de antemano que las ideas de la madre no coincidían mucho con las de él.

—Es justo por esa razón por lo que, después de meditarlo, se lo propongo. Al fin y al cabo el voto de obediencia reclama una violencia de ánimo, pero también suministra una serenidad. ¿Está de acuerdo? La obediencia es a la madre a quien la liga...

La hermana Nazaret afirmó con la cabeza.

La construcción de la nave se interrumpió por falta de dinero. Nazaret supo que Bastida se había ofrecido a retrasar el cobro, adelantando de su bolsillo el pago a sus albañiles; pero la superiora, algo mejorada, rehusó ante la posibilidad, bastante remota, de conseguir la financiación por otra fuente. El caso es que terminaba octubre, y un día de lluvia, en el que el agua diluía las huellas de los obreros en el jardín, y, en opinión de Nazaret, todas las huellas de lo sucedido —pero ¿qué había sucedido?— en su corazón, el capellán y ella llamaron a la puerta de la superiora.

La superiora era baja, gruesa y rubicunda. Ante su carita redonda y aniñada, con saludables colores, parecía inverosímil que aquella mujer padeciese de anemia. Los hábitos le quedaban algo respingones, empujados hacia arriba por el vientre; las mangas, largas, ocultaban sus manos, pequeñas, gordezuelas y llenas de hoyitos como las de los niños. Se llamaba Mercedes, y era, mucho más que buena, bondadosa, y poco dada a arrostrar los problemas, que solía resolver eludiéndolos hasta que se resolvían por sí mismos. El tiempo era su mejor aliado: todo lo encomendaba a sus amplios poderes. Su voz era untuosa, un poco falsa, lo mismo que sus gestos. Es decir, personificaba lo que suponen muchos cuando escuchan la palabra *monjita.*

Por la manera de escrutarla, comprendió Nazaret que el capellán la había puesto en antecedentes de su situación, lo que agradeció con toda el alma. Porque se le hacía muy cuesta arriba exhibir las entretelas de su corazón ante alguien de quien siempre había barruntado qué poco tenía que ver con ella. Aunque la respetara y la acatara por sus votos, por la edad y por la buena fama que tenía de aquiescente y hasta de tolerante, en cuanto no afectara a las Constituciones de la Orden y a los preceptos internos del asilo.

—Hermana —comenzó sin más preámbulos la superiora—, hemos llegado aquí como consecuencia de un relajamiento progresivo. —Alzó las dos manos, irritada, dirigiéndose tanto a la hermana como al sacerdote—. No me interrumpan. Que fuera de aquí cunda una excesiva transigencia, un dejar hacer, un confusionismo, malo es; pero más comprensible. Que eso traspase nuestras puertas, no estoy dispuesta a consentirlo. Yo soy chapada a la antigua. No voy a hacer concesiones. No haré el papel de la abadesa de *Don Juan Tenorio.* Hay que alzar bien la voz y denunciar la intromisión del mundo. Si bien, de tales excesos, son responsables —miraba al capellán— quienes no han sabido atajar a tiempo los riesgos con medidas eficaces y firmes. Acaso para ser considerados más modernos.

—Así las cosas —interrumpió el sacerdote lastimado—, planteo a su reverencia si la hermana Nazaret debe permanecer aquí y escucharnos, o salir y obedecer lo que más tarde se le ordene.

—Que se quede. No en vano hablamos de ella.

—Pues bien —dijo el sacerdote—, hoy no basta la repetición de unas normas si no se indican expresamente los valores que encierran; lo contrario sería una sujeción infantil. Se tiene derecho a conocer el porqué de los imperativos morales: no por indocilidad, sino por formación. A nadie puede obligársele a aceptar un mandato sin su interno convencimiento: no somos títeres, madre superiora. ¿De qué sirve hacer monjas castas si antes no hemos hecho seres razonadores y completos? Cada vez hay más intolerantes y rígidos, en el campo de la teoría, que luego se vuelven muy comprensivos, demasiado, en la práctica. Seamos consecuentes, madre: estamos en 1967: ¿habrá que defender los esquemas tradicionales aunque no influyan ya en la vida; defender las normas más estrictas, y agujerearlas luego con excepciones?

—No sé hacia dónde va, padre. —Tartamudeaba de excitación la madre—. Hoy en día la sexualidad es un parque zoológico, una forma de entretenimiento, una expresión sin trascendencia, una función biológica...

—Justamente porque, ante exigencias desorbitadas, había dejado de ser una función biográfica.

—Yo, por mi cargo, mal que me pese, tengo un pie en el mundo. Oigo, veo, bien quisiera no hacerlo. El sexo es una mercancía de consumo, incluso en nuestra católica España, ¿o es que no se nota en los cines, en las calles, en las salas de fiesta? Igual que en otros ámbitos, se crean las necesidades para luego satisfacerlas con ofertas lucrativas. Al hombre se le concede hoy una falsa liberación que le finge la libertad sin proporcionársela. El sexo no es ya un compromiso en que cada cual se juega entero, sino una forma de diversión, y basta.

—Lo que ha sucedido es que se ha pasado de la exagerada tensión a la reacción contraria. El sexo, recuerde, madre, no es algo secreto que pase, salvo en la alcoba, inadvertido.

—No sé si esto lo debiera escuchar la hermana Nazaret. Ni yo siquiera.

—Yo creo que sí. El sexo es como un aire que respiramos y en el que nos movemos, sin el cual no existiríamos. Empequeñecer la sexualidad hasta el punto de reducirla a la genitalidad es una equivocación trágica. Dios es el autor del sexo y de la pareja. El espíritu no tiene por qué avergonzarse de lo que aluda al instinto. Yo no me quedo ni con el puritanismo tradicional, que fomenta el amor sin erotismo, ni con el naturalismo biológico, que, por ir a la contra, fomenta el erotismo sin amor. ¿Por qué la virtud va a ser una lucha constante por evitar todo tipo de placeres? ¿Por qué la absoluta desconfianza hacia lo corporal? ¿Es que el de la muerte es el primer momento en que se consigue la libertad? El matrimonio no es una opción prohibida para los elegidos, madre superiora.

La madre levantó, encolerizada, la voz:

—Me parece que su paternidad olvida que está hablando dentro de un convento de monjas y en un valle de lágrimas. ¿Qué es lo que propone? ¿La bondad innata del placer, lo mismo que Epicuro? ¿El derecho a seguir las apetencias del instinto como fuente de libertad y de gozo? ¿El desenfreno en el uso del propio cuerpo, que para eso es nuestro? Bien, en ese caso nos quitaremos a puñados los hábitos. Adelante. —Hizo gestos de empezar, en efecto, a quitarse el escapulario.

—Yo no pretendo nada, pero sé, por el confesionario, que desde un espiritualismo descarnado se cae en el materialismo. Hay dos extremos, y en medio, la virtud. No somos animales, pero tampoco ángeles. Por muchísimo que nos empeñemos. Y aunque lo consiguiéramos, lo seríamos contra la voluntad de Dios, que nos hizo hombres o mujeres.

—Ya sé que está de moda, a raíz del último concilio, tan mal interpretado, echar en cara a la madre Iglesia su oscurantismo y hacerla responsable —ahora miraba a Nazaret— de los conflictos, las neurosis y las represiones que ha habido en este terreno siempre resbaladizo, del que más valdría no hablar.

—Pues hay que hablar. No es lícito demonizar al yo interior de alguien y convertirlo así en un animal que, al no estar bien amordazado, reivindica su comida. El sexo no tiene por qué ser siempre procreador.

—Lo que faltaba. No quiero oír más. —Se tapaba los oídos con las manos regordetas.

—Pero si antes lo ha dicho usted. Los padres del *escandaloso* —subrayó con énfasis la palabra— erotismo de hoy forman un respetable matrimonio: la moral eclesiástica y ortopédica y la sociedad capitalista. El erotismo como impulso vital aparece en todas las religiones, igual que cualquier cosa sin una explicación doméstica y pedestre: desde los templos hindúes al *Cantar de los Cantares*. Pero el cristianismo, saliéndose de los evangelios, se caracterizó por la normativa escrupulosa de las conductas privadas. Destronó a la carne enemiga del alma, y al deleite, como a un pariente loco, se le relegó a sótanos siniestros... Así se fundó el dualismo maniqueo que nos enfrenta: separar el amor del erotismo, contradiciendo la moral tradicional, fue un error que condujo a lo contrario de lo que se pretendía: separar al erotismo del amor. Y fueron los moralistas en los que usted se basa quienes lo inventaron y a quienes les salió el tiro por la culata. Con la colaboración, *generosa* —volvió a subrayar el término—, del capitalismo, que interpreta cualquier moral según su conveniencia, y pesa, tasa, valora y vende todo por el procedimiento que sea. El erotismo es, usted lo ha dicho, mercadería, cosa de compraventa.

—Pues me está usted dando la razón.

—Entonces no debo de haberme expresado bien. Lo que quiero decirle es que la persona no está compuesta por dos principios, sino que es una unidad misteriosa y profunda. Ni el espíritu tiene un cuerpo en el que se introduce permaneciendo opuesto a la materia, ni el cuerpo es un campo en barbecho que una alma, limpia y depurada, soporta, trabaja, ara y siembra. Ni somos ángeles venidos a menos, madre, ni animales venidos a más. Y mientras no lo entendamos así, no habremos entendido nada.

—Hermana Nazaret —dijo la superiora con expresión amoscada—, creo que tendrá su caridad tareas más provechosas que oír estos dislates. Y supongo que para ellas ingresó usted en esta Orden.

Nazaret salió, después de una dubitativa inclinación de cabeza, de la celda de la superiora.

A partir de esta entrevista sintió un vacío total en alma y cuerpo. Se le despertaron inquietudes que era incapaz de aplacar. Trató por todos los medios de llenar ese doble vacío. Se dedicó con pasión a los rezos comunitarios más que a la oración en soledad, de la que se le escapaba la mente. Se entregó a labores que no le competían: el recuento de la ropa blanca, el abastecimiento de la despensa, la revisión de la limpieza de los corredores, de los retablos, de las cocinas, de los dormitorios, del último rincón de cada alcoba. Se implicó en los trabajos más mecánicos y que menos entrega de ánimo requerían. Se dedicó a ellos, hasta llegar exhausta a su celda cada noche para ofrecerse a Dios antes del sueño. Pero, mientras el sueño la acogía, se preguntaba, sin poder evitarlo, qué tenía que ver el estado de su alma con lo que escuchó discutir al capellán con la superiora, a ninguno de los cuales se encontraba ni cualificada, ni dispuesta siquiera, para darle la razón. ¿Es que eran el sexo y la sexualidad los que habían trastocado sus personales jerarquías? No se sentía capaz de afirmarlo. ¿Y de negarlo? Acaso tampoco... Y así, se desvelaba.

Lo que sí entendió, sin necesidad de razonarlo, era que el cuerpo no se limitaba a ser un elemento de la persona sino que era la persona misma. La anatomía es muda hasta que, sobre su base, se levanta la expresividad más profunda. Por mucho que un médico sepa del cuerpo, y lo saje y lo analice y lo diseccione; por mucho que investigue sobre los ojos o los huesos de las manos, nada sabrá de lo más importante hasta que observe una mirada de ternura o la benignidad de una caricia. No sirven los ojos sólo para mirar ni las manos para asir. El cuerpo es alma cuando esta revelando el íntimo mensaje que quiere comunicar. *E incluso cuando no quiere comunicarlo, lo que es más doloroso.* Eso sí lo sabía la hermana Nazaret con absoluta certidumbre.

En la misma semana, la superiora, con la que coincidía en algunos actos de comunidad, le preguntó si acaso quería dejar los hábitos. Nazaret ante tal pregunta, formulada en unas circunstancias tan poco idóneas, la miró sin contestarle, como si no hubiese oído una cuestión que ni ella a solas había osado plantearse. La única respuesta fue la expresión desolada de sus ojos.

—Sería una imperdonable apostasía, se lo advierto —añadió la madre Mercedes.

Quizá pudiera ser una apostasía, pero en cualquier caso no de la fe, cosa que no es posible, sino muy dentro de ella. Más, más aún, creo que semejante apostasía, si la hubiera, acaso como todas, sería un acto de fe. Como la del emperador Juliano arrojando su sangre contra el cielo; como el fusilamiento por los rojos del Sagrado Corazón del Cerro de los Ángeles... Todo se cumple en Dios: es mi única seguridad, no me la quites, Dios mío. Todo, y especialmente la caída que en apariencia nos aparta de ti. El sueño de agotamiento de los discípulos en la noche del huerto fue comprendido por ti; las negaciones de Pedro en la madrugada fueron comprendidas y perdonadas. Hasta la venta y la traición de Judas,

Señor, porque para redimirnos eran necesarias. Alguien lo ha escrito:

> *«En dos pecados se ha visto*
> *que Judas quiso extremarse,*
> *y fue peor el de ahorcarse*
> *que el de haber vendido a Cristo».*

Pasaron unas fechas y la tarde en que se presentó el frío, la superiora, que seguía reflexionando sobre el caso, la llamó aparte y le advirtió:

—Si tan mal está en este asilo y tan tentada, aléjese. Puedo hablar con alguna Orden misionera. Para África, por ejemplo. Allí estará apartada y consagrada a convertir almas.

La hermana Nazaret la miró y tampoco contestó esta vez. ¿Qué tenía que ver eso con la desazón de su espíritu? Inclinó la cabeza y continuó su quehacer. Nunca había querido ser misionera. Sin explicárselo de una manera expresa, siempre entendió que las bienaventuranzas se dirigían a todos los hombres sin excepción alguna, cualquiera que fuese su religión o su falta de ella. No era legítimo interpretarlas de una forma unilateral, ni declararse su administradora única. Ninguna creencia —y le daba cierto reparo pensarlo así— es susceptible de atribuirse el monopolio de la construcción y el porvenir de la humanidad. *Dios ama a todos los hombres: ésa es la base de cuanto venga luego.* Hay muchos cristianos sólo de nombre, y mucha gente que es cristiana aunque no se llame así. ¿Y quién hará el recuento? *Qué soberbia la de desear convertir a los otros, qué convencimiento de poseer la verdad.* El ansia de convertir se minimizaba a sus ojos al compararla con los sincretismos, los eclecticismos, las fáciles concordancias de lo mejor de cada religión. Casi todas coinciden en lo más elevado; sus diferencias en lo accesorio son las que las enemistan y las sacan de quicio. Porque su quicio ha de ser el amor, la paz, la comunidad de los hombres al servicio de su Creador. De ahí que la conversión no sea necesariamente un cambio de fe, sino de la cultura en que una fe se ahínca y eso quizá no sea aconsejable. Convertir, para Nazaret, era adaptar al otro a uno mismo, reducirlo a los propios perfiles, y *lo que habría que hacer es ampliar el conjunto y la visión para que allí quepamos todos.*

De cualquier forma, los circunloquios en que se perdía Nazaret o la hacían perderse terminaron cuando se reanudó la construcción de la nave. El primer día en que, desde lejos, volvió a ver a Diego Bastida supo, sin ningún raciocinio, lo que acaecía dentro de sí misma. Por primera vez, después de la abstención que supuso su ausencia, sintió aquello en que su presencia consistía. Sintió que el aire se hacía camino entre los dos; que no existía la distancia; que algo la alcanzaba, que algo de él quería entrar en ella, y ella, jadeante e inmóvil, no podía hacer más que aceptarlo. Era un extraño estado de relajación y de expectación: la presencia se manifestaba no sólo en la mente sino en el cuerpo, y más aún en él. Notaba lo flexible que era el de Diego y que lo habitaban cualidades favorables, no rigideces, no elucubraciones, no razonamientos inútiles y farragosos, sino evidencias y realidades compartidas. La paz —una paz belicosa si así podía llamarla— no era una sosa quietud, sino la unificación de dos fuerzas contrastadas y en aparente lucha. El espíritu y el cuerpo, frente a lo que decía el capellán, poseen mundos distintos. Es un hecho que llegan a juntarse, pero después de establecer qué lejanos están y cómo, sin embargo, se requieren. Era como si se tratase de un sufrimiento deliberado: el de comprobar lo remoto que el mundo de esta presencia se halla del otro mundo corriente en que habitamos, comemos, nos arrepentimos y dudamos. Si de algo está cerca, según se le ocurría a Nazaret, era de lo que ella entendía por visión beatífica en la gloria. Puede que fuese una limitación suya; puede que no. *Seguramente a esto llaman amor.*

Y ahí estaban los dos mirándose sin sonreírse, sin moverse, sin saludarse: sólo presentes uno en el otro, uno para el otro. Si el remordimiento proviene de resistirse a lo que se entiende por Dios, esta presencia era, por el contrario, la avanzadilla de su presencia, que anula por adelantado las ofensas, las revueltas contra él, los ateísmos, las blasfemias, todo. *Dios es el perdón por adelantado.* Su amor —el amor— no se ocupa de represalias ni desquites, no posee una memoria mezquina y rencorosa: eso es deficiencia nuestra...

Y allí estaban Nazaret y Diego, frente a frente, distantes y reunidos. Alguien le había contado a Nazaret —un sacerdote francés— que, en la parte de atrás de Notre-Dame, hay la escultura de un diablo que rodea a un ángel con sus brazos, y el ángel se deja abrazar y corresponde. Tras ellos, más alto, los vigila un guerrero. Es su mirada lo que reúne a los dos. *Eso es cuanto el amor significa...*

Y Nazaret, como en un sueño, comenzó a escuchar, o mejor, a sentir su propia respiración, los latidos que levantaban el escapulario de su hábito, el pulso de sus muñecas, el de las venas de sus sienes bajo las tocas, el temblor de sus manos. Se escuchaba y se sabía escuchada; tenía la conciencia de su cuerpo: de sus pies desnudos dentro de las sandalias sobre la tierra, del roce en ellos de su hábito rudo, del rigor de la estameña sobre sus hombros. Y supo que algo importante había cambiado para siempre. *Es posible que siga todo igual; sin embargo, a partir de este instante nada será lo mismo.*

Todo su cuerpo se había vuelto ojos. Era pura atención. Se detuvo la luz del mundo, sus milagrosos tonos, el aire trémulo. Dios estaba allí, abarcándolo todo, y, por qué no, bendiciéndolo. Nazaret percibió que Diego palidecía. Quiso volverse y no pudo: sintió atados sus ojos. Y supo que ella palidecía también. Se trataba de otra vida distinta, no imaginada, no soñada; de un misterio que nadie sino ellos dos podría compartir; de un impulso sagrado, sin duda sagrado, que los vinculaba, quisieran o no, se opusiesen o no. Toda la energía de uno estaba absorta en el otro, y el otro tenía discernimiento de ello. Los sonidos ordinarios adquirían una musicalidad extraordinaria: el aire era más aire, más agua el agua que caía de los cubos, más habitable la mañana. Un don, del que no iban a ser capaces nunca de apropiarse por entero, los elegía, los aplanaba, exigía su confusión y su consentimiento. Ninguno de los dos dudaba ahora: el amor los había nombrado reyes y esclavos a la vez. Si se hubiese hundido el orbe en ese instante, ninguno de los dos lo hubiera percibido: cada uno era el orbe, entero y verdadero, cumplido y asequible, para el otro.

—Hermana Nazaret —gritó la cocinera desde su ventana—, ¿quiere su caridad echarme una mano para limpiar las verduras? A la ayudanta la ha llamado el médico.

Nazaret se apeó de la cima a la que había ascendido no

por sí misma, empujada, obligada, atraída por el vértigo de la certeza. Respiró por fin, volvió por fin la cara hacia la ventana de la cocina.

—Voy, hermana Fe.

Y, en efecto, un poco vacilante, como quien se repone de un desmayo, o como quien transporta una carga desconocida y excesiva, se acercó a la puerta trasera y entró trastabillando en el asilo.

Dos días después, uno de los albañiles le dio a la hermana una nota escrita. Era de Diego. La citaba para el anochecer. Exponía una irrevocable precisión de hablar con ella. Nazaret vio su letra, larga y firme, e imaginó, larga y firme, la mano que la había escrito, las uñas mal cortadas, la probable dejadez de los dedos, su dureza de utensilio muy usado. Imaginó los ojos, brillantes como uvas lavadas e intacto su fondo de tristeza, las ojeras lívidas bajo las pestañas, las mejillas hundidas, el pelo castaño de sienes blanqueadas, despeinado y no igualado con acierto... Besó la nota. Comprendió que, aunque en su vida sólo hubiese tenido esa convocatoria, habría sido bastante. Cuando le dieron tregua fue a su celda, se arrodilló, dio gracias y no le cupo duda de que acudiría a la entrevista.

Durante la tarde trabajó como si nadie la esperara, ni ella esperara otra cosa que limpiar las negligencias de los viejos. Rezó el rosario en comunidad. Asistió a los asilados en el recreo, rió con ellos, los provocó para combatir su desmemoria. Los acompañó a la hora de la cena. Uno le vomitó en el hábito una pasta de verduras, quizá con intención. Con la servilleta húmeda, Nazaret limpió al anciano y después su estameña. Ayudó a acostar a los inválidos; supervisó las alcobas compartidas; deseó buenas noches a todos; saludó a la veladora; compartió la cena con las hermanas libres. Rezó el oficio de vísperas. Pasó con las monjas disponibles la media hora de recreación. A las nueve y media hizo una última visita a los acostados y recogió a los más trasnochadores. Rezó completas a las diez menos cuarto. Preparó la meditación del día siguiente. Y a las diez y media, en lugar de meterse en la cama, salió al jardín por la puerta de servicio.

Allí la esperaba, alto y flaco —desabrigado, pensó—, Diego. Desvió los ojos para no sujetarlos demasiado a él, y vio —creyó ver— dos mariposas amarillas jugueteando sobre el romero en flor del macizo de enfrente. Eso la confirmó en que Diego era portador de la gracia. La gracia es lo que está en el beso y no es el labio; la transmisión de un adviento antes de que los ojos lo aseguren... Él dio un paso hacia ella. Nazaret retrocedió otro paso. No era cuestión de distanciarse —*Eso no es ya factible*—, sino de no perder la perspectiva; no era cuestión de defenderse —*Nada malo puede venirme de él*—, sino de no enfermar. Acaso hizo un gesto de fatiga sin darse cuenta, porque él dijo:

—Es usted una esclava: la esclava de sus viejos.

—También usted se ocupa de su mujer enferma: ¿es su esclavo quizá? —Se oyó un gemido. O fue sólo el ruido de la gravilla al ser pisada. Nazaret pensó que lo había herido—. La esclavitud es hacer cosas de las que uno no marca el destino o no comprende el fin. Quizá la creación no se termina del todo nunca, y yo ayudo a que continúe como sé, o como no sé del todo, pero sí como puedo... Igual que usted —agregó en voz más suave. Diego se colocó de perfil. La nariz corta y recta le daba un aire juvenil, y el labio de abajo, vuelto, de voluntarioso y terco—. Ayudo a estos viejos a irse lo menos cruelmente posible: no es más que eso, y sé por qué lo hago. —Él la recorría con los ojos ahora frente a frente—. No hay que mirar las cosas: hay que estar dentro de ellas. —Él afirmó con la cabeza en silencio y pareció suspirar—. Como usted está dentro de esa edificación nueva: mucho de usted se quedará dentro de ella.

—¿Se portan mal? Los viejos, digo —preguntó con una vehemencia que no correspondía a la pregunta.

—Nadie es malo cuando se siente amado. Algunos tienen familia que no los puede mantener y los trae; otros vienen por sí mismos. Los más difíciles en su casa son los que mejor se adaptan al asilo. Se ayudan entre ellos... Los animales solos se asilvestran; si se acompañan, se suavizan. Antes, el día que salían, volvían a menudo borrachos y se peleaban unos con otros —Nazaret sonreía sólo para él—, y es que salían muy poco. Ahora tienen su vino en la mesa, y ya no beben tanto. Son seres humanos, ¿sabe usted? Lo mismo que nosotros.

—Los viejos suelen creer que la experiencia es infalible: por eso se equivocan a menudo.

—A nosotros nos pasa igual. —Nazaret volvió a sonreír sólo para él. Había luna menguante, que dibujaba la toca blanca como un envoltura poco natural y subrayaba las cuencas de los ojos de Diego—. Un viejo en el mal sentido no es alguien que fue joven, sino alguien que no tiene nada que ver con el joven que fue; que ha roto consigo mismo y que se ha vuelto, de repente o casi de repente, otro.

—¿Y en el buen sentido? El viejo, digo. —Había una

dulce ironía en su voz—. Si es que la palabra viejo tiene alguno bueno...

—En el buen sentido, sencillamente es una persona que ha vivido más. Sólo eso. Y escucharla no es como leer un libro, sino algo mucho más ágil, más alegre o más triste, más humilde también...

Después de una pequeña pausa, en que se hablaba sin palabras de otro tema, Diego dijo:

—Igual que cuidar viejos puede hacerse sin pensar en Dios, puede hacerse el amor pensando en él.

—Quizá no tengamos que fijarnos demasiado en lo que nos perturba, lo que nos amedrenta, lo que vemos sucio o feo en la vida —murmuró, muy despacio, Nazaret, acaso sin mucha relación con lo afirmado por Diego—. O quizá no haya nada que entender y las cosas sean así desde el principio, y nosotros, al hacernos preguntas, seamos los equivocados de antemano... Inventamos pretextos, maldades, desviaciones, tantas cosas... Tendríamos sólo que abrir los ojos y aceptar sin cuestionarnos nada, ni la vejez, ni la muerte..., ni el amor. Porque vivimos en las afueras de Dios, si es que Dios tiene afueras y no son él también.

—Los ojos de Dios no distinguirán lo sagrado y lo profano como lo distinguen los nuestros. Deben de formar parte del mismo festín. —Diego habló con un punto de resentimiento.

—Un festín —la sonrisa de Nazaret se había inmovilizado— donde no se come, sino que se es comido.

—Pero usted no puede considerarse alimento de Dios. Ni su rehén tampoco. Dios tiene, lo supongo, muchos oficios: no es sólo un anticuario, no es sólo un trapero que recoge cartones usados y despojos tristes. También tiene el oficio glorioso de juntar los corazones y los cuerpos, dando de sí a este mundo. No hay por qué elegir entre Dios y lo otro: lo otro son también sus afueras. Todo... —Usó una inflexión imprecatoria, igual que si se lamentara, igual que si pretendiese esquivar una respuesta adversa. Se estremecía, pero quizá fuese por el frío que un vientecillo empezaba a traer.

—Lo joven y lo nuevo no pueden comprenderse con exactitud sino a través de una larga familiaridad con lo que ya no lo es.

—Pero también el pasado será estéril y falso si se niega a aceptar lo joven y lo nuevo.

—Es verdad. Eso es verdad —murmuró de modo apenas perceptible Nazaret—. Lo que pasa es que yo no entiendo más que de cuerpos viejos: ya se lo dije un día. Al principio.

—¿Al principio de qué?

—De todo, señor Diego Bastida. Usted lo sabe.

—La gente busca lo que a nosotros se nos ha dado. —Era como una protesta autorizada por las últimas palabras de ella—. Vive soñando con que les suceda lo que a nosotros nos sucede... ¿Y nosotros vamos a despreciarlo?

Con mucha lentitud, como si no hablara con nadie, elevados los ojos, y una sonrisa tiñéndole la cara, dijo Nazaret:

—A mí también se me han concedido sueños que nunca tuve: me desperté, y estaban ocurriendo.

—Esta evidencia no se presenta nunca. Y, cuando se presenta, es deslumbrante y única.

—Quizá lo ame el resto de mi vida si es que no he muerto ya. Ayúdeme... Ayúdeme. —Diego dio un paso hacia la monja y ella volvió a retroceder—. Casi recién llegada aquí, había un matrimonio muy unido. Él, al morir, le dijo a su mujer: «Trataré de llegar hasta ti en cualquier otra existencia que viva». —A Nazaret le oscilaba la voz y tenía los ojos empañados—. «Cada vez que me necesites, yo vendré», le dijo. No fue necesario. Ella murió una noche después. —La emoción de Nazaret desbordaba e inundaba a Diego, que extendió las manos.

—Nazaret —subió la voz para repetir el nombre—, Nazaret.

—Antes me llamé Clara. —Dudó un instante—. ¿Cómo se llama su mujer? Quisiera imaginarla con un nombre.

—Gracia. —Diego bajó los ojos.

—Es bonito. Hasta mañana, Diego.

Dio media vuelta y avanzó unos pasos hasta la puerta de servicio por la que había salido. Quizá estaba demasiado oscuro, quizá no podía soportar más, quizá no supo calcular bien, el caso es que su cabeza tropezó con el dintel y sonó el golpe en la noche. Detuvo con un gesto a Diego que se acercaba, soltó una carcajada breve y desapareció.

Su despedida no dejaba de ser una generosa consolación. Un día antes había pedido a la superiora ser trasladada a cualquier otro asilo. Aquella misma mañana, el de Madrid había dado su conformidad. A la tarde siguiente salía de Córdoba para no volver nunca.

6

Paisajes abiertos... Bajo un cielo encapotado y casi tangible comenzó su viaje hacia Madrid. Se despedía Nazaret de la tierra cordobesa que no había tenido oportunidad de gozar. Al dejarla, contemplaba su feracidad y su hermosura. Los olivares impertérritos, geométricamente plantados, como un ejército fértil y dadivoso, despreocupado de vistosidades, con su hábito grisáceo y áspero como el de ella. Cerró los ojos y los abrió enseguida porque empezaba a ver lo que no deseaba: un rostro anguloso, una mirada atenta, unas manos tendidas... Cuando se enterara de su traslado, ¿qué diría? Sintió en el pecho un gran peso que le impedía respirar.

Tomó su libro de preces y recitó el oficio de vísperas. Atardecía, ensombreciéndose por igual el paisaje, como si no hubiese en él levante ni poniente. *Como en mi corazón.* Una íntima soledad la acongojaba. El asiento junto al suyo iba vacío. *Gracias a Dios.* Habría sido incapaz de entablar con nadie una conversación medianamente coherente. La progresiva oscuridad de fuera hacía que el interior se reflejara en los cristales de la ventanilla. En ellos vio la imagen de una monja infeliz, desdibujada y tremulante. En el libro de preces encontró unas que nunca había rezado: las que han de decir quienes se van. Las leyó sin voz con una dificultad en la garganta. *Mitte nobis, Domine, auxilium de Sancto. Et de Sion tuere me. Averte oculos meos ne videan vanitatem. In via tua vivifica me. Gressus meos dirige secundum eloquium tuum. Ut non dominetur mei omnis iniustitia...*

Reclinó la cabeza sobre el respaldo y, sacando un pañuelo de la manga, se lo acercó a los ojos. ¿Cuándo se había encontrado tan sola? Se reprochó el escucharse demasiado. «Siempre con el estetoscopio puesto», le decía el viejo médico, al que tampoco volvería a ver, y del que tampoco, como de nadie, se había despedido. Una monja más, eso era. Alguien que pasó cerca y desapareció y se olvidó. *Quasi naves, sicut nubes, velut umbra*: así lo describió el viejo padre Kempis. Así había sido. Buscó en el himnario algo que se acompasase a la irresistible consternación de su alma. Se abrió sobre el *Stabat Mater*, con su carga de sufrimiento, de consonancia con la voluntad divina y de fuerza. *Stabat*, recordaba que decía la maestra de novicias, quiere decir que se encontraba en pie: no hundida, no desmayada, no doblegada, no vencida: en pie. *Sancta Mater istud agas, / crucifixi fige plagas / cordi meo valide. / Tui nati vulnerati, / tam dignati pro me pati / poenas mecum divide.* Haz que, cuando muera mi cuerpo, le sea dada a mi alma la gloria del paraíso...

Pero ¿dónde están ahora cuerpo y alma? ¿Cuál es el que sufre? Como nunca hoy tengo claro que son una sola cosa y que soy el inseparable conjunto de los dos... Por si quedaba algo por invocar, recitó de memoria el *Veni, creator Spiritus* hasta el final... Envía tu espíritu, y vivirán todas las cosas y renovarás la faz de la tierra... *La renovación de la tierra quedará para la prima-*

vera. Se inundará toda de gozo y de esperanza, pero yo no. Lo que viene por todas partes es el invierno. Puede que, bajo su sequedad y frío, se incuben la lucidez y los colores; pero falta mucho, es larga la travesía hasta los gozos del oasis. No debo ni pensar en ello. Los ciclos de la liturgia, las estaciones del año y de la vida, el uso y el desuso del propio corazón, tienen un imponderable significado a pesar de que ahora los humanos tendamos a no querer ni vivir ni morir de verdad. Como antes, cuando la vida y la muerte izaban sus fulgores como dos reinas poderosas. Cuando los pleitos matrimoniales del alma y del cuerpo, desacertados, oponían concupiscencias y tinieblas a los recados del Altísimo... *Sólo los que, como yo, se salieron del campo de batalla para batallar en nombre de otros, tienen como recordatorio la verdad esencial: «media vita in morte summus», como dice el antifonario.* La vida es sólo una larga agonía hacia la muerte: comenzamos a morir cuando nacemos... *Eso es todo. Aunque, para los demás, el rostro de abril retorne a sonreír sobre un mundo enteramente nuevo.*

La muerte... ¿Por qué todo giraba, sin remedio, en torno de la muerte? El desacuerdo consigo, el desencuentro con su destino es, ella lo había comprobado, lo que más desasosiega al ser humano. No el sufrimiento, no el dolor, no la vejez, no la muerte, sino su incomprensión. Por desgracia, el capellán lo dijo, es sólo en el minuto de la muerte cuando muchísimos se enfrentan por primera vez consigo mismos en total libertad y resplandor... Veía lucecitas entre lo negro del exterior, simples, perdidas, que implicaban vidas bajo ellas o en su débil alrededor, junto a su frialdad o su calidez... Bajo el dintel de la muerte. Ya sin el agobio de las necesidades, sin las apreturas de la rivalidad, sin las opresiones del amor que la costumbre ha transformado en norma. Y, en ese minuto final, se reconcilian las contradicciones, incluida la más grave: rechazar este mundo tan feroz y a la vez no aceptar abandonarlo...

Abandonar. Es más difícil la vida que la muerte. A estas horas estarán las hermanas acostando a los ancianos. Alguno resbalará sobre las brillantes losas de cerámica, o se negará a que lo aúpen a la cama, o apretará los labios para no rezar... ¿Sonreía Nazaret? Veía las aspidistras de los rincones, los maceteros con esparragueras y begonias sin flor, esperando también su abril. Córdoba, la ciudad siempre soleada, a la que había aprendido a querer tanto que ya era suya: ella de la ciudad, no al revés... Echaría de menos todo en su nuevo destino: las salamanquesas de su celda, la simpatía y la cordialidad de los andaluces, su maravillosa filosofía de rebajar el techo de sus necesidades con tal de rebajar las fatigas que cuesta satisfacerlas, sus manos y sus ojos expresivos... *Diego, otra vez...* Había órdenes que, junto a los votos de castidad, pobreza y obediencia, agregaban el de estabilidad: morir en aquel convento en el que se ingresaba. Habría sido bueno morir en el asilo cordobés. Pero este renunciar a todo, hasta a la renuncia misma...

No era el momento de pronunciar esa palabra. *Bienaventurados los misericordiosos.* Se le habían deslizado, desde la falda al suelo, los libros de oraciones. Los recogió y los puso en el asiento de al lado: así evitaría que, en alguna parada en que subieran viajeros, lo utilizase alguno, si es que no le resultaba espantoso el contacto con una monja. *Hay quien siente curiosidad por una monja sola... La superiora me consultó si quería que otra hermana viajase conmigo. No es necesario, le dije: la economía del asilo no está para gastos superfluos. Esto la convenció más que ningún otro argumento...*

Se ensimismó de nuevo. Verían las hermanas cordobesas el Salto al Cielo terminado... Tuvo la impresión de que su corazón sangraba; pero ¿por qué? *¿Por qué?* No podía ocultarlo o, por lo menos, no podía ocultárselo. Quería el olvido: haría lo que estuviese en su mano —y en las de Dios— por olvidar a Diego; pero no quería la ignorancia de Diego; no que Diego no hubiese existido junto a ella, y por tanto no hubiesen existido aquel fulgor, aquella sazón, aquel incomprensible descabalo que surgió, sin saber cómo ni por qué, en su vida. Aquel dolor glorioso y aquel rechazo, que habían despertado a un corazón desentendido ya, sí existieron. Se acordaba, más o menos, de las palabras con que santa Teresa cuenta su transverberación. El ángel tenía un dardo de oro largo con un poco de fuego en su final, y lo metía hasta llegar a las entrañas, y al sacarlo parecía que se las llevaba y la dejaba toda abrasada de amor... El ser humano sólo tiene un idioma. Hablamos de lo que sabemos como sabemos, con las palabras que tenemos más a mano, y serán comprendidas.

De ahí que, antes de decidirse a pedir su traslado, sufriese cierta irresolución. La asaltó la duda de si debía apartarse de su vocación hacia los ancianos. Se vio tentada, si es posible hablar así, de irse con los más pobres para compartir con ellos lo único que tienen: su escasez y miserias. Para huir de ella misma y de sus hábitos, irse a vivir a un barrio desfavorecido, con los marginados que escupe la sociedad industrial. No por voluntad de obrerismo, no por una ideología, sino por hacer un trozo de camino con los hombres y las mujeres desprovistos de todo... *Nunca se me va de la cabeza la gente demolida por el paro, la dislocación de las familias, la emigración, la derrota de los ideales... ¿Quién les va a dar nuevas ganas de vivir? ¿Quién les ayudará a recobrar, si un día lo tuvieron, el sentido de la vida? ¿Quién les brindará un espacio de fraternidad en el que respirar?...* Ella, ahora con las manos vacías, se supo atraída por aquellos machacados, por aquellos que no tenían elección ni dónde ir. Dejaría de vivir tranquila con sus hermanas y se iría con la escoria; elegiría el desecho con la gracia de Dios. Porque se sentía llamada otra vez a ser luz y sal de la tierra, fuego y levadura; a compartir de lleno la vida y la historia de los hombres y las mujeres, y a dejar entre ellos el mensaje de un Dios que trasciende los tiempos. Quería situar su testimonio —cuánta vanidad— en el mismo corazón de las actividades del mundo. «Estáis en el mundo, pero no sois de él.» Como la Iglesia de los primeros tiempos. Quizá un día pudiera encargarse de los viejos la misma sociedad, como de los enfermos ya, como de las escuelas y de la enseñanza...

O acaso debería mirar hacia otro lado: ¿qué puede incitar más a la rebelión, qué puede haber más inquietante que el dolor de los niños? Niños abandonados por madres adolescentes o solteras, por familias que van a separarse, porque han nacido con minusvalías o con malformaciones... No quería Nazaret acomodarse en una piedad que ignorase ese sufrimiento de los labios mordidos, de quejas retorcidas, porque nada se entiende, para clavarlas en el propio interior. Estar allí, y alentar la inapelable y obstinada voluntad de vivir de los niños, que no tienen conciencia de sus males. Con los padres que ignoran el porqué de tanto horror. Y aprender la extraordinaria lección de su sabiduría: cada instante de la vida, así sea el último, es un don. *Quizá la resurrección consista en eso, en saber elegir la vida y no la muerte.* No somos, ni seremos jamás, todopoderosos frente a ella; pero podemos humanizarla, lograr que, a través del grito y de las lágrimas contra lo que no tiene visible justificación, se exprese la voz de Dios vivo. El dolor de los niños...

Mi vida religiosa no consiste en representar un personaje, en aparecer como alguien que ha optado por vivir la perfección. Qué hartura de eso. Cuánto me gustaría decir a todo el mundo que yo no nací monja... Sonrió un poco, a pesar de todo, Nazaret... *Pero fueron inútiles las vacilaciones. Consulté con el único que debía ser consultado, y creí oír su voz: «Sigue». Y aquí estoy, otra vez a la deriva, con viejos nuevos, con nuevas hermanas, con nueva ciudad, con nueva superiora. Quizá para otros cambiar de destino sea mejorar, o mudarse de aspecto o de ocupación, o matricular a los hijos en colegios distintos; para una monja es verdaderamente cambiar de destino, aunque el último es Dios. «Sigue», dijo la voz.*

El tren se detuvo, entre resoplidos, en la tercera vía de la estación de Atocha. Bajó al andén, débilmente iluminado por unas cuantas luces amarillentas. Portaba un ligerísimo equipaje. Se detuvo ante la puerta del vagón, esperando a quien vendría a recogerla. Por fin, una figura encogida agitó un brazo. Era una hermana muy bajita, estevada, con una expresión arisca y desabrida en la cara. O quizá lo desagradable era la cara misma. Se inclinó Nazaret para besarla, pero ella le tendió la mano. A pesar de la distancia y el rechazo, le golpeó en la nariz una halitosis infernal. Advirtió que allí estaba su primera prueba. Lo admitió con despego y decepción, pero lo hizo. *Esta hermana será agradable a Dios. Me portaré con ella como con quien más quiero.* Se le derrumbó algo dentro; le aleteó algo en el cuello y se le humedecieron los ojos... *Como con quien más quiero... Le ofreceré a Dios sus indudables virtudes y méritos. Le haré todos los servicios que pueda. Hermana Engracia, me ha dicho que se llama. Cuando sienta la tentación de esquivarla, le sonreiré. La buscaré en el recreo con una pastilla de jabón, con una flor, con los ojos amigos. Hasta que llegue a preguntarse y a preguntarme qué es lo que me pasa y por qué la acorralo... Su halitosis es crónica y sin cura; debo sobrellevarla sin que ella me lo note: que no sepa la mano izquierda lo que hace la derecha. Como en el evangelio de Lucas: si das un banquete, no invites a quienes puedan corresponderte y así quedes pagado; invita a los mendigos, a los lisiados, a los cojos, a los ciegos, y así te recompensarán en la resurrección de los justos... No, tampoco; no buscar recompensas.*

Tomó el brazo de la hermana Engracia; pero ésta, mucho más baja que ella, se soltó dándole un codazo.

—Hace menos frío que esta mañana —dijo—. De todas maneras, si lleva usted misma su equipaje, entrará en calor.

A la salida de la estación se encontró con una ciudad blanca. La nieve lo había cubierto todo, redimido todo, bendecido todo. Era lo que menos había esperado Nazaret. Fue superior a su resistencia tan amable recibimiento. Había olvidado, desde su primera juventud, lo que era ver la nieve. Con las manos ante la cara se echó a llorar, ante el horror de la hermana Engracia. Los primeros segundos estuvo convencida de que lloraba por la belleza de tanta blancura. No era así: lloraba por su incomunicabilidad y por su desamparo.

—Sujete su caridad la bolsa. Se está poniendo perdida con el barrizal que ha organizado esta maldita nieve. Tardaremos el doble en llegar hasta casa. Cuando en Madrid caen cuatro copos, todo se vuelve horrendo, y los conductores, completamente idiotas.

Gritaba llamando un taxi. Daba saltos de ira cuando recogían a otros viajeros. Por fin, uno se detuvo ante ellas. Un solo consuelo le quedaba a Nazaret, sentada junto a la hermana Engracia... *Ya está. La primera impresión ha sido la peor. Ya me tiré al río: el agua sigue helada, pero se templará. Me va a gustar la nueva casa. No puede ser el cuervo más negro que las alas...* Se volvió hacia la retorcida hermana sonriéndole. La aletargaba el olor de su aliento. No respondió a su sonrisa. Mejor, sería terrible que abriese aquella boca fétida que, además, por los frunces de alrededor, parecía no tener dientes.

La casa estaba en un sitio muy céntrico. Era un edificio amplio, de ladrillo visto, bien construido y con un gran jardín. La pasaron directamente al despacho de la superiora. Alta, enjuta, con el tic de bajarse la toca hacia la frente como si se le fuese a resbalar, mayor quizá de lo que aparentaba, con unas manos preciosas y unos ojos melados que, a su pesar, atraían.

—En qué buen lugar tienen la casa, madre. —Nazaret había optado por llamar a la puerta con cumplidos.

—Los viejos siempre quieren vivir en plena bulla. No les gusta el campo: está comprobado; les gustan los coches y el jaleo. Aunque no salgan, pero tenerlos a mano... Conozco el asilo de Córdoba: está en un barrio muy tranquilo.

—Pero este edificio vale un tesoro en estos días —piropeó Nazaret.

—Si vale un tesoro, más tesoros tiene dentro, hermana. Son los ancianos, no el dinero, nuestro carisma. —La hermana Nazaret se mordió los labios. No tardaría en comprobar el envés de la superiora—. La hermana Engracia la acompañará a su celda. Ya es tarde. ¿O cree que necesita cenar algo? —Nazaret negó con la cabeza, con la misma cabeza que le recordaba que, desde la mañana, no había comido nada—. Los comedores están cerrados, pero si quiere... Mañana hablaremos. Bien venida. Las hermanas transeúntes, esas que vienen a Madrid porque aquí hay ministerios y fundaciones y médicos y la madre general, son todas un incordio. Pero su caridad ha venido a quedarse y es distinto. Al menos eso espero...

—Yo también —dijo Nazaret, aunque algo de duda le quedaba dentro.

La acogida no pudo ser más fría, se dijo mientras la menuda vieja la acompañaba por un largo pasillo de la tercera planta.

—Aquí es —gritó la hermana Engracia, que debía de ser sorda—. Buenas noches.

Nazaret la despidió, convencida de que, en aquel convento, todas sabían la razón de su traslado. La celda era como la nieve: blanca y helada. La ventana daba al jardín, amortajado por la misma nieve bajo un cielo panza de burra, como lo llamaban en su infancia, del que irradiaba una extraña luz rosa. Abrió la ventana que, con la cama y una mesa, era lo único que saltaba a la vista. Suficiente. No sentía frío. En el convento había calefacción sin duda, aunque no allí. Se hizo la fuerte. Respiró muy hondo. Al terminar de respirar tosió; pero no era una tos sino un sollozo lo que le subió hasta la boca. Decidió hacer oración. *Así se me pasará el hambre. Sin la oración no se resistiría la vida activa en ninguno de sus aspectos. Como, sin el amor —siempre el amor—, nadie soportaría el sacrificio con la alegría necesaria, ni la mono-*

tonía de ese sacrificio... Se arrodilló diciéndose: Trabajaré como si todo dependiera de mí y rezaré como si todo dependiera de Dios: ésa es la suma de la oración y de la acción, ésa es la norma de tu Orden. *Veni, Sancte Spiritus, reple tuorum corda fidelium, et tui amoris in eis ignem accedem...* Y alzó su corazón a Dios con toda la fortaleza de la que fue capaz.

Luego, cansada, se tendió sobre aquella yacija, y extrañó su jergón cordobés, hecho durante más de veinte años a su cuerpo, y su cuerpo a él. Durmió mal, se despertó varias veces con dolor de cabeza y una de ellas llorando. Hizo el propósito de arrancar de su alma hasta la última raíz de un sentimiento, que teñiría, si no, sus actos y sus pensamientos. «*Recedant vetera, nova sint omnia: corda, voces et opera.*» «Todo nuevo: el corazón, las palabras y los hechos», se dijo, como en el himno *Sacris solemniis*, de Tomás de Aquino.

Se levantó a las seis y cuarto. Descubrió un mínimo aseo, en el que tomó una ducha fría. Rezó el oficio. Tuvo una hora de oración en comunidad, sobre la lectura que una hermana hacía, hasta las ocho menos cuarto. Como aún no tenía asignado otro quehacer, fue con las hermanas que levantaban a los ancianos inválidos, los aseaban y les daban el desayuno. Las perturbó en su sistema diario. A las ocho y media bajó a la iglesia, muy amplia y con un coro enorme para que los impedidos escucharan la misa sin bajar la escalera. Cuando la comunidad se desperdigó para realizar sus tareas, la llamó la superiora y pasaron las dos a su despacho.

—No vamos a hablar de lo que es un sigilo entre su caridad y Dios, hermana. Vamos a hablar de lo que tenemos en común los tres: Dios, usted y yo... Pero no desearía dejar de decirle una palabrita. Usted es apenas nada, hermana, que esa nada no la martirice. Recuerde las palabras de Isaías: «Como una madre a su hijo os consolaré, os llevaré en brazos y os meceré sobre mis rodillas». No se proponga reaccionar para crecer: no lo necesita; al revés, disminuya, empequeñézcase más cada día. ¿Leyó de niña el cuento de Alicia? Coma de ese pastelillo que la hacía reducirse de tamaño. Ese pastelillo es el amor de Dios, él le dará el mejor de los dones: el de la desidentificación. Tiene un nombre difícil pero es cosa muy práctica. Consiste en la salida de sí, en ver las cosas desde fuera: vivir desasida, sin apegos, sin urgencias, olvidados de ese ego que genera el egoísmo y deseos y celos, y por el que vienen todos los conflictos. No lo olvide: lo que parte la infinita distancia que hay entre Dios y los hombres es la cruz.

Se acercó a una pizarra donde había escritas cuentas, fechas y citas, las borró y trazó una línea vertical; en la parte de arriba escribió con tiza blanca la D de Dios; en la inferior puso la H de hombres, y trazó una raya horizontal, que formó una cruz con la otra. Se volvió desde la pizarra:

—El error es nuestro enemigo, hermana. Pero la verdad, decir la verdad y conocerla, no es sólo el resultado de una buena intención: es algo muy difícil, que requiere habilidad y esfuerzo. Y también inteligencia, que usted tiene, y humildad y saber examinarse una misma. La verdad es costosa: se trata de una ciencia y un arte, no es algo natural, como pudiera parecernos. Dígasela sin cesar, hermana Nazaret. Por cierto, qué hermoso nombre... Bien. Basta de consejos: no soy mujer para ellos. Consejos no solicitados, ni los doy ni los recibo. Adelante...

—¿Puedo irme ya?

—Un momento. Usted va a cambiar de comunidad, es decir, va a empezar una nueva vida. Supongo que para eso ha venido. Sin las otras hermanas, ninguna de nosotras podríamos nada: la unión es verdad que hace la fuerza. Tenemos la necesidad de vivir con las otras, nos gusten o no —Nazaret recordó a la hermana Engracia—, y de saber que una vida colectiva se opone al individualismo. No basta con un ideal común, que ya tenemos, hay que contar con relaciones de verdad fraternas, profundas. Si no, ni avanza el conjunto ni nuestros proyectos. El proceso comunitario, comprenderá usted que ésa es mi tarea más complicada, nos modela más que el matrimonio. No existe sólo nuestra voluntad separada, sino la participada que nos vincula, la apuesta hecha junto con otras almas y con la fuerza de Dios por encima de todas. La vida comunitaria ha de ser lo primero, el punto de partida, a través de la presencia casi constante de las hermanas, de la oración común y de las reuniones...

»Es en ese corazón único donde, día a día, hemos de encontrar luces, verificar en cada una las dimensiones esenciales de la fe y de la abnegación. No valen secretitos al oído, y aún menos los reservados en lo recóndito del corazón. Nuestra vida se parece, en ese sentido, a la de muchos laicos: vida diaria compartida, lucha codo con codo, necesidades materiales que soportamos juntas, idéntica inserción en el mundo y decisiones sobre la empresa común tomadas en común. No basta la obediencia, ni basta, como en el matrimonio, la elección de una sola persona con la que se desea vivir. Aquí no elegimos, y hemos de unirnos a todo un cuerpo constituido por individualidades muy distintas. Es

Cristo quien las ha señalado con el dedo y las ha llamado, no nosotras. Y es que la vida religiosa, hermana Nazaret, la nuestra al menos, comienza por acompañar a otras hermanas a lo largo de toda una vida. De ahí que le dijera que la suya empieza hoy. No se comparten sólo buenos momentos, sino la enfermedad, la vejez y la muerte. Algún día dependerá nuestra debilidad de las otras hermanas, con las que sostenemos la esperanza comunal de la resurrección.

Esta última frase la dijo con una resonancia solemne y muy sincera. Y continuó:

—Recuérdelo precisamente ahora: a la vida en religión no se entra como se entra a un refugio para huir de las realidades del mundo. El mundo, entero, está aquí, y usted lo ha comprobado. No se llega a una comunidad con fines terapéuticos. Si alguien quiere escapar de sí mismo ha de escapar por dentro; si no cambia, se llevará siempre a la grupa del caballo en el que trata de escapar. Espero que me haya entendido.

—Sí, madre —murmuró Nazaret—. Bendígame.

—Con todo mi corazón. —Nazaret se arrodilló y la superiora trazó una cruz sobre su frente. Cuando Nazaret trató de levantarse la mano de la madre se clavó sobre su hombro impidiéndolo—. Nuestro esfuerzo diario se borra a medida que lo vamos haciendo. Sólo en el seno de Dios, quizá permanezca —añadió como para sí misma—, pero tampoco hay que hacerse ilusiones. No nos esforzamos por ganar méritos, o eso espero. Vamos por un desierto; nuestras huellas las borrará el viento nada más estamparlas; la arena las iguala todas. Somos como una insignificante pincelada en un enorme cuadro, como una mínima tesela en un gran mosaico: no sabemos de qué línea, de qué paisaje, de qué rostro formamos parte. Alguien, no obstante, sí lo sabe. Somos una nonada —daba la impresión de que decía en alta voz lo que incubaba en su intimidad—. No hemos de avergonzarnos de serlo, hija mía, ni de tener no sé qué historia que contar, o no tener ninguna, que quizá sea peor. Arriba.

La ayudó a levantarse y la miró con intensidad. Luego la tomó del brazo, y añadió riendo:

—Vamos a ver nuestro reino... Somos veintidós hermanas y noventa y cinco ancianos, de los cuales veinticinco son hombres, y hay siete matrimonios. Colaboran algunos benévolos, llamamos así a los voluntarios, que nos echan una mano para acostar a los asilados o darles de comer. No demasiado. Quiero decir ayudar, no comer. Quizá también comer. —Rió de nuevo—. Esto no es un almacén de viejos, sino una familia con muchos abuelos. Tengo el proyecto de una sala de gimnasia para terapia y para entretenimiento. Abajo instalamos un minúsculo cuarto de velatorios, Dios quiera que lo usemos lo menos posible. —Se santiguó—. Nuestros ancianos salen de aquí a pasear y a tomar café, que lo tienen prohibido. Cuando están muy enfermos, de alguna enfermedad que les impida convivir con los compañeros, se les aísla, pero permanecen aquí. Al hospital no van más que por una urgencia, y con la condición, puesta por ellos, de volver; si no, se niegan a ir. «Cuando me ponga malita —simulaba la voz de una anciana—, no me saquen de aquí», suelen decirnos. Y eso hacemos. Si tienen una fractura, por ejemplo, los llevamos; pero enseguida, aquí...

La detuvo, la llevó cerca de la pared del corredor al que habían llegado, para no interrumpir el paso.

—Óigame, óigame bien —le colocó su mano, afilada y

elegante, sobre el brazo—: el dolor existe. Pero el sufrimiento es más grave, y no surge sino cuando nos resistimos al dolor. Si lo aceptamos, tampoco existirá el sufrimiento. Piense que el dolor no es inaguantable; pero sí lo es tener el cuerpo aquí y la mente en el pasado o en el futuro. Si va a quedarse, quédese entera. Ya me entiende. Porque esa división sí es insoportable. —Hablaba con tanta carga de sinceridad, que parecía haber vivido muchas vidas.

—Gracias —dijo emocionada Nazaret—. Tiene su reverencia toda la razón.

—Dentro de la divinidad caben hasta la fragilidad y la debilidad humanas. Es allí lo que más cabida tiene. Todo es uno y lo mismo para Dios. Somos muy tontos. No comprendemos nada. Aspiramos a la perfección como algo de la otra vida. Y la moral no tiene su perfección en el paraíso, sino que es tanto más rica cuanto más enraizada aquí y ahora, es decir, cuando ella misma se convierte en una de las intensidades de la vida...

Echaron a andar de nuevo:

—Perdone que hable tanto, pero usted es recién llegada. Las otras hermanas me han oído decir esto muchas veces. —Rió casi como con una complicidad—. Me estoy luciendo con usted, eso es todo. —Nazaret sonreía con afecto—. Me alegra verla sonreír. Amo la sonrisa. Siempre digo que cuesta poco pero vale mucho; dura un parpadeo y a veces su efecto sirve para toda la vida. La necesitan hasta los más ricos y la pueden ofrecer hasta los más pobres. Es un don del Altísimo; no se puede ni prestar ni comprar ni robar: se regala. No se olvide nunca de sonreír, aunque le parezca imposible hacerlo. —Con dos dedos puestos en las comisuras de los labios de Nazaret tiró de ellos hacia arriba riendo—. Sonríame hasta a mí, el día en que yo no lo haga por prisas o por preocupaciones. No tengo pocas. Pido por todas partes como una monjita que es lo que soy: unas veces me atienden, y otras, no. Creo que Dios me hizo pedigüeña... Yo debo sostener la casa; bastante hacen las hermanas con sostener a sus habitantes.

Ahora estaban situadas frente a frente.

—Le digo que es horrible haber sido llamada a cuidar viejos, y tener que tratar todo el día de dinero, y que llamar la atención a alguna hermana que otra... Primero se la advierte cuando se la ve en buen terreno, para que le haga provecho el aviso. —Nazaret entendió lo que quería sesgadamente decírsele—. Porque una hermana no debe ser una cruz para una casa. Si no se consigue nada, la encomiendo al Señor; pero, a pesar de todo, no se le puede dejar salir con la suya por ningún temor ni respeto humano. Paciencia, desde luego, y Dios mediante todo se arregla; sin embargo, no hay que dejar pasar nada: una manzana pudre todo el canasto... La madre general me ayuda, si no saco partido, con sus consejos. Pero es prudente no llegar tan alto. El mal es para la que incumple. Porque se precisa mucha caridad con todas, pero la observancia es lo primero. Por eso conviene que no falten por desconocimiento, y que no nos hagamos cómplices por no habérselo advertido... No hablo de usted, hermana, en quien confío, y que destaca por su experiencia y su pericia. Dios la guarde, y una vez más bien venida a esta casa. Vaya ahora donde la necesiten.

Nazaret, admirada por la habilidad de la superiora, pensativa pero no angustiada, y consciente de lo que se le había dicho entre líneas, fue sin dudarlo a la iglesia. No vio a nadie, salvo a una hermana, que la saludó con la cabeza, mientras disponía las flores del altar donde estaba el Santísimo. Nazaret se postró y oró:

—Tú eres, Señor, el Dios de lo imposible. Vengo a ti ahora porque estoy confusa. La impotencia y la derrota mías son como las de la eucaristía donde estás, y como las del Calvario. Por eso estoy aquí arrodillada. Vengo ante tu omnipotencia porque soy impotente. Como en el *Magnificat, «respexit humillitatem ancillae suae»*, te fijaste en la bajeza de tu esclava. Tengo la pena física y real de que soy incapaz de un acto de amor perfecto, de amor gratuito que recibe otro amor gratuito: el que yo te doy, el que tú aceptas y me das. He chocado años y años contra mi poquedad y mi obstinación. Ahora ya sé que no puedo hacer más que amalgamar mi nada con tu todo: en eso consiste la maravilla de tu creación. Milenios transcurrirían y esta situación no iba a cambiar. Lo poco que haya podido hacer ha sido gracia tuya. Hasta mi fe: una vez más, ayuda mi incredulidad. Todo me separa del reino; pero tú eres todo. Si logro amar, si amo, todo acudirá a la cita. Aunque sólo sea no porque ame, sino porque deseo amar.

»Pero ¿te conozco siquiera? Santo Tomás dice que hay tres maneras de conocerte: en tu creación, en la acción y en la oración. No obstante, la manera más real es conocerte como el gran desconocido. Se necesita la ceguedad de la fe para no ser herida por tu deslumbramiento. En la noche oscura del alma está la aurora y la llama de amor viva. Hay que descubrirte poco a poco, dejándose llevar, adentrándose en ti cuando tú quieres. Verte cara a cara es morir. Tú eres el Dios desconocido del Areópago, junto a cuyo pedestal predicó san Pablo. Las cosas son como espejos borrosos... Hasta que llegue la noche en que se encuentren amado con amada, amada en el amado transformada. Poco a poco; lo sé: no soy una privilegiada ni una mística: primero, las palabras, luego los símbolos, después la experiencia, y, al fin, la contemplación que algo adivina. Y siempre, hasta después de la muerte, continuará el misterio: toda la eternidad. Porque nunca abarcaremos tu infinitud. Esta vida es sólo una primera fase preparatoria de la aproximación: todos son velos y distancias aquí... Porque, si no sabemos nada del mundo este que nos rodea, o muy poco, si no sabemos qué sucederá tras de morir, ni del dolor de nuestros hermanos los animales, ni de sus emociones, ni de lo que ocurre entre los astros y sus galaxias, ¿cómo vamos a saber nada de Dios? ¿Cómo vamos a saber de las últimas causas?

»«Si no os hacéis pequeños como niños, no entraréis en el reino.» Tú nos das la barca y los remos, pero hemos de remar nosotros para acercarnos a ti. La fe es un don; pero para cumplirse padece violencia, y su esplendor ha de ser creciente. Como lo fue la fe de David frente a Goliat, la de Gedeón y su vellocino bajo el rocío o yendo a la batalla con tan pocos soldados, la de Josué deteniendo el sol a su mando, y la de Abrahán sacrificando sin resistencia a su hijo. Y si eso fue en el Antiguo Testamento, la fe de hoy es una pura orientación de amor, como la de María y José en Belén y en Nazaret, como la de los discípulos en Jerusalén y en Cafarnaúm y en Emaús... Pon, Señor, en mi mente, la semilla de la fe y concédeme que crezca dentro de mí. *«Deus, veniae largitor, et humanae salutis amator...»*

Nazaret comenzó, sin esperar un momento, a desempeñar los deberes que se le asignaron. Antes, en aquella casa habían entrado menesterosos, vagabundos, mendigos o enajenados, sin comida ni medios. Ahora sus habitantes habían cambiado, siguiendo las líneas de cambio de la sociedad toda. Eran más semejantes unos a otros, si bien se distinguían algunos, más díscolos y difíciles, de otros, conformes y amables, dóciles y fáciles de llevar, y de un tercer grupo que buscaba una mudez total, un apartamiento en que engolfarse, como si la muerte les hubiese posado ya su lacónica mano sobre el hombro. Había que tener, para gobernarlos y atenderlos, una mano menos lacónica, izquierda a ser posible, y paciencia.

La actividad de Nazaret se inició prácticamente con la celebración de la Navidad, que la sorprendió, por la novedad del lugar, como si allí no la esperase. Tuvo la sensación de que habían pasado demasiadas semanas y de que eran otras fiestas las que se celebraban. La igualdad de unos días con otros los acorta o alarga; les proporciona una medida distinta de la de los calendarios o de los relojes. De ahí que una mañana, en el almuerzo, le sonasen a campanas de ángeles las oraciones previas: «*Verbum caro factum est, alleluia, et habitabit in nobis, alleluia...*» La Navidad había llegado. Su alma agradeció y dio la bienvenida a la conmemoración. Se reprochó, no obstante, su aturdimiento, más buscado de lo que ella creía, o el esconderse en sí hasta no reparar en cosas tan visibles como los adornos con que los viejos y las hermanas engalanaron rincones, pasillos y vestíbulos. En el de la entrada instalaron un gran belén rodeado de cadenetas, espumillones, imágenes no siempre de buen gusto, o al menos no siempre del gusto de la hermana Nazaret, que ahora caía en la cuenta de que, cuando llegó, ya estaba dispuesto, y transformado el hogar para recibir al Niño Dios.

De repente entendió por qué la superiora le hablaba de donativos especiales. Por estas fechas, le decía, el Señor toca los corazones de las buenas gentes que quieren manifestarse liberales y compensar sus negligencias de un año entero. «Quizá no es lo mejor para las almas —añadía—, pero sí casi lo mejor para nosotras.» Había pensado entonces que la superiora estaba obsesionada con la economía y dio por terminada la cuestión. Ahora comprendía que, para apartarse de sus tristezas, se había apartado en general de todo.

Sea como fuese, la Navidad había llegado con su cúmulo de emociones, de estridencias más o menos artificiales, de afectos pregonados y de inmejorables deseos; con su trastorno de horarios y menús; con su nerviosismo para las hermanas, que se sofocaban, como niñas excedidas, por la cocina, por las salas de recreación, por la televisión recién regalada, o por la preparación de la sala de actos para la función en que se cantaría, aparte de villancicos, fragmentos de zarzuelas famosas, con el propósito de divertir a los ancianos.

Fue justamente en esta representación donde conoció Nazaret a gran parte de los asilados. Unos cuantos llegaron con mucha anticipación para coger los mejores sitios. En la primera fila, sentados sobre sus sillas de ruedas, esperaban, no se sabe si anhelantes o previamente defraudados, la actuación de una especie de grupo o rondalla de aficionados no ya jóvenes, que cantaría o actuaría para ellos. Sobre un estrado aparecía un antiguo piano y, a sus pies, zambombas, panderetas, sonajas y toda la alborozada orquesta de la Navidad. A Nazaret le encomendaron introducir a los artistas. Ellas llevaban unos trajes largos, que eran rancios hasta a los ojos de la monja, con mantones de Manila y flores en el pecho y la cabeza. Dos, muy mayores, se habían colocado en el pelo teñido unos lazos de espumillón dorado. Ellos, de oscuro o de esmoquin, con comedidas trazas de empleados de banco, y con la mejor voluntad retratada en la cara. La que funcionaba como directora del coro vestía una falda acolchada de color cinabrio, con misteriosos y muy grandes dibujos, un corpiño negro y, terciado, un mantón con rosas estampadas. Algunos de los artistas eran casi tan mayores como los asistentes, y usaban maquillaje, aunque la luz de ninguna manera lo requería, ya que no era más que la habitual del techo y los apliques.

Los espectadores no abundaban tanto como Nazaret creyó al principio, incitada por el comentario de las otras hermanas, para las que aquella función no era comparable a nada de este mundo. «Ah, cuando vea usted cómo acompañan a los artistas, cantando y llevando el compás de los villancicos, verá cómo mejoran estos días. Hasta los más estuporosos resucitan.»

Empezó el acto a una orden de la directora, que movía las manos con manifiesta arbitrariedad. Cantaban dúos o romanzas, supuestamente conocidos por todos. No era así. Tres o cuatro llevaban el son con la cabeza, y los demás se distraían viendo que esos tres o cuatro lo llevaban. La mayor parte tenía las miradas perdidas, vacuos los ojos, las manos deshabitadas sobre las rodillas. El pianista aporreaba las teclas, y los cantantes aficionados se esforzaban, sin conseguirlo, en captar la atención de aquella serie de desahuciados, que aceptaba sin fervor el homenaje.

Nazaret sentía deseos de acariciarlos de uno en uno, de brindarse para retirarlos a la rutina de su horario y de sus habitaciones, al ver cuánto se esforzaban, ellos también, en parecer divertidos e incluso en divertirse. Sólo, de cuando en cuando, algún gorgorito mal dado, o un gallo a destiempo, provocaban vagas sonrisas placenteras. Los que se unieron más tarde al espectáculo lo hacían por las puertas que flanqueaban el escenario, con sus pasitos cortos de marcha claudicante, y apoyados en sus bastones o en sus andadores, y no suscitaban menos curiosidad que la farándula.

Las cantantes del coro jugueteaban con los flecos de sus mantones con gestos muchachiles, que chocaban al auditorio, no tan distante de su quinta. Dos de ellas bailaron un chotis, que pretendieron cargar de gracia y de malicia, ante el desinterés de los ancianos. Éstos bostezaban o hablaban entre sí cada vez más alto. No obstante, una abuela de pelo blanco y manos traslúcidas seguía la letra modulándola con los labios. A ciertos viejos, pocos, les parecía culto y superior tararear con los cantantes, dando a entender a sus vecinos que habían gozado de una vida de arte, de lujo y acaso de desenfreno, lo que los autorizaba a desdeñar a quienes ignoraban lo cantado. Coreaban el *Ay, ba, ay, ba, ay, babilonio qué marea*, de *La Corte del faraón*, y se miraban entre sí, o se guiñaban, con una complicidad un tanto incomprensible. Las animadoras, en determinados momentos, acentuaban los gestos excitantes de caderas y pechos, consiguiendo que algún anciano lanzase corteses aullidos de brío y frugales hosannas. Sin embargo, los hombres colaboraban menos que las mujeres con los actuantes, y al final todos gritaban bravos, más que a los artistas, a sus compañeros, que también habían contribuido a fin de cuentas.

Una pareja, que por su aspecto podía albergarse en la casa, cantó luego aquello de *Llévame a la verbena de San Antonio,* de *Las Leandras.* Él era un hombrecillo de gran trasero y hombros estrechos, y ella, una dama rotunda en demasía. La voz de él sonaba a somier oxidado, y, a pesar de que levantaba el pie izquierdo como apoyatura, desafinaba cada vez con más vigor. Ella, a cuyo sedicente talle se agarraba el hombrecillo como a un salvavidas, se defendía mal que bien. Esta pieza, con todo, fue bastante aplaudida. Acto seguido, salió el coro femenino con faldas negras hasta el tobillo, blusas blancas y los mismos mantones, cuyos flecos hacían girar monótonamente la mano derecha. Las señoras mayores iban mucho más pintadas que las que hacían de jóvenes. Cantaron *Yo soy un baile de criadas y de horteras,* de *La Gran Vía,* y los viejos no parecían entender demasiado de qué iba el argumento, ni quizá la necesidad de cantárselo a ellos. A continuación, la habanera de *La del manojo de rosas,* como anunció el pianista de pie junto al piano. En este caso, los asilados, con buen gusto, prescindieron de acusar las alusiones al tiempo, bastante inoportunas. Hubo un tácito consenso de indiferencia, mientras los cantantes se desgañitaban quejándose:

Qué tiempos aquéllos,
qué tiempo perdido,
qué tiempo querido,
qué pronto se fue
para ya en la vida
jamás volver.

Cuando llegó la hora de cantar algo de *La Generala*, los viejos se desentendieron de modo muy visible: no la conocían de ninguna manera. Sólo uno, en un lateral, canturreó como segunda voz de la aproximada tiple. Ambos sin éxito.

En la primera fila había una viejecita, acaso sorda como una tapia, cuya cara no acusaba ninguna emoción en consonancia con lo que se oía. Lo que se oía era una escena de *La viejecita* precisamente:

En carroza abierta
hasta aquí he llegado,
y en la misma puerta
me gritó un soldado:
«¡Eh! ¡Eh!
Viejecita que vas al sarao,
no debes entrar,
esa plaza ruinosa ya nadie
la quiere tomar.»
Yo le dije: «Esta plaza fue fuerte,
y amor la sitió,
y a los juegos de ardientes miradas
y amantes suspiros
al fin se rindió.»

La viejecita real ocupaba, pulcra y monísima, una silla de ruedas, arropadas las piernas con una manta de lana tejida en listas verticales de gayos colores. Debía de haber sido muy hermosa; lo era todavía. Con una belleza similar al halo de perfume que aún queda en un bonito frasco ya vacío. En su dedo corazón, quizá por haberle adelgazado el anular, llevaba dos alianzas, y miraba un pequeño reloj con insistente frecuencia y ostensible cariño, que la movía a acariciarlo cada vez que buscaba en él la hora. Luego supo de ella Nazaret que había sido condenada por haber envenenado a su segundo marido; que no era éste quien le regaló el reloj; y que pasó bastantes años en la cárcel.

Entretanto, un pedante engreído, armado de un tupé monumental, desentonaba la romanza de *La tabernera del puerto*:

La mujer de los quince a los veinte es más dulce que el pirulí.
De los veinte a los treinta emborracha porque huele como el jazmín.
Las mujeres de quince y de veinte,
de treinta y cuarenta
me gustan a mí.
Chiribí, chiribí, chiribí, chiribí.
La, la, la, la, la, la, la.

Estaba claro lo que las asiladas, en defensa propia, opinaban de él. El barítono, o lo que fuese, era horrendo: cabezón y mal dotado para el canto, al que se entregaba sin la más mínima justificación pero con arrebato, engañado sin duda por alguien. La gentil vieja de la primera fila, imperturbable, miraba cada dos minutos la hora en su reloj, o el reloj simplemente, mientras se ceñía las piernas con su manta de punto, orlada con cordones de los brillantes colores de las listas. Sobre el pecho, ordenándolas con un gesto metódico, le asomaban, entre la seda de la blusa, una cruz de oro y una par de medallas de regular tamaño.

Salió Nazaret un momento del salón por si era requerida en otra parte, dada la cantidad de hermanas que asistían al concierto. En el cuarto de la televisión, muy alto el volumen y muy alto el aparato para impedir que lo toqueteasen, había diez o doce viejos dormidos, y en el que hacía de biblioteca —con unos cuantos libros infantiles de aventuras, unas novelas raídas y espulgadas, y unos pocos tomos de historia, de devoción, de vidas de santos y de ascética, que nadie leyó jamás— también dormitaban, sobre la mesa alargada, tres o cuatro desapasionados clientes. Del salón llegaban, apaciguados por la distancia, los sones de *Banderita tú eres roja, / banderita tú eres gualda.* Cuando regresó Nazaret, el coro berreaba lo de *El día que yo me muera, / si estoy lejos de mi patria...* Le comunicaron que los ancianos habían acompañado hasta ese preciso momento a los cantantes. Nazaret, sin ocultar una descreída sonrisa, miraba a todos, rebosante de piedad mezclada con humor. Y los ancianos, cuando se sabían mirados, sonreían también.

La sesión de villancicos fue más integradora. Una sordomuda, modelo de menoscabo, quizá milagrosamente, llevaba el compás con la cabeza de un modo claro y acertado, y se sumía en éxtasis dando pequeñas palmadas, ya a izquierda ya a derecha, a la altura de sus hombros. Cuando terminaba un villancico, arrojaba besos con los dedos a los cantantes y los alentaba con ojos llorosos, llevándose la mano al corazón, y cruzando los brazos sobre el pecho, llena de interés por ser bien entendida. Buena parte de los ancianos exhibía un rostro de expresión concentrada, como si tratase de aprender una lección dificultosa, o como si tratara de no dormirse al menos, puesto que era precisamente la hora. Los cantantes, ya desmadrados, despeinados, afónicos y deshechos, pero inasequibles al desmayo, gorjeaban todavía:

Brincan y bailan
los peces en el río.
Brincan y bailan
los peces en el agua.
Brincan y bailan
los peces en el río.
Brincan y bailan
por ver a Dios nacido.

Y finalizaron entre ovaciones, provocadas, más que por el entusiasmo artístico, por el alivio que el final aportaba, con un villancico dijeron que extremeño, de muy hermosa letra:

San José mira a la Virgen,
la Virgen a san José.
El Niño mira a los dos
y se sonríen los tres.

El fragor de las sillas, arrastradas por manos sin fuerzas para levantarlas, culminó el gran festejo de la Navidad.

El tiempo, al transcurrir, tiñó con su apatía el alma de Nazaret, implicada en sus quehaceres personales y comunitarios, y fue lenificando sus dolores. Una llaga, no obstante, manaba todavía, gota a gota, no se sabe qué sangre de su corazón. Pero lo hacía sin ruido, en el mayor de los secretos, a escondidas incluso de la monja, ofrecida en el altar de Dios, al que se había dedicado sin reserva alguna. Sus contactos con la superiora eran frecuentes. Intercambiaban impresiones, y proyectaban entre las dos el futuro inmediato del asilo. La superiora demostraba tener en la hermana una gran confianza. Nazaret escribía las cartas al exterior que la superiora firmaba, y se entroncaba a la nueva casa con la misma naturalidad que si hubiese vivido siempre en ella. Los meses fueron sus aliados, y sólo de cuando en cuando una referencia, una alusión, un timbrazo lejano la hacían evocar episodios difusos que ya eran casi ajenos, como si otra monja distinta los hubiera vivido. Pese a todo, la soledad y la noche eran sus enemigos.

Nazaret había hecho una amistad muy peculiar con un ex sacerdote viudo que, por alguna vía inexplicable, se encontraba en aquel rígido y convencional refugio religioso. El hombre, que no quería saber nada de la Iglesia oficial, le hablaba a la monja del rigor absurdo y contraproducente del celibato. ¿Por qué perdonar, de una en una y sucesivamente, cada caída, y no perdonar la lógica solución de todas ellas, que es la estable situación del matrimonio? ¿Por qué esta secular hipocresía? La monja lo observaba irritarse, manotear, temblar de ira; procuraba calmarlo y luego miraba, sobre la cabeza del ex sacerdote, a un punto ya demasiado lejano como para sentirse aludida por él. Era un viejo exaltado, de cuerpo bajo y ancho, de voz muy bronca, que utilizaba igual que desde un púlpito. Mantenía las manos enlazadas por temor a soltarlas y que se desmadrasen, cosa que a veces ocurría. Llevaba una barba desaseada, y emanaba un olor a no excesiva higiene. No tenía contertulios ni interlocutores, y fue por eso por lo que empezó a escucharlo Nazaret. *¿Sólo por eso?* Por descontado, el ex cura defendía que el celibato no es un dogma, sino un imperativo disciplinario aprobado bastante tarde, y que lo que fue practicable ayer no podía tacharse hoy de lo contrario. La Iglesia tendría que ser comprensiva, ya que es tradicional y apostólica, defendiendo su propia credibilidad y ensanchándose con seriedad y sin ascos. Pero lo más interesante del personaje, tan de pueblo y tan apartado del mundo y su lenguaje, era que sus argumentos más queridos se basaban en un derecho laico.

—La exigencia del celibato va en contra de la Declaración de los Derechos Humanos. —Nazaret no podía impedirse sonreír—. Los enumerados en ella son inalienables, *id est,* que por ningún motivo ni pretexto puede nadie ser desposeído de ellos. El artículo 16, párrafo 1, dice que los hombres y mujeres tienen derecho, sin restricción alguna, ni por motivos de religión, a casarse y formar una familia. Por tanto, ese derecho a contraer matrimonio no puede ser arrebatado, ni obligarse a nadie a renunciar a él; ni siquiera por el hecho de seguir una determinada vocación dentro de unas determinadas creencias. ¿Qué tiene que ver con la vocación casarse o no?

—Hombre —le replicaba Nazaret—, en el sacerdocio no es del todo irrazonable: permite consagrarse sin reservas al ejercicio de la fe, cuando se tiene.

—Yo la tengo, no le quepa duda, y quiero cumplir mi vocación, pero el celibato no tiene por qué ser obligatorio por la sencilla razón de que lo imponga un aparato eclesiástico que se ha arrogado la infalibilidad.

—Contra muchos dogmas está usted —insinuaba Nazaret.

—Contra los que haga falta. La Iglesia se ha transformado en una dictadura teológico-pastoral que se erige en la única ortodoxa, entre guantes blancos y mieles, bajo la pretendida inspiración del Espíritu Santo.

—Quizá lo mejor que podría hacer —pretendía concluir, irónica, la monja— fuese romper con esa Iglesia tan aborrecible que siempre ha sido una dictadura, inspirada o no.

—Yo no quiero romper. Yo quiero que ella evolucione. Los derechos humanos, y lo reconoce la Declaración, otorgan un recurso efectivo ante los tribunales. Pues bien, ¿qué recurso hay previsto por la Iglesia ante las arbitrariedades de sus jerarcas? ¿O se da por supuesto que la infalibilidad impide caer en ellas? Ante esa ausencia procesal, el precepto del celibato debe ser denunciable al Tribunal Europeo, que tiene por competencia los derechos humanos infringidos. Una querella ante él, ésa será la única solución. Porque cualquier razonamiento se estrella contra los que creen hallarse con la verdad indiscutible.

Nazaret tenía que dejar de oírlo. Se reía a hurtadillas, mientras el ex cura proyectaba en alta voz asociaciones y grupos de resistencia en torno a un par de revistas; organizaba a gritos la solidaridad internacional; apelaba ya a la divinidad ya a los canonistas... Todo, menos salirse de la Iglesia. Todo, menos dejar de haberse casado con aquella mujer, que Nazaret imaginaba maravillosa.

Su sorpresa fue mayúscula al enterarse de que la esposa del ex sacerdote lo había abandonado a los dos meses por otro hombre, con el que falleció en un accidente de automóvil a la entrada de la ciudad de Burgos. Esto de la ciudad de Burgos le parecía muy significativo, no se sabe por qué, al ex cura, cuya desgracia lo había enfrentado, definitiva e irremediablemente, incluso viudo, con la Iglesia de Roma.

La solicitud que despertaban en la monja las venturas y desventuras de los viejos de Madrid la distraía, atenuando esos huecos de reflexión apenada, que antes eran irrellenables y que ahora, cada vez más, aunque con mucha parsimonia, se llenaban.

Hubo en primavera una noticia que la trastornó. No quiso dársela la superiora; pero una hermana, más ligera de lengua que las otras e ignorante de la causa del traslado de Nazaret, que para todas había sido la conveniencia de un cambio de clima por razones de salud, le comunicó la inauguración de la nueva nave, el Salto al Cielo, del asilo de Córdoba. Todo se puso de nuevo en pie dentro de Nazaret: desde el conocimiento de Diego hasta su última conversación, el paso de la indiferencia al amor, condenable o no, y con la desventaja de que ahora conocía, no ya imaginaba, lo que en realidad había ocurrido. La rindió así la pétrea inamovilidad del pasado, por mucho que quisiera dar interpretaciones posteriores a lo que sucedió, o deseara simular a sus ojos que sucedió de otra manera, o que ciertos pormenores no sucedieron en absoluto. Se figuraba Nazaret, sin poderlo eludir, en la magnitud inabarcable de la primavera cordobesa, la fiesta de la inauguración y la bendición de la nave por el viejo capellán, tan amigo. Bendición a la que habría asistido Diego, añorando la presencia de ella, como ella, en estos momentos de dolor revivido, añoraba la posibilidad de vislumbrarlo aunque fuese de lejos, la quimérica posibilidad de escuchar su voz, y de que sus ojos color de uva la miraran con esa súplica agridulce de la que su alma se quedó tan prendida.

Fue una tarde en que la primavera calentaba algo más de lo que era normal y, como era normal, subrayaba todas las carencias, cuando coincidió en el jardín con un anciano que había sido rector de una universidad del norte. Paso a paso, sin saber cómo, derivó la conversación hacia los sentimientos, lo que menos podía apetecer a Nazaret, que, en suspenso, contemplaba unas borrosas nubes, sonrosadas por el poniente sobre el azul perfecto. El anciano rector citó una frase de Shakespeare, al que Nazaret no había leído, de una comedia cuyo título la afectó muy agudamente: *Trabajos de amor perdidos.* Decía así: «La sangre de la juventud no llamea con tanto ardor y tanta locura como la circunspección cuando se desencadena el furor de los sentidos». Nazaret se consideró tocada, se arrasaron sus ojos de lágrimas y necesitó retirarse. En la iglesia encontró un distante consuelo, más distante cuanto mejor comprendía que la sanación no se había producido del todo, y que se le estaba concediendo la plegaria del tren: olvido sí, pero no inexistencia. Continuaba extraviada en su propio laberinto.

Al salir de la iglesia —y dio gracias por ello— la entretuvo una anciana que le sonreía siempre, sin hablar, al cruzársela, y que se llamaba Piedra Escrita por ser de Campanario, el pueblo extremeño cuya patrona lleva ese nombre.

—Buenos días —la saludó alegre con la mano la vieja—, ¿dónde va con la leche tan temprano?

—Mire, por aquí voy. ¿Cómo se llama usted? —le preguntó con afectuosa solicitud la monja.

—Espere un momento, que se lo voy a decir. —Dudó, se mordió los labios, y añadió—: Me llamo Juana... No, Juana era mi madre.

—Gracias. Yo, Nazaret.

—Ay, como mi hijo el segundo, que también se llamaba Javier.

La monja acompañó a Piedra Escrita hasta el dormitorio y consiguió, a fuerza de ruegos y pequeñas promesas, ya que la vieja creía que era de madrugada, acostarla.

Durante unas semanas estuvo muy ocupada en atender a una señora de buena familia, en el aspecto social sólo, cuyos hijos la habían llevado engañada al asilo y la habían dejado allí sin decirle adiós. La anciana, delgadísima y de piel plagada de arrugas muy menudas, era propensa a ocultar los pellejos del cuello con collares, y el estropicio de sus manos, con pulseras cargadas de dijes. La infeliz perdió su estabilidad y su afición a las alhajas. Se precisó toda la práctica y toda la habilidad de Nazaret, y también toda su capacidad de cariño, para aliviar la gigantesca pesadumbre que a aquella mujer, doña Margarita, abatía. Comprobar hasta qué punto el corazón humano puede cargar con el dolor como con una cruz e irlo arrastrando, ayudó a Nazaret, mientras ella ayudaba a la señora. Pero ésta tardó mucho en salir de su depresión y aceptar de nuevo, como la animaba Nazaret, colgarse los collares y ceñirse las pulseras. Unos y otras, ya curada, tuvo el gesto de donarlos al asilo, lo que satisfizo a la superiora, siempre metida en planes que superaban sus escurridas eventualidades económicas.

Al principio del verano, Nazaret le leía las cartas recibidas a uno de los ancianos, don Senén, un señor vestido con esmero siempre, y siempre simulando menor edad de la que rezaba en sus papeles. Se teñía las canas y se daba, a escondidas, masajes para atenuar las incruentas cuchilladas del tiempo. Tenía una novia, que él llamaba Mimí, un poco, no mucho, menor que él. Venía a verlo todas las semanas. No se casaban porque los hijos no lo permitían para no perder las pensiones, pero estaban realmente enamorados. Ninguno de los dos había sido feliz en su previo matrimonio, y daba gozo ver la forma de colocar ella la mano sobre el brazo de Senén y comprobar que se sentía apoyada, y cómo él asentía a cada intervención de ella, que buscaba de reojo su aplauso. Ella vivía con una hija, y dormía en un sofá del cuarto de estar, sofá que no abrían hasta que se acostaban, hartos de ver televisión.

—Yo lo que quiero es respirar —comentaba—. No estar callada mirando cómo miran ese aparato, ni pendiente de la cara de quien me alimenta para ver si la pone mala o buena. Yo quiero rebullirme y soltar carcajadas, antes de que me metan en el ataúd.

Aquel verano se había ido con su hija a San Carlos de la Rápita. Escribía a Senén, como si lo visitase, una vez por semana. Sus cartas eran gorjeantes como ella, y podía vérsela gesticular mientras Nazaret se las leía a don Senén, que no tenía los ojos bastante buenos como para eso. Mediado agosto se recibió una carta para el anciano. La letra del sobre no era la de Mimí. La firmaba su hija y comunicaba que su madre había muerto de repente, y había dejado para Senén unos papeles atados con una cinta y una medalla de la Virgen de Guadalupe, que mandaba por correo certificado. El llanto en que rompió el viejecillo, el inmediato desinterés por todo que lo invadió, los desesperados sollozos que trataba de calmar Nazaret y a los que, por otra parte, comprendió que había de dejar puerta libre, la indujeron una vez más a cerciorarse de que el dolor humano tiene mil formas, a cualquier edad, de aproximarse sin anuncios, sin sus negros heraldos, antes de dar su golpe mortal. Nazaret abrazó a don Senén como si fuera un niño.

Al llegar el otoño, una mañana la llamó la superiora a su despacho.

—He resuelto, hermana Nazaret —le dijo sin más preámbulos—, nombrarla a usted asistenta mía. Me atormenta creer que a veces descuido mi labor dentro de la casa, y a veces desatiendo la labor de ecónoma y de administradora. Me vendrá, nos vendrá bien a todos, contar con su colaboración. —Nazaret, dispuesta a rechazar, iba primero a dar las gracias—. No me lo agradezca, ni tampoco se atreva a rechazar mi propuesta. No es cuestión de elección, sino de obediencia. Es la casa la que se lo exige...

La invitó a sentarse, y prosiguió:

—Escúcheme bien, porque no le hago ningún favor. Su obligación será fomentar las relaciones fraternas entre los miembros del asilo, y propiciar entre hermanas y ancianos un clima amable y una radiante convivencia. Que la armonía y la paz reinen entre estos muros sin quebrarse, y también sin que ninguna obligación se omita. Con las hermanas de carácter fuerte, sea usted dulce y comprensiva; con las tímidas y las melancólicas, alentadora. Afiance a las jóvenes, y exíjales sin miedo a las experimentadas. Cuide a las enfermas, y anime sin descanso a las sanas. Sea madre para todos, especialmente para los ancianos, con quienes se manifestará, sin cesar, delicada y solícita, como si fuesen hijos suyos. Vele por el cumplimiento minucioso y escueto de las reglas de la Orden. Y cultive la caridad, que es el fin y el principio de la vida cristiana; la fortaleza y la paciencia, que tanta falta le harán para gobernar bien; la prudencia del justo medio; la humildad, base de toda obra buena; y la recta intención junto con el deseo de agradar a Dios, que han de presidir cualquier paso que se dé en la vida religiosa. Puede contar conmigo para lo que necesite, pero necesíteme lo menos posible, porque yo estaré, se lo aseguro, bastante atareada... Y ahora, salga de aquí, que me está haciendo perder tiempo.

—Madre, bendígame —suplicó Nazaret arrodillándose.

Al salir del despacho se dirigió a la iglesia. Quiso hacer oración y velar las armas que necesitaría para tan ardua empresa. Pero lo único que supo hacer, en momentos tan graves para su porvenir, fue romper a llorar. *Soy una vieja estúpida y sensiblera: nunca aprenderé nada.*

A los dos días se enteró, por el médico del asilo, de que a la superiora le acababan de diagnosticar un cáncer de colon. Había rogado a todos, en nombre de Dios, que se guardara secreta su enfermedad, mientras ella pudiese ejercer, con la asistencia de Nazaret, su cargo.

7

No tardó Nazaret en idear una fuente de ingresos que aminorara la perpetua penuria de la casa, sostenida sólo por parte de las pensiones de los asilados con derecho a ellas, por las aportaciones declinantes de sus familias, y por alguna, muy poca, subvención de la oficialidad. Nazaret, que principiaba a moverse con cierta soltura en los ambientes piadosos madrileños, fundó La Alcancía de la Misericordia. La dirigía un comité de donantes, y en ella entraban los donativos algo casuales de la casa madre, la generosidad de las personas de la ciudad y las limosnas que ingresaban los amigos de La Misericordia. La presidenta de La Alcancía era una conocida aristócrata, que colaboró a formar el resto del comité. El comité actuaba con largueza, y La Alcancía engrosaba no sólo a través de sus cuotas y las cotizaciones de los afiliados, sino a través de óbolos puntuales: donaciones extraordinarias que hacían personas extrañas a la organización, anónimamente o no, y limosnas suplementarias de los asociados con ocasión de alguna fiesta o con motivo de alguna necesidad imprevista o por el cumplimiento de una promesa, o simplemente por el incremento de su celo y de su caridad. Asimismo, en comercios, en clubes, en iglesias, en recepciones de hoteles, incluso en bares discretos no lejanos a la casa, se colocaron alcancías de barro de buen tamaño, en las que los clientes depositaban limosnas, no siempre tacañas.

La salud de la superiora flaqueaba. Nazaret decidió mantenerla en su celda, atendida de manera impecable, el mayor tiempo posible. Ella era el alma del asilo y como tal debía ser considerada. Sólo el empeoramiento último provocaría su traslado a la zona correspondiente con los otros ancianos.

Sin excesiva prisa, Nazaret fue visitando y haciéndose cargo de todas las secciones. Comenzó por una que siempre la había atraído, la de los voluntarios. Conocía superioras de otras casas que eran bastante opuestas a ellos. Se fundamentaban en que, por lo general, los voluntarios, benévolos aquí, terminaban por abandonar, desanimados o enfriados. Y defendían que el personal que atendiera a los ancianos, aparte de las monjas, había de ser profesional. Por supuesto que la vocación sería miel sobre hojuelas, pero hasta el personal vocacional debía ser pagado, para que la casa adquiriese el derecho a exigir puntualidad, constancia y eficiencia. Las labores de los voluntarios solían ser accesorias: gestionar el orden y la limpieza, la policía en algunas casas, cuando no pudieran acometerlas los mismos ancianos; dar de comer a los inválidos o acostarlos; estar presentes a la hora de comenzar a repartir los desayunos; acompañar a los enfermos en las visitas médicas... Había una señora muy constante, que se ofreció como voluntaria a la muerte de su madre en el asilo. Era un ejemplo para los demás benévolos. Sin embargo, llegó un momento en que no pudo soportar el olor de los viejos. Duró poco más de una temporada. Y Nazaret la consideró admirable a ella y comprensible su retirada. Su mención fue el pretexto de una arenga:

—Los viejos mueren, queridas —advirtió a las que se quejaban de la poca entrega de los voluntarios—, y las hermanas seguimos con los que quedan hasta que somos nosotras las que morimos. Si los voluntarios fuesen como sus caridades los desean, no seríamos nosotras necesarias. El trabajo es el amor que se hace visible. Nosotras estamos obligadas al amor y en él seremos juzgadas. Cuando trabajamos por él, nos unimos a nosotras mismas, a los demás y a Dios. Las telas se tejen con hilos de nuestro corazón, como si con ellas fuese a vestirse Dios desnudo. La casa se construye con ladrillos de renuncia y sacrificio, como si en ella fuese a habitar Dios desamparado. La siembra se hace con granos de alegría, como si de ella fuese a comer Dios hambriento... Quienes, al lado nuestro, ejercen profesiones asistenciales, a menudo se desilusionan, porque su trabajo no tiene la compensación del nuestro, que es única y exclusivamente el amor. Nosotras gozamos del privilegio de fundir lo secular con lo sagrado, y nuestra Orden de la Misericordia transforma en oro los trabajos más ingratos, los más sórdidos y los más repugnantes. Por eso, hermanas mías, sed cordiales y agradecidas con nuestros benévolos.

Había, con todo, horas en que sobre Nazaret se derrumbaban de repente —por un modo de deslizarse la luz, por una palabra, por un ademán, por la tonalidad de una flor— los escombros de los recuerdos. Entonces permanecía acurrucada sobre sí misma, como esas víctimas de un terremoto que sobreviven ocho, diez, doce días, sin comida y casi sin aire, con la esperanza de ser salvadas, de que alguien atienda el inaudible ritmo de su respiración, de que en la superficie actúe todavía no se sabe qué detector, qué perro, qué rastro de solidaridad para encontrarlas. Y había, aún peor, horas en que, desorientada en su laberinto, no aguardaba tal salvamento y ocultaba la cabeza entre congojas negándose a salir de su desastre. Porque ya no reconocería la ciudad, la calle, la casa, donde antes le cupo un soplo de felicidad, o de palpitación distinta, o de vida más propia, no esta vida que transcurre entre desconocidos, entre moribundos, entre semejantes que ignoran la razón de un último sentimiento suyo de soledad o de ternura. En esas horas, Nazaret, por no hacerse la víctima, corría a la capilla o visitaba las secciones más duras de la casa, donde se acumulaban los casos más desesperados.

En una de aquellas ocasiones se entrevistó con un par de médicos geriatras que prestaban sus servicios en una ala de la planta segunda. Se habían formado en hospitales de agudos, donde los ancianos mejoraban en algo más de un diez por ciento, y eso los confortaba. Entre los pacientes crónicos, en los que a la vejez se agregaba alguna enfermedad, los cambios eran mínimos, aunque ellos se apresuraran a garantizárselos a los propios enfermos. El deterioro del estado general ofrecía cuadros invariables, o con ligerísimos y vacilantes avances, a menudo resultado de la ilusión de los propios geriatras.

—Sabemos que nunca saldrán de nuestras manos dando saltos. Pero nos conformamos con que se esfuercen por bajarse de la cama y sentarse en un sillón. Insistimos en eso, sólo en eso, y nos damos con un canto en los dientes si lo conseguimos. Porque es ya todo un triunfo...

La médica geriatra era una mujer joven, muy morena, de pelo corto y ensortijado, con expresión amistosa bajo la que se adivinaba un enorme cansancio. El médico era gris, con gafas de cristal grueso, pelo rubiasco y unas manos pequeñas llamativamente finas, tanto en su perfil como en sus movimientos.

—Cuando voy por la calle —continuó la mujer—, me fijo en los ancianos que, mal o bien, avanzan por la acera. Y me desespera que los míos de aquí nunca puedan hacerlo; que, por mucho que me deslome trabajando, jamás volverán a moverse como ellos. Quizá ellos gozaron de la suerte de tener hijas, que soportan o cuidan mejor a sus padres... En general, siempre es lo mismo: la gente vive más, pero también hay más incapacidades: es una consecuencia lógica. Esto lo ha podido usted comprobar, dado el tiempo que lleva en la Orden.

—Sois unos santazos —les dijo, riendo y en serio, Nazaret.

—Hay compañeros que nos lo dicen: los pediatras, los otorrinos, y esa gente comodona —comentó también riendo el médico—. De todas formas es una especialidad rara la nuestra. O no es una especialidad. Hay días, como ayer, en que los enfermos empeoran todos al mismo tiempo, y es espantoso no saber a cuál de ellos acudir... Otras veces se producen novedades, sorpresas mínimas que no resisten ni un breve análisis, porque alguno mejora o se pone de pie casi de pronto, con aire displicente, como si no le hubiese costado ningún trabajo, o bien con una sonrisa, igual que un niño que hace una proeza por nosotros...

—La orientación y la identificación personal es lo último en perderse —comentó la geriatra con la mirada un tanto herida—, pero siempre que el demenciado tenga un vínculo con el lenguaje. Porque los sondados, por ejemplo, ya no hablan, ya están navegando a la deriva. Y los inmóviles, cuando les duele algo, se inquietan como niños que aún no silabean, o gritan, o gesticulan, o baten los brazos o las piernas. Y hay que adivinar la causa, igual que se hace con un bebé que llora.

—Como hay que adivinar lo que les pasa a los inexpresivos, los que se han transformado en imágenes de piedra, que sólo dejan traslucir gestos mínimos en una comisura, en una ceja, en un pliegue de la frente.

—Mejoran a veces cuando les damos analgésicos, y esa mejoría, que no conduce a nada, es muy gratificante. Yo prefiero que mueran del modo más confortable que podamos ofrecerles.

—Pero en ocasiones hay enfermos que una mañana te saludan de pronto, o caminan un poco, y eso de verdad es un milagro, un milagro absolutamente emocionante, aunque esos pocos pasos sean hacia la muerte.

Nazaret oía su propia vida y su propio trabajo en boca de aquellos compañeros: su quehacer de tantos años, el sobresalto de su ánimo y su desánimo, la convicción en el prodigio que no llega, la derrota que de repente se ve sorprendida...

—No hay nunca, nunca, que tirar la toalla —les dijo a los médicos con la voz tronzada.

—Quizá lo más terrible es la cantidad de deprimidos, hermana —comentó la geriatra.

—Terrible y lógica —concluyó Nazaret—. Sé que les

asocian antidepresivos a sus correspondientes tratamientos, y me parece bien. Como sé la existencia de otros viejos, de los rebeldes, de los que la familia asegura que siempre tuvieron mucho carácter de jóvenes y ahora quieren seguirlo teniendo y gobernarlos... No es que se subleven por estar aquí, clavados e inservibles, sino por tener que depender de todos para todo, hasta para el aseo más íntimo. Y contra eso se rebela aquello que llega hasta el mismo umbral de la muerte: el pudor, tan respetable, de cualquier ser humano.

Miraba Nazaret la copa de los castaños del jardín, que aún no habían acabado de perder sus cónicas flores rosas y ya tenían, verde más claro, el erizo de las castañas. Meditaba en que el amor visible del trabajo consistía en vivir la muerte de cada enfermo como si fuese la muerte de Dios. Siempre había sido para Nazaret la mayor cruz la de los viejos demenciados... En la nueva nave de Córdoba, el Salto al Cielo, estarán ya agrupados. Habrán llegado a ella con el desconcierto que siempre los asalta cuando no identifican su entorno o cuando se creen todavía en su casa: en su casa tergiversada, vuelta al revés, enloquecida, y les remuerde la conciencia una tarea irreal que habían dejado sin hacer: las camas, los dorados, una perola sobre el fuego, la bombilla de un pasillo encendida, y se desazonan y dan vueltas tratando de salir como animales enjaulados... *Estarán ya en el Salto al Cielo...* Tardan de siete a diez días en adaptarse; pero, en casos de agitación severa, requieren una medicación, un tratamiento, porque los exaltan tanto, los disturban tanto los ruidos nuevos, el movimiento que desconocen, los timbres que ellos interpretan como elementos amenazantes y sombríos. Mientras estuvieron con sus familias, ellas no notaban el grado de su deserción; al trasladarlos, se hace más visible. O al ir de mano en mano, de hijo en hijo, cambiando de habitación, de costumbres, de miedos. Pobres cabezas atormentadas, acorraladas, perseguidas, que prefieren terminar olvidándose de ellas mismas y callándose. Pero hasta llegar ahí, cuánto grito en la noche, cuánta caída de la cama al huir, cuánto peligro en las ventanas que siempre han de mantenerse cerradas... *Hay algunos, recuerdo aquel hombre de Pozoblanco, que ingresan con normalidad, sin el terrible asombro, y esa misma noche se los descubre de rodillas en la cama, dando alaridos, descarriados, aterrados...*

—Dejadles las fotos de la familia, de su casa. Dejadles sus pijamas o sus camisones. Dejadles cerca todo lo que trajeron, todo lo que les recuerde a ellos mismos.

A pesar de eso, lo sé, buscan a veces sin saber lo que buscan, como si les fuera en ello la vida —y es que les va la vida—, o se alteran con los cambios de estímulos, al atardecer, o con la oscuridad de la noche, o con los ruidos de los otros enfermos...

—Dejadles siempre una luz encendida, que no se debatan entre las tinieblas, por Dios.

Una voz gritó procedente del pasillo. Nazaret, apoyada en el quicio de la puerta del despacho, se volvió hacia ella.

—Maestra, este niño me ha quitado mi libro. —Era una vieja escuálida de pelo ralo y alborotado. De sus ojos caían lágrimas de profunda desolación. Nazaret sacó del bolsillo del delantal el bloc de sus notas, arrancó las páginas escritas y se lo alargó a la anciana—. Muchas gracias, señorita —le dijo, volvió la espalda muy despacio y se echó a reír.

Nazaret se quedó en mitad del pasillo, sola... *La demenciación avanza en sentido inverso al de la vida. Se va olvidando lo último aprendido. La confusión terminal es más jugosa y más florida a veces. Ven a sus padres, ellos los llaman desde donde están, en un sitio tranquilo, los aconsejan bien. Y los viejos repiten opiniones y datos que las familias, ruborizadas, tachan de falsos. ¿Quién soy yo?, les preguntamos, y te contestan: «Eres mi sobrino Luis. Qué bien que estemos en Navalmoral de la Mata...» La vida tiene a menudo pungentes formas de decir adiós.*

Recién llegado el verano, una tarde a primera hora subió a la que más o menos era una unidad de cuidados paliativos, es decir, el Salto al Cielo del asilo de Madrid. Nazaret sabía que en aquel lugar, más que el apoyo médico, se requería el apoyo humano; que todos los ingresados allí iban a morir pronto, después acaso de crear lazos con quienes los ayudaban a morir mejor. Ella sabía que iba a tropezarse con el dolor más grande: los demenciados finales, los cancerosos, los ulcerados por las escoras a causa de su postura inmóvil, los agonizantes...

Al primero que encontró fue a un capitán de marina de Marín, que la observó con unos ojos agrandados por la delgadez y muy brillantes. Hasta los sesenta y cinco años estuvo en el mar; ahora tiene setenta y tres. Y además, un cáncer de colon, como la superiora, que no tardará en estar aquí también.

—No salgo, hermana, porque he tenido tres caídas. No sé ni cómo coño fue: no me sostuvieron las piernas. Por lo demás estoy muy bien: aquí, comiendo. De momento, con sonda, como ve.

A su lado, un silencioso, que sonrió con los ojos un segundo en total pasividad, con un gota a gota. En otro cuarto, dos hijas asistiendo a la agonía del padre. «Un cuadro de trombosis cerebral, severa e irreversible y otro de neumonía.» Yacía sedado, inmóvil, como si no estuviera ya. Habían decidido no seguir el tratamiento. Llegó a esta fase terminal después de ocho días con sondas de todas clases, martirizadoras y ya inservibles. El coma lo iba acercando a la estación postrera. Nazaret trazó una cruz sobre su frente y sonrió, con las cejas levantadas, a las hijas, que se habían puesto en pie.

—Es una buena muerte, hermana —le dijeron.

—La muerte, cuando llega a su hora, es uno de los nombres de Dios.

En el pasillo se encontró con la hermana Pasión, una andaluza colocada en la unidad, a la que ese día ayudaba un joven médico parado y voluntario.

—Acabo de estar cantando tangos con una uruguaya, hermana Nazaret —dijo la monja—. Cáncer de estómago. No tiene familia que se haya opuesto a que se lo digamos; hay que ver qué afición tiene la gente a la conspiración del silencio; así que se lo he dicho. De una manera digerible para su estómago, claro. La familia siempre cree que, de saberlo, se van a suicidar o a morirse antes, ya ve usted qué cosas.

Nazaret lo sabía... El enfermo final acaba siempre por hacer la pregunta clave. Con unos ojos llenos de súplica. Hay que ser dulce en la respuesta, pero también sincero. Por lo general, durante tres o cuatro días deja de hablarte: está guardando su luto. No quiere pastillas, no quiere medicinas, no duerme y se vuelve apático; luego, poco a poco o de repente, se remonta...

Al paciente confuso, al demenciado con pocos días de vida, salvo por motivos religiosos, no debe informársele. Qué enorme el peso de esa carga emocional, con la que se asume lo que la familia se negó a asumir...

—Pero ellos están al tanto siempre —dice el joven médico—. Mucho antes de que se les confirme. Si uno sabe que tiene un catarro, ¿cómo no va a saber que se muere? Por muchas cortinas de humo que se le echen o que uno mismo se eche... Lo malo es que aquí se mueren Fulano o Mengano, unos seres concretos, ¿verdad, hermanas? Un amigo con nombre y apellidos, con el que tomabas café o una cerveza que traías de extranjis.

—O con quien cantabas tangos —remata la hermana Pasión—. Cuando viene la familia, lloramos todos juntos. Incluso hay familiares que te tranquilizan: «Es ley de vida, hermana, ¿qué le vamos a hacer?» A la uruguaya la conocí haciendo ejercicios de rehabilitación. Me decía: con usted daría gusto morirse. Vaya, ahora lo está comprobando. Tiene el pelo rojizo: la llamaban, de chica, *Calabacilla.* Lo que no tiene es a nadie de familia, la pobre.

—Para lo que sirven —argumenta el muchacho—. «Parece que tiene sed... Quiere hablarme... Me está dando a entender tal cosa...» Chochadas... El paciente se muere siempre solo. Aunque haya a su alrededor diez mil personas.

—Pero es buena una mano; una mano que se coge y se aprieta —dijo Nazaret—. Cuidad que mueran en la gracia de Dios, os lo encomiendo. No forcéis voluntades, pero que lo tengan todo fácil: el confesor, la unción, la eucaristía. Son los caminos más trillados para llegar a Dios.

—Para mí —dijo la hermana Pasión—, hasta los cristianos practicantes han perdido la idea de la gracia. De la de Dios, hablo. Los sacramentos y los ritos los cumplen de un modo superficial, como un niño que recita, medio dormido, la oración de la noche: «Ángel de mi guarda, / dulce compañía...»

—Por eso no han perdido el temor a la muerte. Porque es el abandono no de la vida, sino de esta vida, con la única que parecen contar... —agregó con parsimonia Nazaret.

—Tal como están las cosas —intervino el médico—, aquí es un lujo morirse sin síntomas, de la mano de la persona más querida.

—El lujo aquí es morirse en los brazos de Dios: un lujo que sí que está al alcance de todos.

Concluía el verano. Era una espléndida tarde, plácida y luminosa. Se había levantado un airecillo grato. Anunciaron a Nazaret una visita.

—Es una anciana tan encantadora, tan menudita... —dijo la hermana portera.

Andaba con unos pasos cortísimos como si resbalara despacito sobre el suelo. Nazaret la sentó con cuidado en un sillón delante de su mesa. Pensaba «canas y dientes son accidentes, arrastrar los pies vejez ya es». Tan pequeña y tan plisada, recordaba un garbanzo antes de ponerlo en remojo. Vestía un traje de tela basta negra, con un cuello blanco y estrecho, con puntilla, como una puritana. En la mano traía un rosario y un misal. Se expresaba con una voz tan de ancianita que parecía fingida. Nadie habría podido imaginar un arquetipo más exacto: era una ancianita de teatro.

—Me he escapado para venir a verla. Me ha traído a regañadientes mi nieto mayor a la parroquia de ahí al lado. Volverá a buscarme dentro de media hora... Ya sabía yo que lo de la misa le pondría los pelos de punta. —Echaba la cabeza hacia atrás para reírse, la risa acabó en tos—. O sea que tenemos ese tiempo... Yo vivo con mi hijo no lejos de aquí, pero no me dejan salir sola. No por miedo a que me pase algo a mí, sino por miedo a que les pase a ellos: que vaya con el cuento a alguien y me saque del cautiverio. En cuanto me quedé viuda hace seis años, mi hijo... Aunque él no es malo, es ella que no es de nuestra sangre... Mi hijo vendió mi casa, que era como Dios manda, con mucha habitación y techos altos... «No hay quien los limpie sin partirse una pierna», decía ella, que es una fresca y una vaga. La vendió, y se compraron el piso donde estamos ahora. Tienen tres niños; bueno, yo tengo tres nietos, pero como si no. Y dijeron que yo no cabía allí, y me llevaron a un asilo en las afueras. Por Pozuelo o así.

»Estaba lleno, lleno, de viejos, mire usted. Mucho más que yo, según mis cálculos. Yo me hice amiga de uno, andaluz, más salado que las pesetas y muy majo. Si él estuviera conmigo, otro gallo me cantaría... Mi marido fue muy bueno, pero muy aburrido el pobre, Dios lo haya perdonado. El asilo, o la residencia, como la llamaban, era un hotelito con un jardín como la palma de mi mano —extendía una mano temblona, sarmentosa, de venas prominentes, seca como un rastrojo—. Jardín, no: era un ensanche de cemento que, si tenías la desgracia de caerte, te arreglaba el cuerpo. Desde el principio me dijeron que yo me levantaba mucho por la noche. Iba a mis cosas, ¿a qué iba a ir? A hacer pis, ya usted me entiende. Y me ataban con gomas a la cama, y me ponían en semejante parte una toalla grande doblada por si acaso, vamos, una porquería. Era una gente bastante puerca en todo... Mi hijo me visitaba cada vez menos; al final, sólo cuando me pagaban la pensión, para qué vamos a engañarnos. Y ella y los niños, nunca...

»Y entonces fue cuando se armó el escándalo (no sé si

usted se acuerda). Encontraron a ocho viejos metidos en un garaje, amarrados, podridos vivos y atiborrados de drogas. Nosotros no queríamos enterarnos. Pero lo sabíamos. Ahora, que quién era el guapo que tiraba de la manta, y delante de quién. Las familias no quieren sacarnos de allí; los demás no nos hacen caso; aquello es un negocio y santas pascuas; y, si a alguien se le hubiese ocurrido investigar, se le habría caído el pelo a quien lo hubiera descubierto. De modo que chitón. Lo que pasa es que fue tan gordo el escándalo que cerraron aquel matadero. No sé si Sanidad, o el ayuntamiento. A mi amigo Armando (se llama así, qué gracioso) se lo llevó su gente a Armanda, digo a Arganda, del Duero o de donde sea. Lo perdí de vista. A mí me trajeron a ese piso, y es muy triste decirlo, pero estoy mucho peor.

»Me han puesto a vivir, bueno, lo que es vivir..., en una especie de alacena o de armario o de despensa, qué sé yo lo que es aquello: una celdita. Si quepo tumbada, es porque mengüé mucho. Con un ventano arriba, que no hay quien llegue. Me cierran por fuera, porque dicen que estoy yendo al baño todo el día y toda la noche: qué manía con el baño, ¿eh? Tengo que golpear en la puerta, y entonces la criada, porque el cuarto da a la cocina, me abre si está allí; si no, me aguanto o no puedo aguantarme. A ella, a mi nuera, le ha dado por decir que huelo mal. Si no me dejan ni bañarme a gusto, si no me lavan la ropa, si no me permiten que la lave yo, porque dicen que no sé manejar la lavadora y la estropeo, ¿qué querrán?...

»Nadie sabe que yo vivo en esa casa. A las visitas se lo ocultan. A los nietos no me los dejan ver, porque dice ella que los entenebrezco, hay que ver qué palabra; que los niños sólo tienen que ver cosas alegres y personas alegres. Como si yo, que he sido un cascabel toda mi vida, fuese ahora un entierro de tercera. Culpa suya es. Me tienen secuestrada; sólo me sacan para cobrar la pensión... Ahora, que una noche que tenían a cenar a un médico importante, me puse a dar patadas en la puerta. Le dijeron que era una tía materna loca; que por amor no me metían en un sanatorio, pero que qué cruz se habían echado encima... El mejor día me envenenan. Yo tengo un régimen, por el azúcar, ¿sabe usted? Y no me lo respetan, qué va. Ellos querrían que me muriera. Y yo también, si esto va a seguir así; pero de muerte natural, no como uno del asilo, al que le había puesto su nuera el ataúd a los pies de la cama. Ni como otro que, como no lo admitían en un hospital en el mes de julio, lo dejaron en una gasolinera mientras orinaba, que se dice muy pronto: sus propios hijos, ¿eh? Es ya lo del refrán: cría hijos y te sacarán los ojos...

Nazaret, con una sonrisa triste, le recordó que tenía que volver a la iglesia para que su nieto la recogiera. Se figuraba cómo: empujándola y diciéndole: «Venga, tía pesada, que tengo muchas cosas que hacer y me están esperando». Le pidió a la viejecita su nombre, su dirección y su número de teléfono. Se iba a ocupar de habilitar un puesto en cuanto pudiera. Y aunque no pudiera.

—Usted es una mujer mayor de edad, eso sí, no lo niegue, y libre. Contra su voluntad, de acuerdo con la mía, nada podrá la de su hijo.

Llamó a la hermana procuradora, una vez despedida la viejecita, y dio las oportunas órdenes.

Acababa de hacerlo cuando la hermana portera volvió. A través de la ventana veía Nazaret palidecer la tarde... Esta vez preguntaba por ella un señor conocido. No había dado su nombre. Del asilo de Córdoba, había dicho.

—Vaya por Dios, que pase. Pero quédese aquí, hermana, por si necesito que lo acompañe en seguida a la entrada. Tengo muchísimo trabajo.

Al momento regresó la portera. Abrió la puerta del despacho de Nazaret, luego se echó a un lado y dejó paso a alguien, que llenó todo el vano. Era Diego Bastida.

A Nazaret el alma le dio un vuelco. La íntegra y minuciosa labor de marquetería con que Nazaret había logrado reconstruir su vida, se hundió de pronto. La imaginaria puerta por la que intentaba salir del laberinto, se cerró de repente. Todas las esquinadas y rebeldes piezas del puzzle con que había conseguido trazar su paisaje, se confundieron y mezclaron sin pies ni cabeza de improviso. Nazaret, que se había levantado, se apoyó con las dos manos en su mesa. Creyó que iba a perder el conocimiento, pero no lo perdió ni un segundo. Muy al contrario, recordaría siempre cada detalle de cuanto vio en ese instante, de cuanto la conmovió, de cuanto la afectó de toda aquella escena. Una incomprensible y repentina serenidad la fue embargando. Miraba los ojos de color de uva de Diego, las manos que le caían a lo largo del cuerpo, el cuerpo alto y flaco, los surcos de las mejillas, el pelo quizá un poquito más canoso de lo que ella recordaba, la chaqueta y los pantalones que colgaban de hombros y cintura como de unas perchas...

—Nazaret —dijo con un hilo de voz.

La monja hizo una seña a la hermana portera, que se retiró cerrando la puerta. Nazaret bajó los ojos un instante. Los levantó de nuevo. Los fijó en los de Diego.

—Sí, Diego... Sí.

—Ha muerto Gracia, mi mujer. La semana pasada.

Nazaret volvió a cerrar los ojos. Apretó los párpados. Se prohibió llorar. Sintió, antes de abrirlos, que Diego daba unos pasos hacia ella. Sin saber lo que hacía, colocó bien una grapadora, una plegadera, unos cuantos libros encima de la mesa. Salió de detrás de ella muy despacio. Se acercó a Diego. Pensó en Dios. Pensó que es menos prudente que los hombres. Pensó que es mucho más grande que nuestro corazón... Luego pensó que la boca, como contó aquella novicia, no servía sólo para comer y hablar. Y antes de abandonarse, pensó que todo estaba bien y que había llegado la hora de dejar de pensar.

SEGUNDA PARTE

—

CLARA RIBALTA
1996-1998

PALABRAS DEL NARRADOR DE LA SEGUNDA PARTE

—

Las páginas que anteceden las remitió a Clara Ribalta el que fue capellán de la Casa de La Misericordia de Córdoba. Las acompañaba una nota aclaratoria, y algo irónica, de haber sido escritas «sin más ánimo que el de recoger los episodios de una alma cuyo conocimiento fue causa de mi traslado a una parroquia de la Sierra cordobesa». Su escaso quehacer allí le dejaba muchas horas libres para recordar, escribir cartas inquisitivas, recibir las respuestas, englobarlas en la historia, e incluso para imaginar determinados fragmentos de ella. Ignoro cuál fue la reacción de Clara al leer la crónica íntima de su paso por el convento. A mi poder llegó con los demás papeles de su pertenencia, tan reveladores y decisivos para mí.

En mi transcripción del texto, muy mal mecanografiado por el capellán don Claudio Poveda y enriquecido con numerosas acotaciones, de puño y letra de Clara, en el reverso de los folios, no he introducido más que cambios someros, para evitar reconocimientos y susceptibilidades. O sea, el mismo proceder que ha guiado mi relato del tiempo en que tuve el privilegio de acompañar a Clara.

A menudo me he cuestionado si fue Nazaret —o Clara— una mujer extraordinaria. Quizá no, o no del todo. Si fue su vida desdichada o feliz, la respuesta dependerá de quien la recuerde o de quien la miró, y hasta de cuándo la miró. En todo caso, no creo que la felicidad fuese su máxima aspiración. Su singularidad quizá resida en que tuvo la ocasión de vivir experiencias que, por lo general, corresponden a vidas diferentes. Sin duda, como casi todos, tuvo épocas desdichadas y épocas venturosas, aunque de una muy personal manera.

Yo traté a Clara, no a Nazaret. Y por tanto se me escapaba todo aquello que de Nazaret me ocultó, o simplemente no juzgó digno de evocar. En realidad, Clara no consideraba interesante ningún pasaje de su vida, pasada ni presente. Apenas hablaba *motu proprio* de sí misma; más bien de algo que la envolvía a veces y que, con frecuencia, la hacía sonreír. Cuanto transcribo aquí es el resultado de sus propios escritos y de casi dos años de aplicada escucha.

Entre ella y yo se interponía como una leve niebla. No conseguí nunca atravesarla del todo. La vi como quien ve el sol del atardecer a través de unos visillos que él dora. Y adiviné, detrás, las esbeltas pero mudas siluetas de los árboles de un próximo jardín. Siempre fue así. Igual que si un obstáculo poco perceptible me impidiese contemplar a Clara íntegra o adivinar íntegra a Nazaret. Y, sin embargo, tuviese a las dos, es decir, a ella concreta, indefensa y transparentada, al alcance de mi mano. El texto del padre Poveda me permitió calibrar su evolución —¿o su revolución?— espiritual y afectiva.

Me habló al oído y a la vez desde muy lejos. En eso

consistía su misterio y la atracción que despertó dentro de mí. Y ésa fue la razón que me movió a completar su historia y su última verdad, redactando las páginas siguientes en la cartuja de la Defensión de Nuestra Señora. No sé si, con ellas, he acertado como me gustaría haberlo hecho.

MAURICIO VERONÉS

1

Conocí a Clara Ribalta en el otoño de 1996, en un asilo de ancianos, aquejada, hacía ya unos años, de una esclerosis lateral amiotrófica avanzada. Yo había concluido mis estudios de medicina en el 93; no encontraba trabajo y solicité colaborar como voluntario en el asilo de San Isidro, de la Comunidad de Madrid. Clara había desempeñado en él, durante casi catorce años, labores de limpieza. Hasta que dio la cara su enfermedad, con inconfundibles calambres en las extremidades inferiores, coincidiendo prácticamente con la fecha de su jubilación. Pasó, pues, de trabajadora a asilada en el mismo establecimiento.

Su forma de hablar, la serenidad y la luz que emanaba, y una peculiar y amena manera de manifestar su buen juicio, llamaron mi atención. Después de auxiliarla en diversas ocasiones, puesto que se hallaba reducida a una silla de ruedas, ya que era en el aparato locomotor donde había incidido el comienzo de su esclerosis, se creó entre nosotros un lazo especial. No me atrevo a calificarlo de amistad por lo desigual de mi posición. En nombre de él, osé pedirle que me permitiera grabar nuestras conversaciones, versantes sobre temas de tanto interés para mí, que ella tenía la virtud de hacer enriquecedores para todos. Es de estas grabaciones de donde obtuve el más nutrido material, que trataré de transmitir fielmente.

En ese mes de octubre, rodeado en San Isidro de debilidades y descorazonamientos —o así lo creía—, sentí la atracción de ingresar en una orden contemplativa, que alumbrara mi espíritu y que me hiciese útil, si bien de modo menos activo, para mis semejantes. Así se lo comuniqué a Clara, que me sonrió de manera no sé si más fascinadora que enigmática. Su sonrisa era también, como toda ella, distinta. Brotaba de sus ojos más que de sus labios, e iluminaba su rostro entero como el sol que sale inundando un paisaje, llenándolo de belleza y bienestar, mostrando lo que hasta entonces no nos fue dado ver y moviéndonos a participar de él, a situarnos en él, a comprenderlo y amarlo. Digo que sonrió, y me dijo, con su voz grave, que conseguía envolver al oyente, como si hablara para él solo, en una confidencia que hasta a su físico atañía:

—Vocación no es una palabra vana, Mauricio. Debe ser utilizada con mesura. Se trata de una invitación a dejar las certezas de la vida y elegir la aventura en el recogimiento o en el seguimiento de Jesús, si hablamos de una vocación cristiana. Pero no siempre se encamina, como se cree, a los conventos. Hay una vocación hacia el carisma de la proximidad, de la acogida y de la escucha. Yo la he ejercido, durante años, en este mismo lugar, mientras limpiaba los dormitorios y los aseos de los ancianos. Porque las obras, los servicios y las actividades que se ejerzan, aunque se hagan por vocación, no constituyen fines en sí mismos. La mejor prueba de su bondad es que en ellos la fe y la esperanza, sostenidas por la caridad, siempre se mostrarán más fuertes que el desánimo.

En el regazo solía sostener Clara Ribalta un caleidoscopio, regalo —me dijo— de un pequeño cuya abuela había muerto el mismo día en que ella empezó a trabajar en San Isidro. El niño, muy chiquito, lo traía para que su abuela se entretuviese, y no quiso llevárselo de vuelta. Jugueteaba con el tubo, lo abandonaba o lo recogía, lo ostentaba en la mano al gesticular, como si fuese un rollo de pergamino o una batuta o una arma arrojadiza o un precioso cetro. Y, a veces, miraba a través de él, y, por debajo de su mano, se entreabría su boca en un asombro complacido e irresistible, como el de quien presencia las maravillas de cien vidrieras góticas o de sucesivas bellezas instantáneas e irrepetibles, cuyo don fuese inexcusable ir recibiendo sin cansarse jamás. Cuanto mayor era la trascendencia de la conversación, con más interés miraba, contra la luz, por su caleidoscopio.

Fue precisamente sobre la luz sobre lo que recayó una de nuestras primeras charletas, como a ella le gustaba llamarlas. Yo entonces era muy poco propenso al asombro y bastante reacio a la curiosidad. Quizá por influencia de mis estudios, tendía a diseccionar los conceptos, y mi cerebro funcionaba lo mismo que las manos del niño que, para investigar en su sorpresa, descubre las interioridades de un juguete, convirtiendo el portento en unas tuercas, un fleje, un simple y mudo mecanismo. Necesitaba pruebas. Deseaba cambiar, y me descubría andando sobre arenas movedizas. Pero necesitaba pruebas para salir de ellas. En momentos en que debía de sentirme feliz, me encontraba, de improviso, perdido. O mejor, me perdía a mí mismo. Fue Clara quien me enseñó, mientras utilizaba su caleidoscopio, hablando muy despacio y haciéndolo muy despacio girar, que la iluminación es también, como el de ese artefacto, un proceso sin fin. Que nadie puede decir: soy un iluminado, o estoy ya iluminado.

—¿Cuándo acaba la noche y empieza el día? —me preguntó.

—Al revés que en el lubricán: cuando se puede distinguir un perro de un lobo. —Clara negó con la cabeza—. ¿Cuando se puede distinguir un hilo negro de otro blanco? —Volvió a negar—. Entonces ¿cuándo?

—Cuando, al contemplar el rostro de cualquiera, veas en él a un hermano o a una hermana. Mientras no sea así, no habrá amanecido en tu corazón.

—¿Y estará conseguida, en ese punto, la iluminación?

—No; se habrá resuelto sólo el amanecer... Los alquimistas añadían la sustancia más negra para tratar de producir la más brillante: el oro. Porque la unión de la luz y la sombra es como la de la vida y la muerte. La espiritualidad no se construye con ideales, sino con hechos... Hasta que no fui capaz de aceptar, sin tratar de embellecerla o de suavizarla, toda la fealdad de la vejez, no la amé de verdad. Hasta que no fui capaz de enfrentarme a la parte más recóndita de mí, donde se arraigaba ese asco a tocar, a besar, a abrazar, no tomé auténtica conciencia... Y es que las palabras crean distinciones que no existen. —Ahora miraba al vacío y habló con un acento de nostalgia—. Alguien, una noche, me dijo que para Dios es igual lo sagrado y lo profano. Ahora sé que el bien y el mal son conceptos humanos, y que la creación no es, en realidad, ni una cosa ni otra. ¿Qué es un tigre, qué es una galaxia, qué es un maremoto, o las lluvias de la primavera? Pregúntate «quién soy», y contesta. Hay quien se afana en descubrir a Dios sin descubrirse a sí mismo, sin saber antes quién es él. Y eso es una sandez. ¿Quién eres? Dime.

—Mauricio Veronés.

—Ése es sólo tu nombre.

—Soy médico.

—Ése es sólo tu oficio.

—Soy un hombre.

—Ése es sólo tu sexo.

—Soy un animal racional.

—Ésa es tu especie.

—Un habitante del universo.

—Eso es una circunstancia.

—Entonces, no lo sé.

—Tú eres mucho más que todo lo que has dicho: más que tu cuerpo, tus emociones, tus aspiraciones, tu trabajo, tus pensamientos...

—¿Qué soy? Quiero saberlo.

—Algo más grande que lo que tengo ante mí ahora.

—Pero ¿qué?

Señaló con la mano la ventana, en la que, alta, se adivinaba la luna menguante en pleno día.

—Eso, todo eso. —Agitó su caleidoscopio—. Todo... El brillo de la evidencia nos ciega. Nos reduce a una mezcla de pavores, de desdichas, de pequeñas alegrías, esperanzas y miedos. En lo más impenetrable de ti lo sabes ya, pero no te atreves a reconocerlo. Por encima de tu ignorancia y de tu cobardía, eres todo; eres el Dios del que no estás seguro... En aprender eso consiste la iluminación.

—Me gustaría conocer, sin dudas, el camino para llegar ahí. ¿Por dónde llegó usted?

—No lo sé; pero voy a decirte una cosa: hay que *ser* iluminado, no *seguir* a un iluminado. Un maestro no guía, sólo ayuda a que tú te descubras y despiertes, a que tú seas tu propio maestro. Seguir a alguien es poner en práctica una fórmula: ¿y eso qué significa? Todos somos distintos... Piensa en esta luz. ¿La ves? —Su amplio gesto, con el caleidoscopio en la mano, abarcaba el exterior, el cuarto, los objetos gastados—. Está por todas partes, pero en diversos grados. Las cosas iluminadas son, a la vez, fuentes de luz: cada cual la recibe y la refracta de modo diferente, de acuerdo con su naturaleza... Todos somos iluminados en potencia; sin embargo, es preciso echar a andar. El ave y el reptil tienen un origen común, pero al ave le salieron las alas... Es costoso el camino, salvo que se produzca un milagro deslumbrante. Aunque, si vas a Dios, él dará varios pasos en tu dirección por cada uno que tú des en la suya...

»Quizá nosotros, en esta etapa, no representemos la meta de la evolución humana, sino una fase más. «Seréis como dioses», fue la promesa de la tentación en el Edén: «Si coméis la manzana de la razón y del conocimiento, seréis como dioses.» Es muy probable que la propuesta encubriese una realidad. Claro, que después de una costosa y larguísima travesía.

Yo estaba preparado para salir adelante, mejor o peor, dentro de un sistema edificado sobre el éxito, la competitividad, el poder y el dinero, si es que éste no lo es todo en el sistema. Clara me hablaba de otro mundo, en el que las virtudes del mío no sólo no se cotizaban, sino que se convertían en obstáculos; en el que se desterraban la agresividad, la prisa, la dureza y la habilidad para el engaño. No daba la impresión de referirse a una religión concreta. Procuraba eludir los dogmas, las sutilezas póstumas y las promesas de recompensa en otra vida. Se refería a la capacidad de discernimiento y de racionalidad. No ponía la fe como un tope indiscutible, sino que avanzaba, sin que se percibiese, a la manera de un camino socrático, basado en las preguntas, hasta obtener cada uno sus propias conclusiones.

No quisiera producir la impresión de que Clara se comportaba como una maestra o un gurú: nada más lejos de ella. Hablaba con una simplicidad comprensible y hasta entrañable. Y si a veces ascendía en la conversación sin darse cuenta, golpeando en el aire con su caleidoscopio, apeaba su tono. Situaba la felicidad como una buena base de la vida espiritual. No juzgaba imprescindible el aniquilamiento del yo ni la desindividualización; la toma de conciencia no creía que pasara por limitar el placer de los sentidos. Lo material —decía— es tan sagrado como lo trascendente, y de ningún modo puede considerarse un polo opuesto al suyo.

—El cuerpo es el vaso del espíritu, tan venerable como un templo. Es fuente de la vida, no un mero vehículo para la esencia que somos: él mismo es quien somos, aunque no totalmente. Los instintos y los sentidos, al intercambiarse con el mundo que nos rodea, provocan el placer. Y eso no es malo. Lo malo es esta sociedad, tan hambrienta de deleites sensuales que, lo mismo que el glotón devora sin degustar, ha llegado a ser la más antisensual que el hombre ha conocido...

Se distrajo un instante mirando al exterior, como si buscara la luna usando el caleidoscopio a manera de catalejo.

—La separación de cuerpo y mente, transformando ésta en la luz y el origen de toda inteligencia, es el primer paso hacia el materialismo que lo reduce todo a un bodegón de naturalezas muertas. Cuanto menos contacto tenemos con nuestro propio cuerpo, más nos separamos de nosotros mismos, y nos convertimos en objeto de manipulaciones. El mundo de lo sobrenatural, como el de lo natural, comienza en nuestro mismísimo corazón. No hay que buscar el aplastante equipaje del espíritu divino: nuestro cuerpo es la fuente de plenitud a que tanto aspiramos... Me costó mucho tiempo averiguarlo. —Su mirada se demoró en un punto indefinido—. La intimidad sexual puede realizar uno de los actos más santos y más herméticos. En ella, la espontaneidad de cada ser eleva a ambos, a través del amor, a la esencia misma del ser, y amplía a cada uno más allá de los límites de sí mismo, lo multiplica, lo empuja a tocar las capas más profundas de la existencia. Sin tal fuerza es difícil, quizá imposible, formar un ser humano completo e integrado. Porque el más alto conocimiento no es el racional, sino el que se adquiere directamente a través de la conciencia, compuesta por la mente y por la carne.

—Sus pensamientos son admirables siempre —le ponderé una tarde de verano, y ella se echó a reír.

—Los más hermosos no son nada sin obras. Mi espíritu ya no se apoya en ellos. Son dones de Dios, de lo que llamamos Dios: no debo complacerme en esos dones. Les sirven a los demás, no a quien los ha recibido. Es como morir de hambre delante de un banquete, mientras los demás nos envidian por poseer tanta comida. —Volvió a reír—. Lo que sucede es que he aprendido algunas pocas cosas: observando a los demás sólo, no porque nadie deseara darme lecciones...

Esa tarde me dio una, que se me grabó para siempre e influyó en mí de forma decisiva. No habló de una tirada: iba y volvía en su charla. Se recreaba a veces, reía o se ponía seria a intervalos. Y, por debajo de todo, retozaba, deslumbrante y familiar igual que un niño lleno de gracia y esperanza, el amor.

—He leído poco estos últimos años; pero he meditado mucho y he visto más aún. No olvides que los ancianos, con quienes únicamente hablan en libertad, es con las limpiadoras; las enfermeras y los médicos los hacen sentirse inferiores, y el respeto los amordaza. Sin embargo, con las mujeres de la limpieza, mientras hacen su cama y limpian sus cuñas y sus baños, donde no siempre son meticulosos, se explayan y vuelcan su corazón, que tiene la necesidad humana de volcarse...

»La consecuencia más importante a la que he llegado es la de que Dios, llamémosle así si no te importa, ni es un buen contable ni es un buen pagador. Paga siempre a denario por barba, se lleven trabajando las horas que se lleven. No obstante, eso es bueno para nosotros: no hay por qué preocuparse. Hay que llegar a él y decirle: «De nada me ufano, sólo de haber creído en tu bondad. Ésa es mi única fuerza. Si hay que ser digno de la felicidad para obtenerla, yo renuncio a ella: nunca la alcanzaré.» Pero el padre del hijo pródigo subía cada mañana a su torre para ver si divisaba la polvareda que traería a su hijo. No envió a nadie a buscarlo; no le mandó recados; la tarde en que llegó no le preguntó nada, ni le dejó de nada arrepentirse: mató su mejor becerro a despecho del hijo bueno y fiel... No; Dios no es buen pagador.

Se interrumpió como si no fuese a continuar. Después de un rato, prosiguió:

—No es una madre que retenga a su hijo, sino que lo empuja a la vida, lo coloca en mitad de la vida. No es un padre que le imponga su nombre, sino que lo despide para que busque el propio suyo y resida en su propia aventura. No es un conjunto de mandatos y de prohibiciones: es un deseo de que los hombres, sus criaturas, vivan su vida y sean amos de sí mismos. Por eso he llegado a la conclusión de que no temo a Dios, ni hay que temerlo. Pero no porque lo haya amado o lo ame lo suficiente, sino porque él sí me ama a mí lo suficiente.

»Él sabe que el amor no es una obligación: es un ofrecimiento. De ahí que se revele no a los sabios y a los fuertes, sino a los menudos y los débiles; no a los virtuosos y a los fariseos, sino a los publicanos, a las putas y a los recalcitrantes; no a los poderosos, sino a los niños y a quienes se les asemejan... Sí; es verdaderamente injusto. Se aprovecha de que nadie puede pasarle la factura —en lugar de iluminársele, se le oscurecían los claros ojos al decirlo—, porque su código nada tiene que ver con los nuestros, ni sus tasaciones con las de aquí abajo. —Se echó a reír—. No, no respeta las reglas. No da a cada uno según sus merecimientos. Ningún rito, ningún sacrificio, ningún sacerdote pueden garantizarnos beneficios o evitarnos calamidades. La providencia es ciega: no hace distingos entre buenos y malos, y llueve sobre los justos y los pecadores.

»Es injusto —cómo reía—, es injusto. No usa cribas; no separa el trigo y la cizaña: a los dos les ofrece lluvia y sol. No aparta a los que nos aman de los que nos persiguen. No manda desgracias al impío; pero tampoco, aunque se diga, el sufrimiento es un signo de su predilección. No construye su juicio aclarando este revoltillo de maldad y bondades que es el hombre. No es un maniqueo que traza los límites entre el blanco y el negro: la buena cosecha de los malos manifiesta su ternura tanto como la de los buenos... Por eso hay que amarlo de manera absurda, injusta también, gratuita sobre todo, ¿qué puede esperarse de él?, más allá de nuestra mentalidad de administrativos codiciosos, de nuestra prudencia de mediocres... «No me tienes que dar porque te quiera, / porque, aunque lo que espero no esperara, / lo mismo que te quiero te quisiera.» Y es precisamente esta manera de amarlo la que nos proporciona un gozo indescriptible, una pasión desconocida.

»Dios es un peligro... —Sonreía como si hablara de algo encantador—. El mayor peligro que conozco. Es un incendio, y nosotros aspiramos a conseguir un corazón ignífugo. «Yo he venido a traer fuego a la tierra, ¿y qué querré sino que se consuma?» Le tememos, apartamos de él todo lo combustible, hacemos un vacío a su alrededor, lo rodeamos con pozos de agua, sucia en general. Y, sin embargo, hay que dejarse quemar: cerrar los ojos, y prenderse fuego, y arder como hacen a veces los bonzos... Es curioso ver cómo ni la Iglesia católica quiere perder el dominio de la situación. Y Dios es exactamente la total pérdida del control. Su llamada (tú, Mauricio, dices que la sientes) es siempre una invitación subversiva y revolucionaria: «Toma tu cruz y sígueme.» Casi nada para el cuerpo —dijo riendo a carcajadas—.

La cruz: una locura, un escándalo, un martirio. Dios fondea en el hombre como en un puerto chico, y luego le mete fuego con su penetración, aunque el hombre procure permanecer en sus afueras. Un fuego que extraña por su suavidad, que sorprende por su delicadeza, que admira por su discreción, que asombra por su paz. Pero que, a pesar de eso, es el más grande y devastador de los fuegos y el que da mayor luz.

»Con tal fuego es con el que quema por adelantado las ofensas, digan lo que digan los moralistas. ¿Cómo, siendo tan mal contable, iba a retener y memorizar tanta falta? Quien haya preparado una confesión minuciosa, como el hijo pródigo desde que se decidió: «*Surgam et ibo ad patrem*, me levantaré e iré a mi padre, para que me coloque de jornalero por un poco de comida después de pedir que me perdone»... quien actúe así se habrá lucido. Su padre no le dejará acusarse: su padre no se sintió ofendido. El Dios del Antiguo Testamento, que era innombrable, fue además exigente y colérico. —Reía como si le acabaran de contar un chiste graciosísimo—. En las letanías mayores de la Iglesia todavía se dice pensando en él: «*Ab ira tua liberanos, Domine.*» O sea, se le pide a Dios que nos libre de su ira, como si fuera un cataclismo o una dura catástrofe. Se le pide a él que nos libre de él: qué ingenuidad...

En la boca se le remansaba una sonrisa de confabulación.

—Igual que cuando se dice: «Dios, me arrepiento de haber pecado porque eres infinitamente bueno, justo, amable, y el pecado te desagrada.» No es necesario a mi entender. Y menos aún, al suyo: él sabe todo eso, y además no le importa. No le gusta nada de lo que engendra el miedo;

no le gusta la conducta que engendra la amenaza. Sentir temor a la hora de la muerte es lo menos cristiano que he oído en mi vida: la muerte es el alba maravillosa... —Sacudía el caleidoscopio, lo ponía ante sus ojos, lo giraba—. Si no se cree en eso, ¿en qué se creerá? No seamos masoquistas. Cristo se colgó de la cruz para que diera frutos de felicidad, no de angustia. Ya nos perdonó desde allí: fue su oficio: no le quitemos mérito.

»Llevar minuciosamente, como la vieja que cuenta con los dedos, el cómputo de nuestros pecadillos es un contradiós. Sólo ante los demás somos culpables; sólo los hombres pueden perdonarse o condenarse los unos a los otros. No seamos niños que hacen pucheros porque se les ha dicho que se les abandonará o se les dejará de querer si no son buenos. Seamos niños contentos porque somos amados, y otorguemos a quienes nos ofenden la piedad de cada día. Porque Dios, de antemano, nos otorgó su piedad con un amor obsequiado que borra todo mal. Puede que sea injusto y peligroso, pero no es mezquino, no usa mal la memoria, no es rencoroso ni fullero... —Había triunfo en su voz—. Qué buen Dios tenemos. En eso tenía que distinguirse de nosotros, que somos la llamita, oscilante y perecedera, de una cerilla. Él es el gran fuego avasallador que lo achicharra todo a su paso. Un fuego total de júbilo infinito. Dios no tiene medida. Dios tiene sólo la sinrazón del incendiario.

Con Clara Ribalta inicié una experiencia que subvirtió mi vida. Sus palabras eran una lluvia pacífica y ligera que calaba en la tierra y la fertilizaba, sin necesitar su voluntad ni su consentimiento. Dialogaba despacio; hacía largas interrupciones a veces, no tanto para reflexionar qué decir sino para que reflexionara yo en lo que me había dicho. Se iluminaba su rostro, que encendía una luz interior, y, al acabar mi visita, solían estar enrojecidas sus mejillas, como si un calor, procedente de no sé dónde, las hubiese caldeado.

—El movimiento de los voluntarios —me comentó una tarde en que caía el sol dejando paso al frío— crece en el mundo entero. Vuestro trabajo, en el terreno de la hospitalidad, es admirable. Todo sería distinto sin vuestro altruismo, y más en los centros sanitarios y en los países desprovistos. Por eso tenéis que estar bien preparados para lo que venga, y formaros, cuando aún podéis, muy adecuadamente. Porque, después del fracaso de la pobre y cruel versión del comunismo que nos tocó vivir, sus ideales están incólumes y vivos como nunca. Sois vosotros los que debéis levantarlos de nuevo. Sois vosotros los rojos del siglo XXI. Vuestra revolución es y será mansa, amorosa, y empezará por vuestro propio corazón. En el mundo hay demasiados revolucionarios que quieren cambiarlo todo menos a ellos mismos, y éste ha de ser precisamente el primer cambio... De ahí que tengáis el deber de ser ejemplares, porque en vosotros va a mirarse el mundo.

»Un día, hace ya mucho, inesperadamente, me asaltó una idea que traté de rechazar sin conseguirlo, porque entonces me hallaba lejos de ella. Luego comprendí que era oportuna. Nazaret es el modelo para el sacerdocio de los laicos. Lo que allí acontecía...

—¿No es una contradicción eso del sacerdocio de los laicos? —quise saber.

—Creo que no. No es un sacerdocio sacramental, pero

sí real. Nos sitúa frente al mundo para interpretarlo, para vivificarlo, liberarlo y darle testimonio. Como el del endemoniado, o desendemoniado, de Gerasa, al que Jesús no permitió seguirle como los demás discípulos. «Cuenta lo que se ha hecho contigo», le ordenó. El trabajador es un sacerdote en su trabajo; el padre de familia, ante la suya; el campesino, sobre la tierra y sus animales y sus frutos. En su primera epístola, Pedro les dice algo parecido a los que viven como extranjeros en la Diáspora, es decir, a los laicos. Esto tendría que explicar un poco mejor el apostolado y la posición sacerdotal de los seglares en la Iglesia. No tienen por qué imitar al cura, como el político no copia los sermones en sus mítines. Un cristiano tiene que saber, por sí mismo, resolver los problemas del mundo. Con excesiva frecuencia la jerarquía le ata las manos: la Iglesia toma demasiadas precauciones para mantenerse y prevalecer; es como si no creyese en las promesas de Jesús y desconfiase de su palabra. Lo escribió san Pedro: «Vosotros sois linaje elegido, sacerdocio real, nación santa, pueblo adquirido para anunciar las alabanzas.» Como ves, Mauricio, no es preciso ingresar en ninguna orden...

Me miró fijamente e hizo una dilatada pausa.

—Quizá la única convicción a la que he accedido es la de que Dios no ha creado el mundo de una vez por todas. Ni ha instalado aquí un orden inmutable ni una autoridad intangible. Creo que no cesa de recrear el mundo. Y es el hombre, el pobrecillo hombre, situado en las afueras de él, quien tiene la responsabilidad de ser su delegado y su continuador. No hay ningún Dios que esté por encima y por fuera de nuestra vida. No hay crecimiento que no proceda desde dentro y desde abajo... Ir contra esta idea pienso que es el pecado verdadero: interrumpir la labor de Dios, cuyos factores somos ya nosotros... Eso es quizá lo único que he aprendido. Lo otro deriva de esto.

Los martes se celebraba en el asilo una sesión interdisciplinar. Se estudiaba a uno o dos ancianos a través de las opiniones de los médicos, los animadores, los auxiliares, los sicoterapeutas y hasta las limpiadoras. Cada uno contaba su experiencia en un lenguaje común, hasta llegar al resultado de lo que convenía médica y socialmente. Al cabo de un mes se revisaba el éxito o el fracaso de los objetivos. Todo esto se encaminaba a que ningún anciano perdiera, ni por falta de visión ni de oído ni de interés, su capacidad de relación y de comunicación, que es lo peor que puede suceder no sólo a un viejo sino a un hombre en plenitud. Asimismo los miércoles, de dos a tres, se reunía todo el personal en una aula, donde se enseñaba desde el aseo y la movilización de ancianos hasta la puesta de sondas nasogástricas o sueros. Sólo una persona se quedaba de guardia en tales momentos de calma, y el personal de la tarde adelantaba su llegada para asistir a esa clase. Fue en aquellas horas comunes de los martes y los miércoles cuando comencé yo —los demás estaban al tanto— a apreciar la magnitud de los conocimientos y la exquisitez de la sensibilidad de Clara Ribalta. Pero, en los primeros días de contacto, no pensé que acababa de conocer a la persona más importante de mi vida.

Al principio me intrigó ella misma, no sus desconocidos antecedentes, y pregunté con discreción a unos y a otros. Supe así que había sido veinticinco años hermana de La

Misericordia, y que había abandonado la orden, ya que no su actitud, para casarse. Más adelante —mucho más adelante, porque la intimidad con Clara no la conseguí hasta el final, aunque sí un cierto abatimiento de barreras— me dio a entender cuál había sido una de las razones para salir del convento.

—Amar a los hombres en Dios es algo que seca la boca. Es igual que masticar un estropajo: llega a estragarte toda y a parecerte duro y sin vida lo que haces. Porque ser creyente no depende de tu voluntad: es un don; pero ser mejor sí depende de ti. Y ocurre que Dios es, como se dice hoy, mediático. No hay de qué sorprenderse: por eso se encarnó. Y no se sube directamente a él, salvo los místicos, y aun ellos... Has de mirar siempre a tu alrededor: el dolor está ahí, ahí están alineados los lechos de los desvalidos. «Yo soy el desnudo, el preso, el hambriento, el enfermo, el anciano...» Lo demás son entelequias. Nuestros semejantes son la experiencia física de Dios: no hay que amar a los hombres en Dios, sino a Dios en los hombres. Hay que dejar un poco al del sagrario, que ya tendremos la eternidad para contemplarlo, por el que sufre y clama y pide compasión y se debate y es pisoteado... La oración y la devoción no pueden recortar las alas a la caridad: ella es la mejor devoción y la oración más honda. Hace tiempo que dejaron de gustarme los santos levitantes; ahora prefiero a los aterrizados. Porque Dios son los otros.

De un modo pudoroso y anónimo —si no, habría callado— se solicitaba su opinión sobre esto y aquello. Yo, arrastrado por lo extraordinario de su personalidad, intentaba avanzar en su afecto, y solicité que se me hiciese *conductor oficial* de su silla de ruedas, con lo cual tuve el privilegio de asistir con ella a las clases, a las reuniones, a las sesiones compartidas y a alguna otra que yo llamaba clase particular. Ella se oponía, tácitamente, a veces, para transigir otras y extenderse. Un día se refirió, de modo explícito, al silencio, mientras se resistía a contestarme a una cuestión.

—El silencio es un vehículo de perfección, Mauricio. Él nos permite aprender lo que está dentro de nosotros y escuchar lo que nos dice la vida de fuera. Porque no podemos construirlo todo desde nuestra soledad y nuestro pensamiento; por eso hay que escuchar para impedir la pasividad, la intolerancia, el aislamiento, la egolatría, es decir, para adquirir lo que nos permite comprender en lugar de defendernos, y amar en lugar de atacar. Pero la información se mueve a una velocidad ayer inimaginable: ha eliminado el tiempo, la distancia, el examen, el discernimiento... Y de ahí que produzca el efecto contrario al que pretende, que es comunicar: la indiferencia, la confusión de datos, el hartazgo, el olvido. Hay gente, tan abrumada por la inagotable información, que se cree del todo al día, y lo único que ha conseguido es no pensar, no asimilar y no moverse, teniendo la impresión de no parar.

A pesar de su oposición inicial, fui escuchándola y grabando sus pensamientos y sus juicios, anotando el resultado de su larguísima y anchísima destreza, tan útil para todos en la casa. Me transformé, de voluntario unas pocas horas tres días por semana, en un asiduo sin sueldo. Más tarde, por sugerencia de ella, la dirección me asignó un pequeño emolumento semanal.

—Como a un niño del que uno no se fía, no sea que se gaste en un momento la mensualidad entera —bromeaba Clara.

En una ocasión —no estaban muy distantes las Navidades, y de ellas se trataba— se opuso con rigor al fisioterapeuta, que trataba de sobreproteger a los ancianos por causa de esas fiestas.

—Son hombres y mujeres como nosotros, susceptibles de equivocarse y de caerse, pero también de ser solicitados y ser útiles —exclamó Clara con un tono que no le conocía—. Por supuesto que, si nadie confía en ellos ni los oye, se transformarán en muebles como yo. Hay pueblos en que aún se les encarga la crianza de los niños. Nosotros estamos perdiendo lo que tienen de memoria colectiva; estamos dándoles codazos para quitárnoslos de encima; hemos sustituido su experiencia por el consumo y, por nuestra urgencia, su sabiduría.

»Ya uno es viejo cuando se le considera así, y actúa entonces como los demás esperan que lo haga. Lo mismo que los niños: nadie quiere correr el riesgo de darles un jarrón para que lo trasladen por temor a un desastre... Solitarios son los que empiezan y los que concluyen, las dos etapas extremas de la vida: la pura esperanza y la pura desesperación; los niños no han sido aún admitidos; los viejos han sido desechados: el todavía no y el ya no...

»Y corremos el riesgo, o hemos caído en él, de que la vejez sólo sea considerada como la nueva mercancía, como una forma hábil de ganar dinero en este zoco que es nuestra sociedad. Antes fueron los niños el objeto del deseo económico: para ellos se fabricaba, y ellos producían ganancias; luego, los jóvenes, con su dinero irresponsable; ahora, los viejos, que son más cada día y a los que hay que tapar la boca, por poco tiempo afortunadamente, con cosas que excusen nuestro encogimiento de hombros.

»Por Dios, por Dios, es absolutamente necesario que estemos de su parte. —Por momentos parecía que iba a incorporarse en su silla de ruedas—. Pero no agobiándolos, no paralizándolos, al contrario, valorando lo que son y lo que significan; estimando sus cualidades y sus posibilidades tan aplicables al bien común; proporcionándoles una actividad fecunda no sólo para llenar su vacío, porque eso los desilusionaría ya que no se dejan engañar, sino para que sean provechosos a ellos mismos y a los demás... —De repente soltó una carcajada—. Perdón, creo que he hablado desde fuera, como si yo no fuese uno de ellos. Pero es que, si la ciencia ha añadido años a la vida, es preciso que se añada vida a los años. En otro caso, no valdría la pena vivir más. Los ancianos no somos seres extraños: no podemos ser objeto de atención sólo cuando salimos en las crónicas de sucesos; no se nos ha de manejar en términos de rentabilidad económica; no puede hacérsenos caso sólo cuando se acercan unas elecciones, para hipotecarnos nuestros votos...

—Solidaridad, solidaridad: mentira —dijo una tarde de reunión con tono airado—. Los viejos con dinero, o con grandes ahorros, o con grandes pensiones son los únicos que la suscitan. Y para explotarlos se los llevan a chalecitos y a casitas apartadas, sin niños que lloren, sin jóvenes que se besen, sin adultos que discutan ni vecinas que cotilleen...

—Aflautaba con sarcasmo la voz—. No, claro que no, ellos tienen que estar juntitos unos a otros, añorando sus buenas épocas, sin la barahúnda de la vida, bien protegiditos y amparados contra las tentaciones del mundo y de la carne, contra las posibilidades de gastarse los dineros que tengan... —Recuperó su voz grave—. Es decir, tienen que estar en un sitio lo más parecido posible a un cementerio. Sin bingos, sin escaparates, sin furcias, sin cafeterías donde quebrantar su régimen. Y, a ser posible, que den en administración sus bienes a los dueños del chalecito para evitar que, en su día, haya peleas entre los herederos. Y, mientras llega ese día, que compren pomadas con liposomas para el cuidado de la piel y su rejuvenecimiento; que compren modelos creados para ellos y ellas; que compren aparatos de gimnasia carísimos, socaliñas con que embaucar su dulce buena fe.

»Me pregunto dónde caben mis pobres viejos en una sociedad llena de ruido y furia, cibernética y ajetreada, que los últimos cincuenta años ha dado un salto mayor que en los tres mil anteriores; una sociedad gélida a la que sólo mueven el poder y el dinero, que son la misma cosa. Me pregunto dónde colocarlos. En unas terribles residencias, frías como depósitos de cadáveres; tomando el sol en los parques, junto a otros desahuciados, sin molestar a los niños ni asustarlos; o abandonados donde sea para que no nos den la lata ni nos incordien con sus batallitas...

»El verano pasado me contó un amigo de aquí su experiencia en la playa, cuando sus hijos se lo llevaron, avergonzados, un fin de semana. —Se echó a reír—. A las mujeres que él recordaba de su tiempo se les habían puesto caras de bomberos, y a los hombres se les habían puesto caras de demonios. Las que fueron sus novias estaban llenas de mechas en el pelo y de joyas tapándoles la piel ya papanduja; pero también vivían en residencias como neveras, y estaban por caridad, como él, sobre la arena. A mi amigo no le interesaban los otros viejos que fingían no serlo; le interesaba la gente que veía gozar, saltar, sufrir de amor, pelearse, llorar de desamor, reír, cantar, bailar, perseguirse y hasta ahogarse veinte metros mar adentro... O sea, le interesaba simplemente la vida. Como a mí. Como a todos.

Una mañana me dio a leer, sacándola de la caja donde guardaba sus papeles, una carta de Séneca a Lucilio. «Acojamos la vejez con un abrazo —leí en alta voz— y amémosla con sosiego. Está llena de deleites si la sabes usar. Sabrosísimos son los frutos últimos. Porque la vejez gusta del lento gozo de no necesitar ninguno...»

—Eran otros tiempos. —Leyó ella—: «Cualquiera que diga *he vivido* madruga cada día para una nueva ganancia.» Otros tiempos mejores. No son el nuestro, qué le vamos a hacer. Han llegado a tal extremo las cosas que ya no se sabe si la longevidad es un privilegio o un castigo. De momento, ningún chico quiere llegar a viejo: no porque no quiera vivir más años, sino porque tiene miedo, por lo que ve, a lo que eso trae consigo. He ahí un estrepitoso fracaso de nuestra época: el haber acabado con la consideración, que era primordial, a nuestros mayores; el haber transformado la jubilación, en contra de su nombre, en una especie de muerte civil; el convertir las residencias de ancianos en una más o menos decorosa reclusión, en costosas cárceles para el olvido...

»¿Y qué les sucede a quienes se quedan en sus casas, en las mismas casas que quizá ellos construyeron con sus manos, y mantuvieron y se deslomaron para sacar adelante? Hay un doble filo, amable y siniestro a la vez, casi siempre. El maltrato a la ancianidad no es exclusiva de los ambiciosos que ponen residencias, también en sus casas hay daños físicos y crueldad verbal y expolio patrimonial continuo. Y todo tiene una aparente justificación: se acusa a los ancianos de ensombrecer la vida de familia, de sembrar tensiones en el hogar, de aburrir y perturbar a sus nietos, de costar más de lo que valen o de lo que ingresan... Ya no hay voz de la sangre, y nadie es carne de la carne de nadie. Los jóvenes tienen que afirmar su libertad a costa de cualquier cosa: de los padres, desde luego, pero mucho más aún de los abuelos.

»En general —se le llenaban los ojos de lágrimas—, sólo hablar de *los viejos* es una falacia con la que se pretende excusar todo. —Fingía una voz melosa—. «Eso es cosa de la edad», o «qué esperaba, a sus años». Con los años aumentan ciertos riesgos; pero no se puede, por comodidad, achacar todo a ellos. Los dientes no se pierden por la edad; las fuerzas y los músculos y el olfato, tampoco. La vejez no se improvisa, se va haciendo, y hay que prevenirla. El estilo y la forma de vida es lo que más influye: yo lo he visto. No todos envejecemos igual: cada viejo es distinto. Pero eso no se valora: los médicos y los cirujanos dan un paso hacia atrás cuando el paciente es un anciano. Temen la inutilidad terapéutica o la inutilidad quirúrgica más que sus errores o su ignorancia. Y para la gente la vejez es mucho peor que una enfermedad, porque no tiene cura, sólo empeoramiento.

Su voz vibraba como un arco tendido.

—Y el problema está ahí, creciente e insoluble, sin la voluntad de estudiarlo para resolverlo. Se ha transformado, para quien a él se acerca, en un trabajo áspero, muy poco vistoso, nada sobresaliente y sin posible reducción. Y ahora, cuando ha llegado a desbordarse, se ha hecho más antipático y más ingrato aún. La esperanza de vida continúa creciendo; pero es por lo visto la única esperanza que crece... Sé que hay algunos que luchan para que no sea así. Pero hay que luchar más y que luche más gente. Y transformar en aliados a los enemigos: la informatización, la tecnología, el poder político y el económico, la sociedad, que puede resarcirse con creces de los gastos para atender a quienes en ella confiaron, y por eso la hicieron; a quienes le pagaron por adelantado lo que ella les regatea ahora; a los que en su día fueron su origen y su proyecto, y hoy son su profecía y su memoria.

Alguien inició un aplauso, que Clara cortó de un manotazo.

—Pero entretanto hay que batirse palmo a palmo, pensando en la guerra, sí, pero también en cada batalla. El final no debe distraernos de los pasos contados. Hay que ir a las raíces, poner la segur a la raíz, como dice Kempis, y a la causa de todo: el desentendimiento, el egoísmo, la falta de amor y de generosidad. Pero, aunque eso persista y se lo combata, habrá que contemplar caso por caso, éste, ése y aquél. Mientras se regulan o se doman las inundaciones, hay que dar casa a quienes la han perdido. Mientras se encuentra la vacuna del sida, hay que atender a los sidosos. Mientras el ayuntamiento allana las aceras, hay que tender la mano a quien tropezó y cayó. Mientras el mundo desarrollado no se decida a enfrentarse de una vez al problema de sus antepasados, tiene que haber gente que compadezca y acompañe y escuche y bese a los viejos. Porque cuando uno de ellos dice «me rindo» y tira la toalla, está pidiendo un beso, un saludo, un oído que lo oiga. Cuando uno de ellos te retira la palabra es que quiere que le hables, eso lo sé yo bien. Y vosotros. Y todo el que haya convivido un solo día con ellos.

»Atravesamos, más hoy que cuando éramos más pobres, una crisis de la que depende el futuro de los que vengan, ya pisando nuestras huellas ya sin el menor deseo de pisarlas. Hay una enorme ausencia de comunidad, que hace xenófoba y racista a la gente. Hay una enorme ausencia de espiritualidad, que la vuelve fundamentalista y fanática. Hay una ausencia de equilibrio y estabilidad, que vuelve a la gente propensa al autoritarismo y a la tiranía... Y todo esto deforma las religiones y las hace subrayar más lo que las separa que lo que las une. Nadie es judío ni moro ni cristiano ni budista: somos seres humanos que procedemos del mismo origen y desembocaremos en un mar idéntico.

Hablaba como si alguien le dictara lo que tenía que decir:

—Las etiquetas no nos sirven más que para encubrir la única verdad: la divinidad está dentro de todos. Dios nos comulga a todos: muchachos y ancianos, hombres y mujeres, deficientes y superdotados, ricos y económicamente débiles, como se dice para encubrir la miseria. Y, porque nos desconocemos, estamos llenos de miedos. Miedo al amor y miedo a la muerte. Miedo a nosotros mismos y a los otros. Miedo al abandono y al fracaso. Miedo a la soledad que provocamos y a la compañía que tenemos. Miedo a la dependencia y también a la libertad. Miedo a la oscuridad de cualquier clase y a las imágenes de la muerte. Miedo a la vejez, que nos pone de un empujón frente a lo que somos y hemos sido, frente a lo que hemos dejado de ser y frente a lo que seremos. Miedo a la nada, y miedo, qué cosa tan terrible, al mismo Dios.

2

Estaba a punto de llegar el invierno y había oscurecido muy temprano. Cuando entré en la habitación compartida de Clara, que tenía la puerta entreabierta, ella, cerca de la ventana, levantaba el visillo atenta a lo de fuera y no me oyó. No sé si verdaderamente contemplaba los pinos húmedos y muy verdes del jardín, o miraban sus ojos para dentro. Cuando posé mi mano sobre su hombro, tardó un poco en volver la cabeza. En el momento de hacerlo, sus ojos claros me traspasaban, fijos en un punto distante de mí y a mis espaldas. Luego, como el diafragma de una cámara que se ciñe y se ajusta, me enfocó su mirada, respiró hondo y me sonrió. El caleidoscopio estaba abandonado en su regazo. Alzó una mano y tocó la mía.

—¿En qué pensaba, Clara? —Me arrepentí en seguida—. Perdone, qué pregunta tan impertinente.

—No lo creas... Divagaba por una vida que ya no es mía, pero que lo fue tanto... No sé si somos el producto de nuestra biografía, o una biografía que no se completa hasta el final; ni sé si unos capítulos influyen en los otros... Hoy no sé casi nada.

—No me gusta oírla hablar en este tono gris a usted, tan optimista.

—Ser optimista no quiere decir que sea tonta, hijo mío. —Levantó de nuevo la punta del visillo—. Ese invierno que llama a la ventana, la muerte, no es para mí una intrusa, sino una visita muy esperada y de mucha confianza... Casi todo es pasado para mí. El presente apenas me sirve para sostener este cuerpo cada vez más pequeño, y le cuesta sudores soportar un pasado tan grande.

—¿Pero no es una ventaja gozar de una perspectiva tan rica?

—En cierta ocasión le pregunté lo mismo a una anciana cuando yo no lo era. «¿Qué ve usted desde lo alto de esa montaña a la que los años la han subido? ¿Cómo ve la luz de la otra vida, sus cercanías de eternidad?», en fin, no sé qué le pregunté, una bobada así. Y ella, llorando, agitada, en un puro sollozo, me contestó: «Yo no veo na, no veo na. Na de na.» Ahora sé que ella tenía razón. Andrea se llamaba, era una cordobesa del Valle de los Pedroches... Hoy es para mí la vida una ciudad a vista de pájaro: algo impreciso, sin puntos de referencia conocidos o reconocibles. Sólo las grandes alturas, las inolvidables... —Se le desgarró un segundo la voz—. Pero ¿cómo situar, dónde, mis cariños familiares, en qué dirección encontraría mis pasiones si las tuve, mis ilusiones y mis fantasías, que me parecieron, cuando las disfrutaba, más grandes que yo misma? —Se mordió los labios, me miró con los ojos brillantes, y rió—. ¿Quieres creer que la primera ambición que tuve, y mi primera decepción también, fue un viaje a China?

—Estuvo en China, Clara. Ah, qué vida tan bien surtida.

—No; precisamente lo que sucedió es que no fui a China. Había visto no sé en dónde, en algún *Blanco y Negro* atrasado, un retrato de la emperatriz, que me pareció una extravagante imagen adorable. Ese mismo año, por carnavales, me vistieron, supongo que con cuatro trapajos, de chinita. Y visitar China se convirtió para mí en una obsesión ya peligrosa: hablaba sin cesar de China, soñaba sin cesar con China, imaginaba sin cesar a China, gesticulaba y vocalizaba como creía que lo hacían las mujeres de China, y andaba como ellas, o sea, fatal. Hasta que mi padre me dijo seriamente, llamándome aparte, que era imposible llegar allí, y me metió el miedo más espantoso en el cuerpo, y me habló horrores de los chinos, y me descubrió que ya no había emperatriz ni cosa que tal valiera... Desde entonces me callé; pero, a veces, a solas, lloraba por China. —Reía, mostrando los dientes, con todo su atractivo—. Si quieres que te diga la verdad, anoche he vuelto a soñar con la emperatriz: no estaba muerta y me ha invitado a China.

—Eso quiere decir que, dentro de usted, está la niña que fue, con todo su pasado.

—Por eso pesa tanto... No sé: hay días, hoy, en que estoy convencida de que me he convertido en una reliquia que nadie mira y nadie necesita. —Desmoronó con un gesto mi contradicción—. Otros días, hoy no, miro a mi alrededor y noto el afecto de mis contemporáneos, uno de los cuales no eres tú desde luego. En cualquier caso, no estamos en abril... —Volvió a levantar el pico del visillo y se escabulló por el paisaje desolado de fuera—. La vanidad, el interés por el dinero o la ambición son para mí palabras sin sentido. La vida, en líneas generales, es un gran naufragio del que soy una sobreviviente. Como el naufragio del *Titanic* de inesperado y de casual, a pesar de que sabíamos desde el principio lo contrario... Y ni siquiera estoy segura de haber sobrevivido.

—Pues ya me dirá quién es la persona a quien escucho bebiéndome sus palabras.

—No estoy segura ni de quién soy. —Volvía a sonreír—. Todo lo que me identificaba se ha perdido en el mar. Mi vida es ahora completamente opaca; a nadie puede llamarle la más mínima atención. No es que yo lo desee, pero en fin, siempre agrada... Todos los días son iguales, todos carecen de relieve. Igual que en el convento; más aún que en el convento: esta silla de ruedas me inmoviliza tanto... Hoy compruebo que sería bueno saber que alguien nos oye, que alguien nos atiende, que alguien nos mira.

—No he venido aquí para otra cosa. —Vi en la muralla una abertura por donde pasar—. Y me pregunto, y le pregunto a usted, a qué convento se refiere.

Fue la primera vez que ella misma se refirió ante mí a La Misericordia. Lo hizo en términos llenos de amor, de suave nostalgia y de paz. Pero volvió en seguida a su desánimo.

—La única verdad irrebatible es mi edad. Mi edad, Dios mío, tal y como ahora la entiendo. Si existe la esperanza de un mundo mejor aquí abajo, y sí que existe, no lo verán mis ojos. No hablo del mediodía ya, ni siquiera la aurora... El epílogo de mi biografía es algo no sólo inevitable sino inminente. He descubierto que ya no tengo instinto de conservación. —Se echó a reír—. No tuve mucho nunca, eso es cierto... Mira, Mauricio, soy una vieja auténtica: una puñetera vieja de libro. Caigo en repeticiones; doy saltos mortales, aunque sólo en la conversación, por descontado; pierdo toda ilación; mis argumentos andan faltos de esquemas que los armen; y sólo soy capaz de provocar la imagen de veladas estampas descoloridas sin ningún interés. Hay muchos días, cada vez más, en los que estoy como en Getsemaní, pidiendo de rodillas, yo que ni siquiera puedo ponerme de rodillas, que pase de mí este cáliz... Una pesada: eso es lo que soy.

Me incliné, estaba de espaldas a ella, y la besé en el cuello. Ella rió de nuevo.

—Nunca he conocido, nunca en mi vida, a una mujer tan seductora como usted.

—Pues muy pocas mujeres debes de haber conocido. —Clara sacudió la mano denegando. Amusgó los ojos para ver el exterior: usaba gafas, y no siempre, para ver de cerca. Me palmeó la mano que aún tenía en su hombro—. Si nuestra torpeza y la dificultad de nuestra percepción nos impiden entender hasta a nuestros semejantes, o a nuestros perros, cuyos propósitos y sentimientos son transparentes casi siempre, ¿cómo vamos a entender el delicado idioma de esos pinos, los vuelos y los gorjeos de esos pájaros de fuera que callan de repente, los tenaces élitros de los insectos (recuerdo las chicharras de algunos veranos que tanto bien me hacían), los matizados líquenes o el musgo de las piedras, el intenso y relajado vaivén de las mareas (yo nunca he visto el mar, ¿sabes, Mauricio?), la música vertiginosa e inmóvil de los astros? ¿Qué sabemos del mundo al que pertenecemos, ese mundo que a nuestros ojos, qué tontos somos, tan sólo a nuestros ojos, nos pertenece?

Se había hecho fuera casi de noche. Un azul oscuro y ceniciento anegaba el paisaje, lo sumergía y lo difuminaba; bebía los perfiles de los árboles; confundía sus copas con las nubes. Una sigilosa niebla ascendía de la tierra. La noche de grandes pies, solemne, iba a tomar asiento... De repente, alguien encendió las farolas del jardín... Clara repitió: «Que tan sólo a nuestros ojos nos pertenece»... Di la vuelta a la silla de Clara sin pedirle permiso, me agaché frente a ella y la miré cara a cara. Creí que era la hora de saber.

—¿Por qué dejó el convento?

Hubo una pausa. Pensé que nunca contestaría. Sin embargo:

—Es sorprendente, y no obstante habitual, cómo hay personas que, con obstinación, consciente o no, se hurtan en un principio a su destino. Un destino acogido luego con gozo y con entrega... ¿Por qué?, dices. ¿Por qué se hacen las cosas? Por amor. Cualquier paso que yo he dado en mi vida, entiendo que ha sido por amor. No me preguntes más. No quiero recordar.

—Pero ¿por qué? Estamos los dos solos. Me hechiza escucharla. Soy su peor discípulo, pero soy su discípulo. —Clara rió con su risa siempre inexplicable, porque no se correspondía su tintineo con la gravedad de la voz—. Siento una subrepticia llamada religiosa. ¿Por qué no recordar?

Se hizo un charco de silencio. En él, Clara suspiró.

—Porque el recuerdo no es una simple evocación. Igual que la realidad, él también crea. Se presentan en él miradas que nunca percibimos; maneras de ladear la cabeza, de menear los hombros, formas de sacudir las manos, que jamás percibimos en el brevísimo momento, o en el largo momento, es igual, que compartimos con la persona que ahora, una noche de vísperas de invierno, nos asalta, nos reclama, nos asume... Y tenemos hoy la certeza de que fue así y no como entonces lo vimos; como lo recordamos, y no como creímos que sucedió cuando sucedía. Y es que, en aquel momento, la ansiedad o el dolor o el deseo nos fatigaban los ojos o nos los enturbiaban, y es ahora él, el recuerdo, el que pone las cosas en su sitio, y las perfila, y las desnuda, y nos obliga a preguntarnos cómo es que no nos dimos cuenta antes de que aquel sentimiento se acababa, o nos ahogaba, o nos enloquecía, o simplemente era superior a nosotros; de que aquella caricia era mentida o, por el contrario, era mayor de lo que nuestra capacidad de amor podía abarcar...

Hablaba muy despacio, casi palabra por palabra, como al dictado de un interlocutor remoto, y mantenía cerrados los ojos y las manos quietas sobre los brazos de la silla.

—El recuerdo, de pronto, nos muestra de una vez sus exactas fotografías... No; los recuerdos nunca son inocentes: irrumpen en el ahora, alegre o doloroso, con el mismo violento sigilo con que irrumpen en la vigilia los ensueños. De ahí que ningún instante feliz pueda ser olvidado. Quizá los escasos instantes felices de hoy sean el recuerdo del elixir embriagador —se echó a reír otra vez—, qué expresión tan cursi, que fueron los instantes de ayer.

—El amor, los recuerdos... Qué envidia haber vivido tantas cosas distintas, tantas vidas colmadas.

—No seas bobo, hijo mío. ¿Quién es quien marca las intensidades? Hablas como si vivir fuese sólo tensión... Podría ser tu abuela; quizá lo soy... La vida, la de diario, es lo único que tenemos, nuestra única posibilidad, el único recipiente donde depositar ilusiones y fracasos y dichas: todo es útil. La vida no puede exprimirse, ni criticarse, ni calificarse, ni ser discutida. Está por encima de todo: sin ella no hay amores ni sacrificios, ni ideales a los que sacrificarla... Yo podría decir (otro día, no hoy) qué envidia no haber vivido todo aún... Fíjate en mí. Ahora debo fingir, a vida o muerte, que me importa el destino de esta pobre idiota llamada Clara Ribalta, Nazaret por buen nombre. Y no consigo, a menudo me pesa, convencerme de que tengo esa obligación. Me queda demasiado lejos ya... Por eso, a veces, compadezco a Dios, sí, pendiente de esta infeliz mujer, soportándola con su misericordia, que boga como un cometa en el vacío, en mi vacío... Ay, hijo, la paciencia de Dios...

Después de un intervalo meditabundo, en que movía a un lado y otro la cabeza, siguió:

—Antes me preguntabas por qué salí del convento, ¿verdad? No fue porque corrigiese el sentido de mi vida, o porque descubriera otro distinto. Simplemente se abrió el que ya tenía, se hizo mayor. Como se hace mayor el panorama que se ofrece al caminante que, al llegar a un alto, como aquella vieja que dijimos, ve ampliarse el paisaje, el mismo que traía, y sin abandonar su camino... No sé si me he explicado bien. No tuve la impresión de traicionarme, ni de traicionar a nadie ni a nada. Mi idea de la divinidad seguía abarcándolo todo, presidiéndolo todo. Se trataba de unas nuevas afueras de Dios, de un encargo nuevo en el que yo no es que me hallase más implicada, sino que lo estaba de otra manera. ¿Me entiendes? En el fondo, todo es abrazo en este mundo. Y en el otro. Eso lo supe entonces: el ser humano abraza a la naturaleza, a Dios, a otro ser humano que lo abraza también...

Apresuró el relato, como si hasta entonces le hubiese resultado gravoso entrar en los detalles:

—Fue embrollado salir. Tenía la obligación de que no se notara mi ausencia: esperar con pena la muerte de una querida madre superiora, el nombramiento de otra, acostumbrar la casa a no oír mis voces, abandonar una congregación que era mi única familia, pedir la dispensa de mis votos perpetuos... Nunca olvidaré el número de los cánones del Código de Derecho Canónico que puse a funcionar: del 686 al 89, el 691 y el 92, y del 694 al 700. *Discerní*, como dicen las Constituciones, que las causas de abandono que alegaba eran justas, a pesar de que la profesión perpetua supone la autenticidad de la vocación. Recibí el asesoramiento y el consejo de las personas competentes. Vino desde Córdoba el capellán de aquella casa, el anciano don Claudio, y me comprendió y me estrechaba las manos y lloraba y hablamos de mi proceso interminablemente, hasta que le pidieron que no volviera al asilo: sus ideas habían colaborado, según algunas interpretaciones, en mi defección; y lo nombraron párroco de un pueblecito de la sierra, y yo me sentí comprometida. Y lo defendí, aunque no me escucharon. La superiora general me aconsejó, *como a hermana débil y vacilante*, y *me animó y me estimuló a la fidelidad...*

»Pero yo ya estaba pensando en otra fidelidad. Salí. Me consideraba disfrazada sin el hábito. Irás, me dijo la general, disfrazada de joven Clara (ella tenía setenta años y yo, cuarenta y tres), como oveja entre lobos. En realidad, el lobo me estaba esperando en la puerta del convento. Aceché su mirada de color de uva; indagué en ella que me veía por primera vez las piernas, las orejas, el pelo que me había dejado crecer los meses últimos; comprendí que notaba mi aspecto pueblerino, anticuado, o peor aún, fuera de tiempo y de lugar... «Nunca te imaginé así. Nunca te imaginé tan hermosa», me dijo. Yo llevaba unos zapatos con algo de tacón. Y recordaba las complicaciones para andar que habían supuesto los únicos zapatos altos que tuve en mi vida, a los dieciséis años. Me los compró mi padre para ilusionarme y que arrinconase la idea del convento. Éstos me los había comprado yo con lo que la general me había entregado: «Lo necesario, de acuerdo con lo establecido en la orden, con sentido de equidad y caridad evangélica.» Después de todo, no era pago de nada, era un viático: un viático hacia la vida, en mi caso. Y yo me bamboleaba sobre aquellos zapatos como sobre unos zancos. De hecho, Diego tuvo que sujetarme, como un maestro avezado sujeta a una muchacha que se ha puesto por primera vez unos patines...

Se llevó la mano a los ojos; se los frotó como quien despierta de dar una cabezadita.

—¿Pero qué estoy diciendo? Vieja loca... ¿Qué es lo que puede contar una del pasado? Quizá sólo lo que no logró comprender: ya lo comprobarás cuando llegue tu hora. Quizá sólo lo que el pasado tiene de injustificable, no lo que se ha visto correspondido con él en el presente. Se cuenta de ayer no lo que contuvo de germen, sino lo que contiene de ininteligible. O aquello que, no entendido a su tiempo, cuando se debió, sirve de guía y luz para aclarar lo ocurrido después; o lo que se desprendió de nuestro comportamiento posterior, no sé, no se sabe; o aquello que ilumina este comportamiento ya incoado allí antes, en la puerta de aquel convento... No lo sé ¿qué es lo que contamos? El pasado es pasado verdaderamente porque yace hoy ajeno y yerto. Quizá lo mejor hubiera sido pasar con él...

»Porque no es que me niegue a contar mi vida con Diego: es que no soy capaz, es que no puedo. ¿Qué iba a contarte? ¿Hechos? Cualquier historia de amor los tiene. Pero todo depende de su frecuencia o de su fruición, de su matiz, de la velocidad de los latidos, de la tierna inseguridad y de los titubeos con los que se producen, de la convergencia misteriosa que los abre igual que se abre un abanico movido a la vez por dos manos diferentes... ¿Quién explica el amor humano? Es inefable. Como la luz del día o el olor de una rosa. Distinto para cada cual: a veces, una brisa en la cara, a veces, una carnicería; desmemoriado de sí mismo, porque no consiste en un álbum de recuerdos inertes, sino en la fuerza que los crea, y los arraiga, y los desarraiga también para sembrar más o para sembrar otros distintos...

»Y ni siquiera se trató sólo de un amor personalizado, porque era mucho más; había costado caro: era amor a la vida, era la vida en sí... Y la muerte... Y las huellas marcadas en el territorio que sucede a la muerte: ese territorio que yo estoy frecuentando antes de llegar a sus confusos límites, y antes de traspasarlos llena de alegría porque voy a compartir el mismo aire, el mismo estado enigmático en que reposa el que fue excusa y símbolo y plenitud de mi vida mortal... Eso es lo que hoy me pasa. Qué deseos de morir... No, no es que esté desanimada hoy, Mauricio, estoy sólo impaciente: me gustaría terminar de una vez.

—¿Por qué? —Me di cuenta de que estaba sacudiéndole los brazos—. ¿Por qué? ¿Se encuentra cansada de esta casa? ¿Se encuentra cansada de nosotros?

—No, no. —Me sonreía con una enorme tristeza—. Estoy harta de mí. No sé quién soy. Te lo he dicho y es cierto... Esta mañana, al abrir los ojos, aún no había amanecido, sin saber por qué, quizá he soñado algo que no recuerdo... esta mañana no sentí la modesta alegría de estar viva. Sentí una tristeza súbita cuando vi demorarse la luz detrás de los cristales. Se me llenó la cara de lágrimas, de lágrimas anónimas, porque ignoraba su causa y no sabía ni quién era yo. Me lo preguntaba, o ni siquiera me lo preguntaba, ni siquiera sabía cómo preguntármelo ni qué contestarme tampoco... Y quizá me daba miedo la contestación.

Ese día no habló más. No salió más de sí misma. No quiso que la llevase al comedor, ni que pidiera ni que le trajera nada. Yo sabía qué taxativa era en sus decisiones, y no osé contradecirla. Me marché preocupado y extraordinariamente abatido.

Al día siguiente era otra. El sol, suave como un terciopelo dorado, entraba por la ventana y alegraba su habitación. Una de las tres o cuatro monjas de San Isidro, que por todo hábito llevaban un uniforme de percal verde y blanco, la había ayudado a levantarse y asearse. Me recibió con una sonrisa que irradiaba desde sus ojos claros, y me pidió perdón.

—Por lo de anoche. No hay derecho a amargarle la vida, ni una hora de la vida, a un amigo tan bueno y tan cariñoso como tú.

Me apretó la mano entre las suyas, y me contó tumultuosamente, a grabadora abierta, fragmentos deshilachados de su vida. Sin un orden estricto, intercalando entre ellos observaciones, pormenores de un humor inmediato o irónico, salidas muy joviales, atisbos divertidos, que entramaban la narración, llena de sinceridad y de fragancia. Transcribo a continuación no todo lo que se grabó y tampoco de la misma manera que se hizo.

Cuando empezó la vida en común con Diego Bastida, el mundo disminuyó de tamaño para Clara Ribalta. No era tan grande como antes, a pesar de que antes también fuese bastante reducido. Lo más importante para ella quedaba ya al alcance de su mano: los destellos de la dicha y ese calambre temeroso que produce su exceso. La vida mostraba un sentido —el sentido en que consistía la búsqueda constante de Nazaret y Clara— evidente y palpable: se reducía también, se hizo comprensible y fraterna. No había por qué jugar, no había por qué ganar ya más: había llegado cuanto se esperaba; no, cuanto ni siquiera se esperaba, lo que no se hubo deseado pues se desconocía su existencia. Quizá lo que sólo se soñó, entre nieblas, en momentos un poco adolescentes y avariciosos que palpitaban fuera del propio corazón, como sueños de seres privilegiados, arcangélicos, felices, a los que se adjudicara el resplandor del mundo. Diego y Clara, los dos, eran los únicos seres verdaderamente vivos, en medio de un egoísmo inconsciente de amantes, en un mundo que se alejaba y a la vez los ceñía como si respirase para ellos. Un mundo en una dosis quizá homeopática, pero a su medida, que devoraban los dos al mismo tiempo y con la misma boca ávida.

Clara se reprochaba semejante egoísmo, que tan jubilosos ostentan los amantes; pero era comprensiva consigo misma y se disculpaba, se concedía prórrogas. Incluso, al principio, no percibía ni el dolor de los demás: no porque se hubiese negado a él, sino porque el concepto de dolor había desaparecido, no ya de sus ojos sino de su mente. Había sido recubierta por la dicha, trastocada como por una crisopeya, envuelta en gloria.

—El amor a Diego —dijo— no fue un momento de mi vida en el que latí y puse a otro por encima de mí misma. No fue una etapa de mi vida, sino la revelación de su sentido. Todo amor verdadero creo que es amor del Dios del que yo hablo: es amar en un ser el acto que lo creó; resumir la eternidad en cada instante. Cuando me acercaba a Diego, o él se me acercaba, podía oír literalmente el mar. El mar que no conozco y que apenas si he escuchado en la concavidad de alguna caracola... A tus oídos quizá esto resulte muy redicho. Sin embargo, era así; por eso no quería contarlo...

Sentados uno al lado del otro, callados o mirándose, no deseaban otra cosa que aquello que eran y tenían. No ser más jóvenes, ni haber nacido con otra fortuna o en otro país más libre. Ella observaba las manos fuertes de él y se sentía protegida, o le ofrecía un libro, o aceptaba el disco del concierto número 2 de Rachmaninov que él le regaló el día de su boda. Y escuchaban la música que los unía más, que los incrustaba mutuamente, sentados, en silencio, sin temor alguno al desamor, a la vejez, a ningún desencanto.

Ella comprendió entonces que Dios no es uno que se aburre, sino tres que se aman. Comprendió el misterio del amante, el amado y el amor. Comprendió, por fin, que las dos fuerzas que contaban en su vida: la necesidad de entender más allá de las cosas y la satisfacción de quedarse en el más estrecho ámbito de ellas, las dos convergían en un tercer estado allí, sentada junto a Diego, que la miraba como si la descubriera a cada instante. Y esa mirada era también un gozo en sí, porque era el testimonio del testigo. No se trataba de filosofías ni de raciocinios elucubradores: todo era parte ya del camino mismo; era quedarse embebecidos en la cúspide de un iceberg cuajado de promesas, en una cúspide en que se saboreaba una presencia mayor y compartida. Y aquella visión y aquel sabor, callados, juntos, mirándose, permanecían o aparecían con más frecuencia y más intensidad que en cualquier otra situación anterior de su vida.

La autenticidad de los dos era la mejor prueba de que lo que ocurría era un milagro, un milagro con día siguiente: una autenticidad recíproca y exacerbada, sin área alguna de sombra, sin ninguna impaciencia.

Se echó a reír mientras me hablaba:

—Creo que es absurdo concebirlo, absurdo. Empezar el amor como una toma de conciencia sin temer ninguna confusión, ningún otro significado de la vida, con la certidumbre de que yo estaba presente en él y él en mí, nos halláramos juntos o separados... ¿Estás seguro de que no te aburro? —Negué firmemente con la cabeza—. Qué difícil expresar lo que fue vivido durante doce años sin apenas tregua ni interrupción alguna... Ahora que la memoria se corroe, sólo rememoro estados de ánimo, estados en que todo se abría y el trabajo por hacer no era siquiera Dios ni el amor infinito, sino el hecho corriente y moliente de estar vivos, henchidos de lo que éramos... Ah, puedo ahora, tengo ahora que dejarlo de intentar, qué dolor, pero no soy capaz de dejar de desearlo... Desear sin obrar y obrar sin desear: inexplicable... Callados, juntos, mirándonos, uno al lado del otro... Todo en mí, por costumbre, tendía a realizar cosas, ocupaciones, emprender tareas; y de repente toda esa parte mía, un poco atolondrada, se hacía secundaria, y yo permitía su existencia pero sin que me absorbiera, dejándole su justo lugar en la penumbra; y no había nada que temer en ese consentir ser observada por el testigo: él el mío, yo el suyo. Porque la función de ambos no era ya, de ningún modo, la de mandar sino la de servir.

Fue cuando entendió en sí misma cuánto se había tergiversado la enseñanza del pecado y la culpabilidad.

—Y es que, cuando pensamos en Dios, nos pensamos a nosotros mismos. Y Dios es un misterio, pero no un acertijo ni un enigma que hayamos de resolver. Lo mismo que la vida, misteriosa, sí, pero jamás absurda.

Entonces entendió que quizá no es que los amados de los dioses mueran jóvenes, sino que mueren jóvenes los amantes de los dioses. Y ella había perdido quizá la juventud —¿la había perdido?—; pero le era imposible, le era completamente imposible creer en un Dios calculador de culpas y condenas.

—Cuando Diego puso en mis manos el compacto de Rachmaninov, que un día será tuyo, me miró, con sus ojos color de uva, primero a un ojo mío y luego al otro. No posó los suyos, igual que se hace siempre, entre el espacio que hay entre los míos. Y sus ojos bailaban blandamente, y ese baile me producía ganas de reír por muy serio que fuese lo que me estaba diciendo: él me hablaba de amor con su voz ronca. Y yo no podía evitar compararlo con un niño atrevido y ansioso, que espera obtener algo con un ruego a la vez tácito e insaciable. Un niño que pide un caramelo y al mismo tiempo el mundo.

Clara pensaba entonces, como Nazaret en su momento, que era hacedero comprometer la vida entera con una decisión sin el menor fundamento objetivo. Ahí estaba el amor. Y ahí estaba la fe, por ejemplo, que nos saca de nosotros mismos y nos arroja fuera de todos los caminos. Contra las concepciones tradicionales, en las que Dios no se manifiesta sino en el poder y en la gloria; a favor de una concepción de Dios que consista en la humillación, para tener amor al humillado. Sólo así adquiere todo su razón verdadera. Indemostrable, pero verdadera. Una afirmación sin pruebas, o sea, sin el menor fundamento objetivo... La desesperación de la fe está ya en las afueras de Dios. Exactamente igual que sucede con la desesperación del amor, que se entrega sin esperanza y, no obstante, recibe a cambio todo.

—Porque en cualquier empresa en que uno se embarque hay que poner en juego el corazón, aun cuando se trate de un asunto muy lejano a él. Las cadenas del corazón son las últimas que se rompen; son las mejores aliadas para ir contra la inercia y contra la muerte, que son la misma cosa. Aunque una vez se muera; pero sólo una vez y de pasada...

Era la adoración en la euforia. Puede que el pecado exista; sin embargo, es un acto de locura entre nosotros. Si nos creemos ofendidos, es a causa de nuestro miedo o de nuestra inseguridad. Si ofendemos, es porque ignoramos cómo obrar debidamente, y nos dañamos a nosotros mismos. Nadie se halla capacitado para ofendernos con actitudes o palabras: es sólo nuestra inseguridad la que se siente atacada y pone en guardia sus defensas. La presencia del amor correspondido echa hacia atrás tales posibilidades, porque sólo en la libertad y en la alegría es factible amar y corresponder al amor. Éstas eran las premisas de las que se convenció Clara en su convivencia con Diego: hay que arrostrar la batalla con el corazón en paz; hay que meterse en la batalla sin el menor rastro de odio. Eso es cumplir lo que podría ser la voluntad de Dios. No hay que violentarse bajo ningún concepto: ni para mejorar, ni para cambiar nada. A las formas que cambian no hay que agregarse, tampoco rechazarlas ni osar darles un nombre: hay que comprender, para que no incomoden, por qué están donde están. Y obrar luego.

Antes, Clara había juzgado que el ser humano esencialmente religioso era el que llevaba una luz a su espalda. Ésta no iluminaba su propio camino, pero sí el de los que venían detrás. No obstante, el portador de la luz siempre habría de avanzar envuelto por la noche oscura.

También antes, Diego juzgaba que un Dios que se emociona y que comprende, que puede emocionar y ser comprendido es sólo una caricatura. Dios no es una posibilidad del hombre: es ajeno a él. En realidad no puede ser amado, porque no se ama sino lo que se conoce; ni puede amar, porque está saturado de sí mismo, ocupado en sí mismo eternamente. El hombre está aquí abajo, si es que cabe hablar en estos términos, jugando a un juego que él no inventó, al que nadie le preguntó si deseaba jugar, cuyas secretas reglas desconoce, y cuyo resultado no sólo le es ajeno sino también incognoscible. Sólo le cabe —y en esto se aproximaba a los juicios de Clara—, para ser auténticamente humano, el sacrificio por los otros: eso lo multiplica y lo engrandece, lo convierte en todos los demás y lo magnifica... Pero no es cómodo estar vivo y no tener ni la menor idea de lo que eso quiere decir, ni qué se propone, ni a qué fin se dirige, ni desde dónde empieza y hasta dónde persiste, ni de dónde viene y dónde va... «Del amor al amor», repetía por toda respuesta Clara riendo.

Porque el diálogo secreto entre ellos dos adquiría a veces la forma de palabras.

—No seamos idólatras —susurraba Clara al oído de Diego—. Sólo viviendo somos capaces de conocer la vida.

Sólo viviendo y conociéndonos llegaremos a Dios. Toda la inteligencia humana es incapaz de captar la esencia de una mosca, cuanto menos de Dios. No se le puede describir, porque no es descriptible: si nos cupiese dentro de la razón no sería Dios. No es ni luz ni tinieblas, ni bondad ni maldad. No es susceptible de ser concebido, por eso no hay ateos, porque no se niega lo que no se conoce; el ateo niega sólo los conceptos, y Dios no es concebible. De ahí que las religiones puedan llegar a ser inhumanas y desalmadas, al creerse poseedoras de la verdad y vengadoras de quienes no la acatan y la aceptan... Una religión que deja fuera de sí la vida no es absolutamente nada: son la vida y la realidad las que nos muestran la verdad. El reino de Dios está dentro de nosotros y sentimos su voz... Escúchala, Diego. No lo busquemos fuera, porque entonces estaremos fabricando un ídolo. Al principio yo creí que aprendería a creer o a amar llevando en apariencia una vida santa. Sólo más tarde he comprendido que, donde de veras se aprende, es en la plena aceptación del más acá de la vida. El más allá no nos pertenece y nada podemos hacer en él. El más acá, por el contrario, en cierta forma, es nuestro, porque somos de él y en él estamos. Tú y yo, Diego, y Dios.

Tiene Clara en la memoria, y la transcribe, la tarde de un domingo de invierno. Ella y Diego tomaban un té. Sin saber cómo surgió una vez más el tema, que Diego rehuía, de Dios.

—Todas las pruebas de su existencia, vengan de donde vengan, de san Ambrosio o santo Tomás, de Averroes o Descartes, conducen a algo que no es Dios: a un Dios trascendente, sin contacto alguno ni medida en común con nosotros. Yo no sé qué hacer con los ídolos: ni con los de madera ni con los de la razón. Los primeros los fabrican nuestras toscas manos, y los segundos, nuestra tosca lógica. Si hubiese hecho caso a esas pruebas, me habría transformado en una atea supersticiosa...

»Óyeme, Diego: decir que Dios existe es casi una blasfemia; porque la existencia, el ser, pertenece a las cosas percibidas o pensadas. Dios no es de esa pandilla: es el acto que las hace ser. No se demuestra, se muestra. Existir es vivir tal acto. Y no podemos hablar de Dios sino por imágenes o por parábolas o por metáforas. Así ha sucedido desde los sufíes hasta san Juan de la Cruz. Toda teología auténtica, que es cosa de los hombres por supuesto, tiene que manifestarse inefable y poéticamente, porque su objeto es inaccesible a los sentidos y al razonamiento. Muchas veces te he dicho que habitamos en las afueras de Dios. Acostumbramos a vivir con la certeza de ser el centro de nuestra vida. Nos equivocamos: nuestro amor, el tuyo y el mío, que descoloca nuestros centros, lo demuestra. Y lo demuestra, más aún, el amor de los amores: el centro es Dios. Cuando nos imbuimos de esto, todo tiene sentido, hasta lo que no lo tenía. Porque Dios, cualquiera que sea la religión, es siempre igual y el mismo.

Pocos días después Diego le dijo:

—Quizá Dios sea la búsqueda de Dios, eso que dentro de nosotros lo persigue. Cuando le preguntaron a Renan si existía Dios, respondió: *Pas encore.* Puede que con tristeza.

—Yo he descubierto, a través de mi vida —le replicó Clara—, que sólo Dios posee, lo que hace relativa la propiedad; que sólo Dios manda, lo que hace relativo el poder, el religioso sobre todo; que sólo Dios sabe, lo que hace relativa la sabiduría. Lo demás es indiferente y transitorio, porque Dios no deja de crear, aunque ya sea a través de nosotros.

En un papel escrito de su mano decía: «La semana pasada conversamos Diego y yo, y estábamos de acuerdo en que la verdadera historia es siempre una historia de almas. No de dominaciones impuestas por la fuerza, y justificadas después por visos de culturas superiores. No de revoluciones, en que el esclavo vencedor instaura, con alma de esclavo, una renovada servidumbre. El hombre sólo es auténtico hombre cuando está habitado por el todo: el crecimiento de uno se deduce del crecimiento de los demás. Sólo el individualismo egoísta es el que engendra el miedo a la muerte. Cuando la vida no es lo que ha debido ser —fusión, entrega, dadivosa pertenencia al mundo—, sobreviene la muerte. En otro caso, retrocede exorcizada. Porque la resurrección prometida es eso: haber sido Dios y proyectarse en él luego.

»Debe quedar muy claro en nuestra mente y en nuestro corazón: vivir no es luchar contra la muerte, ni es ella la que da sentido a la vida, qué mezquindad, sino al contrario. Comprobé en esa conversación cuánto influye en mí Diego y yo en él. Él me decía: "Aquellos cuya vida no tiene significado real matan a muchos: son los odiosos muertos en vida. Los demás vivos se cumplen con la muerte, porque han amado y cumplido la razón de su vida"... Qué bien expresa Diego las verdades en las que a lo mejor no cree del todo: "Caen las hojas y caen las flores para que el fruto se consiga." Y yo concluí: "La eternidad no es más que la presencia del todo en el fragmento. Lo que llamamos nuestro pasado no es nuestro sólo. Hemos de hacer, por tanto, lo que otros no pudieron más que soñar. Y nos quedaremos pidiendo más en las entrañas de quienes nos sucedan. Si fuésemos algo más sutiles contemplaríamos la vida como la marcha de lo múltiple hacia la unidad, de lo particular a lo universal..."»

Había una nota escrita, un poco al margen y con una tinta de otro color: «Por eso, lo que perdimos aquí, nos lo encontraremos en el océano de Dios: tal es la esperanza que hoy me alienta. Ser cristiano o musulmán o cualquier otra cosa, o no ser nada, no desune si cada uno es profunda y ciertamente lo que es. Y juntos hay que estar con los desposeídos y solidarizarse con los indigentes y necesitados. Juntos hay que estar contra los opresores y contra los que se afirman sobre los demás con su riqueza, usada como arma... Esto me enseñó Diego como práctica de mi teoría. Pero tuve que perderlo a él para saberlo.»

A mi interrogación sobre en qué punto se hallaba de su vida espiritual, me alargó en silencio unos papeles, parte de cuyo contenido he transcrito o transcribiré en pasajes de este libro. El que estaba encima de los demás decía:

«Supongo que, al principio, cada uno puede, en cierto modo, elegir su camino; más tarde, no. Más tarde somos lo que nos hacen creer que somos y que ya nos creemos. Cumplimos las expectativas de los otros; nos movemos como estamos convencidos de que se mueven, o se deben mover, los personajes en los que nos sentimos ya clasificados. Somos la cuñada débil, virtuosa y soltera que apenca con los niños ajenos; o la madre no demasiado tolerante, o, al revés, abnegada; o el director de orquesta, o el artista, o el buen muchacho descarriado... En el fondo, cumplimos nuestro destino: un destino que es inmodificable y, por tanto, no nuestro, no dependiente de nuestra voluntad o de nuestro interés; un destino que, en consecuencia, pudo cumplir cualquier otra persona... Sólo deberíamos hacer, para ser en puridad nosotros, aquello que nada más que por nosotros podría ser hecho, aquello que nos configura, que *es* nosotros. Y en el fondo, a eso ya no lo llamaría destino sino vocación. La vocación puede ser contradicha —no el destino, una vez designado— pero, si se la cumple, da a la vida un sentido de totalidad, de firmeza, de constante coherencia, de seguridad. Y quizá eso sea lo que nos salve.»

Otro papel, muy reciente, situado bajo el primero, lo completaba:

«La mente tiende demasiadas asechanzas para interpretar la experiencia interior. Si hablo de mis últimos veintitantos años, ha habido en mí radicales mutaciones y casi han desaparecido los rastros de mi continuidad personal. Lo que siento en el momento presente es una notable indiferencia respecto al punto de evolución en que me encuentro. Tengo un cuerpo de casi setenta años, y esto lleva consigo una manera de encarar el mundo. No es que esté concluida la totalidad de mi trabajo, pero sí en su última fase. Hasta que expire mi vida, me acomodaré en un período más profundo y más meditativo, menos expresivo también. Veo más claro lo que no alcancé: ni mi ecuanimidad ni mi vacío interior son suficientes; mi compasión, tampoco. A pesar de ello, tengo que gritar que siento aversión, muy explícita, por la pobreza impuesta, por la enfermedad mal sufrida, por la vejez desabrigada, por la muerte que se asesta, por la violencia... Porque no son interpretadas como deberían serlo, y de ellas hay bastantes responsables. Y detesto también la duplicidad y la hipocresía de esos responsables. En una época me consumió la impaciencia de ser más compasiva, acusándome sin cesar de no ser bastante competente para la tarea que se me encomendaba. Tarde he comprendido que tal impaciencia no era beneficiosa. La mayoría de los humanos se hacen adictos a los medios con que alcanzar los mejores fines, y acaban por perder de vista los propios fines, que eran lo que importaba.»

Había momentos en que el rostro de Clara resplandecía. En ellos, podría creerse en la verosimilitud del monte Tabor y de la transfiguración, y se vislumbraba algo de un cielo añorado que siempre parece escaparse y no se va, como nuestra propia sombra de nosotros. Eran momentos sin mácula, en que daban ganas de rogar: «Quedémonos aquí, detengamos el tiempo si no está detenido, admiremos la belleza de ese rostro hace un instante ajado. Mañana puede suceder cualquier horror; quizá ayer sucedió algo que aún nos atormenta; pero ahora su recuerdo, su buen recuerdo, nos alumbra y enciende nuestra casa desde dentro.»

Eran los momentos en que Clara hablaba de su amor humano y asequible:

—A veces me vienen a la cabeza, sin poderlo impedir, los días de mi moderada felicidad humana (no siempre estuve sola), de tejas para abajo. La felicidad que surge y perfuma desde los gestos diarios de lavar la vajilla; de humedecer y planchar los pantalones para marcar su raya; de coser el botón de una camisa; de beber un sorbo de vino mientras se mira a unos ojos color de uva por encima del vaso; de esperar la llegada de alguien, que aparecerá apresurado y sonriente; de aguardar confiada en que el aire se caliente por abril o por mayo; de separar los tallos de unas flores para componer un ramo sobre la mesa; de devolver la silla a su lugar preciso después de la comida... Los rápidos días que se escapan de las manos con la urgencia de niños que salen de la escuela; días huidizos como un vuelo de pájaros que brota de un arbusto antes de que lleguemos a mirarlo... La pequeña felicidad de ser acariciada por los dedos que acariciamos; de ser besada por los labios en que podríamos beber un poco de inmortalidad; de ser aniquilada y asumida por un cuerpo con alma, que es más nuestro que el nuestro; de aprenderse de memoria y recitarlos, como si se tratase de un paisaje de la infancia, cada facción de un rostro, cada pliegue de unos brazos o unas piernas, cada dureza de unos dedos o de las palmas de unas manos, cada arruga, cada comisura, cada brillo, cada poro; de tener la seguridad de salvarse si es que la salvación es necesaria para alguien ya salvado, cuyos huesos exultan y exultarán al vernos en las ásperas afueras de los cielos...

»No hablo yo, no, qué disparate, de la gran felicidad, tan silenciosa y acaso incompartible, sino de aquella otra, minúscula y sin nombre, que llena la casa como un aire aromado que no se sabe quién aroma... La felicidad cotidiana y normal que procede sencillamente de estar vivo y saberlo, junto a un cuerpo con alma que lo sabe también, sin alterar ninguno de los dos el orden de este agobiado, de este insondable mundo... La felicidad de dos personas que depende de dos personas, de su secreto saber recíproco, que está por encima del mismo amor o es quizá el mismo amor, porque cuenta por supuesto con él, pero parece haberlo superado, si es que hay algo que sea capaz de superar su luz o esté exento de ella, exento de su signo, del esfuerzo que cuesta (el jubiloso esfuerzo) mantenerlo y cuidarlo: el milagroso amor humano... Por encima del amor quizá porque es más que un mero sentimiento: un destino común, un proyecto común de aceptar el destino, un abandono y una aceptación que necesitan palabras nuevas para nombrarse, palabras que no existen todavía y han de ser inventadas por los amantes, porque el idioma es demasiado estrecho; palabras con las cuales podría hacerse un presente a Dios, ofrecerle el don, humano y suyo, de la cordialidad y de la alegre convivencia, de la tozuda voluntad de vivir, o sea, de obedecerlo. Como si algo nos asegurase que el perfeccionamiento del corazón fuera la escala de Jacob, por la que el hombre sube, luchando contra las alas y las fuerzas del ángel, hasta el mismo trono deslumbrante de la divinidad... Hablo, hasta donde es posible, de la moderada felicidad humana, que envidian los arcángeles.

Y el rostro claro de Clara Ribalta resplandecía entre dos destellos, uno recibido de fuera y otro que trasminaba de su interior.

—Una felicidad que a veces consiste sólo en ir del brazo de quien amas para votar en una urna. Hablábamos mucho de libertad en la dictadura, pero ignorábamos qué hermoso es su ejercicio. Sin libertad no hay cielo, ni hay infierno, ni hay verdadera vida que los valga... Bajábamos, bajo el azul infinito de un día de mediados de junio; bajábamos a principios de diciembre, con el frío soleado dándonos en la frente, arropados uno con otro, sonriendo a quienes se cruzaban con nosotros en las anchas aceras, que también sonreían, porque guardábamos con ellos la complicidad luminosa de la libertad y de su hábito. Del brazo de quien amamos, orgullosa de ser la amada y de que lo sepan los conciudadanos, de que lo comenten y sonrían al contemplar el fulgurante rostro de nuestro amor...

»Una felicidad que a veces consistía en asistir, cogidos de la mano, a una manifestación en que se nos convocaba para algo que era justo y conveniente. Gritábamos los eslóganes un poco estúpidos, pero que, al ser gritados por decenas de miles de gargantas, adquirían peso y consistencia... Y mirarnos mientras gritamos, y echarnos a reír porque lo nuestro no es gritar verdaderamente, y menos aún gritar pareados en que todo se simplifica, porque han de expresar lo que todos tenemos en común, lo que nos reúne a los dos con todos, es decir, por aquello que nos movemos del brazo de desconocidos y damos la mano o pisamos sin querer a gente que nos es completamente ajena, o no tanto, puesto que aspiramos a lo mismo, y estamos convencidos de que lo que gritamos es justo, y por eso levantamos la voz hasta la afonía, y nos abrazamos unos a otros... La moderada felicidad de que nuestro amante nos tome de los hombros o pase su mano por nuestra cintura, y que ésa sea, más que una manera de poseernos, una manera de entregarse, de proclamarse sólo nuestro delante de la gente que trata de ser libre y de exigir con libertad la libertad...

En unos papeles arrancados de un bloc y grapados luego con cierta asimetría, escribió Clara y fechó en 1975:

«Recuerdo, no a menudo, pero de vez en cuando, las

palabras de aquel ex rector de la universidad asturiana, que era una cita de Shakespeare, al que luego he tenido la oportunidad de leer: "La sangre de la juventud no llamea en modo alguno con tanto ardor como la gravedad cuando se desencadena el furor de los sentidos." Pero lo que entonces me asustó, ahora me invita a sonreír. Sé lo que es el cuerpo, sé lo que es el placer: no sólo el del cuerpo, porque es en el placer donde más claro está la indivisible compenetración de él y de su espíritu. ¿Cómo dirigirse al cuerpo: llamándolo de tú? ¿Es que no somos él? El cuerpo, mi cuerpo, es yo, y a mí me dirijo cuando le hablo. Y a mí me doy las gracias, cuerpo y alma yo, del placer que sube y crece y me anega y me rebosa y me hace gemir como si de un sufrimiento se tratase.

»Me avergüenza un poquito escribir estas líneas, y lo hago con la certeza de que Diego no las leerá, o con la certeza de que, si las lee, las enriquecerá por su cuenta y me enriquecerá.

»No es raro que los sentimientos que nos resultan inaceptables los percibamos, o prefiramos percibirlos, como procedentes de los más diversos lugares, cuando en realidad surgen de nuestro interior. Nuestras fórmulas para trocar la naturaleza del deseo sexual parecerán represivas, o mejor, irrelevantes, hasta que lleguemos a comprender qué es lo que lo alimenta. (Esto me lo digo, en primer lugar, a mí misma: me ha costado mucho esfuerzo conseguir decirlo.) El horror emocional de las mujeres ante un material o una actitud pornográficos procede de que las humilla y las excita a la vez, porque se trata de algo semejante a sus propias y turbadoras fantasías.

»Decir que la exigencia de algún tipo de gratificación física es lo que motiva el deseo y el comportamiento sexual resulta fácil. Yo he podido, durante muchos años, afirmarlo a oscuras y desde lejos. Incluso hoy podría decirlo desde el mismo centro de la cuestión. Pero posiblemente esa exigencia consista en la suma de otras exigencias emocionales: las de aprobación y amor; la de expresar hostilidad, dependencia y dominación; la de aliviar la angustia, o curar profundas heridas síquicas causadas por el rechazo, el menosprecio o el abuso, o también la desesperación... Cada uno tiene su particular historia de alegrías y miserias sicológicas; pero hay dos muy comunes: la de la dependencia e impotencia de la niñez, y la enorme importancia cultural dada al sexo biológico, que marca nuestra identidad como hombres o mujeres. Nada puede sorprendernos la ambivalencia, que antes dije, de la sexualidad femenina y sus fantasías masoquistas en una sociedad en que lo femenino es representativo de pasividad, y lo masculino, de fuerza. Y en la infancia fuimos todos pasivos e indefensos, muy especialmente lo sé yo; pero también muy severos en nuestros requerimientos de interés, de gratificación física y de amor. Esto implica, no tan paradójicamente, que tanto la pasividad como el masoquismo en el sexo puedan ser a la vez exigentes, egoístas y placenteros.

»Para comprender la sexualidad que, como don Claudio decía, es núcleo de lo natural, hay que disponerse a incluir en ella muchas cosas que nos resultarían ingratas y que preferimos ignorar, como yo hice: el goce con el daño, el deseo de purgar, el complejo de culpa, la hostilidad, la envidia... Lo responsable de los males en la vida de muchas mujeres no es tanto una ausencia de orgasmos cuanto el deseo insatisfecho de esos orgasmos, que las llevarían a olvidar el aislamiento y la vacuidad en el resto de las áreas de su vida. Estoy refiriéndome a su frustración. Porque el ser humano es mucho más que un conjunto de células vivientes. Por eso la presencia recíproca de dos llega a convertirse en un diálogo íntimo que, con sólo un gesto, se expresa con mayor fuerza que todas las palabras.

»La genitalidad se refiere sólo a unos órganos; la sexualidad, a toda la persona. De ahí que hoy haya adquirido la sexualidad un contenido más extenso, y que la meta educativa, no como en mi tiempo, se centre en que el niño llegue a vivir con plenitud su forma de ser hombre o ser mujer. Porque, contra lo que se nos enseñaba, el simple hecho de existir nos hace sexuados, y convierte nuestra comunicación en un encuentro sexual (espero no excederme al pensar así), mientras que la genitalidad es una manera de vivir la relación sexual: ni la única, ni la más frecuente o necesaria. Renunciar al ejercicio de la genitalidad no supone, como se creyó, un rechazo de todo lo sexual, a lo que no es posible renunciar y que puede alcanzar un considerable desarrollo sin la utilización de lo genital.

»¿Es que no cabe una amistad auténtica entre un hombre y una mujer? Claro que sí, y es señal de madurez el hecho de mantener relaciones, que serán sin duda sexuadas, sin resonancias genitales. Lo que sucede es que la imagen de la mujer se ha manipulado: se la hace objeto de apetencia, o se la idealiza como virgen simbólica: o Eva o María, y la realidad de la mujer se desvanece por esos dos escapes. La polarización separada de los dos sexos ha dado, a la cultura dominante, la ocasión de asignar a la dominada un papel inferior y subordinado. La lectura de los padres de la Iglesia es, a este respecto, muy ilustrativa. Lo de san Agustín resulta sangrante: “Si la mujer no fue creada para ayudar en la creación de hijos, ¿para qué fue creada? ¿No es mejor para convivir y conversar la reunión de dos amigos que la de un hombre y una mujer?”

»Por descontado, ser hombre o ser mujer no son accidentes de la persona humana, porque pertenecen a su propia esencia, y no es posible tratar de eliminarlos; pero sí se han de eliminar la desigualdad, la superioridad y la alienación. Cuando el amor se reduce al deseo, un ser está utilizando lo más secundario del otro: se limita a su superficie; sin embargo, cabe una comunión —ésa es la palabra— muy honda y vinculante a través de la genitalidad. Por fortuna, la crisis de lo que, con error, se estimó masculino y femenino, se ha consumado. Muchas veces hablamos Diego y yo de este tema. ¿Quién dirá que un hombre o una mujer deben ser hoy lo que ayer fueron? ¿En qué consisten uno y otra? Educación, profesión, afecto, tendencias, actitudes y deberes familiares apenas los distinguen, y en el futuro los distinguirán menos. Lo obligatorio se ha convertido en optativo, y en electivo lo que se tomó por esencial. Los mundos antagónicos anteriores no son ya ni siquiera heterogéneos: ambos sexos aspiran a lo mismo: a una realización personal en el amor, y a una realización moral en el trabajo, en las aspiraciones y en la comunicación.

»Pero yo me pregunto: ¿requiere el sexo siempre la cálida caricia del amor, o, imperativo y poderoso, actúa por sí mismo, libre de él? Los gestos sexuales, ¿serán sagrados sólo si se alían el placer, el amor, y la transmisión consciente de la vida? ¿Serán humanos sólo si se reúnen el amor y el placer? ¿Serán sólo animales si van encaminados al placer desnudo? Leí una vez en Kant algo que me sorprendió: que la expresión primaria de la propia moralidad no es tanto procurar la moralidad ajena cuanto la felicidad ajena...

»Todo animal vive en el centro de su mundo; el animal racional lo sabe, y sabe que el otro es centro de otro mundo. El saberlo y yacer con el otro, a través de su genitalidad, ¿no es ya el primer paso para abandonar su centro o compartirlo? En una ocasión conversamos sobre esto Diego y yo. Cada cuerpo, por ser alma también, ha de exigir que se le tome en consideración como persona; que el ímpetu amoroso no lo transforme en objeto; que no se le fuerce a bailar sin la música que desea oír. Puede negarse a abrirse. Su decisión la aguardan la excitación a la vez gustosa y lacerante; las tensiones que arrastran; los gemidos y los fruncimientos ambiguos, tan escaso es el repertorio de los gestos humanos; la invasión de las fronteras corporales; la observación de los ritos originarios, que son también divinos, porque la naturaleza es asimismo sobrenatural...

»Ah, si yo recordara, si me atreviera a recordar... Cuando entre horas se me acercaba Diego, yo me recogía el delantal y me atusaba el pelo: eran dos ademanes instintivos. Cuando se me acercaba por la noche, yo guardaba silencio y contenía la respiración para no ahuyentar al amor, que me pareció siempre un niño temeroso en esos momentos, aunque en los otros, hombre recio y con barba al que nada le arredra. Y entonces aprendía qué es el cielo según el *Apocalipsis* y los *Salmos* y el *Cantar de los Cantares*. Aprendía lo que es el banquete de Dios, y la leche y la miel dentro de la boca del amado, y los Tronos y las Potestades desgranados en música, y lo que había intuido que significaban los corazones de Jesús y María, y el perdón del Cordero que quita los pecados del mundo con su solo balido, y luego, como san Juan, aprendía a quedarme y olvidarme, dejando mi cuidado entre las azucenas olvidado... Antes nunca había experimentado lo que es un éxtasis real, ni una levitación hasta tocar el cielo con los dedos, ni el olvido de sí, del propio nombre y de la propia vida. Antes no había sabido lo que era el limpio amor, sensible y táctil, posesivo y ardiente: el que reblandece los huesos y los hace de oro, y conmueve sus médulas, y te pone al borde del desmayo, o en él, y a él te empuja y te caes, y caes sin temor con los ojos cerrados a todo lo que no sea tu caída...

»Ah, si yo recordara, si me atreviese a recordar... Nunca, entre Diego y yo, al concluir los gestos que promovió el amor, sobrevinieron tristezas ni desganas. Nunca la decepción, como parece ser frecuente, no por lo escaso que fue el placer sino por lo infinito que pudo ser. Se producía entre nosotros una vislumbre del paraíso, y sus puertas no se cerraban después de golpe: seguíamos hundidos uno en el otro a través de los ojos. No era el cuerpo el único invitado a la fiesta gloriosa. La soledad no extendía luego sobre el lecho su sábana incolora. Quedaban, pervivían, aún más crecidos, el gozo y las vías del gozo, y la familiaridad y la vida en común, y el futuro en común, abatidas las murallas de ambos. Duraban el cuerpo y sus jardines, porque su jardinero era el amor. Duraban el sentimiento y el espíritu que sopla donde quiere, cuando la carne había entrecerrado sus ventanas. A menudo, unidos en el ápice de la voluptuosidad, descendíamos de él a tientas, de la mano, riéndonos, masticando cada uno la risa compartida del otro...»

Sin tener Clara, ni pretenderlo, un entendimiento estricto de la cronología, aparecieron, casi agotado el relato, unas cuartillas que me emocionaron muy especialmente.

«Cuando Diego y yo nos instalamos en Madrid, vivíamos con unos tíos suyos, adinerados, en un piso muy grande de la calle Argensola. Era una casa antigua, con entrada cochera, bien construida y mejor conservada. Los tíos eran mayores, y yo, hecha como estaba a tratar viejos, los llevaba con tino. Pero una cosa son los del asilo y otra muy distinta los titulares de la casa donde vives. Todo les parecía mal: me miraban con ojos atravesados, como si yo hubiese cometido un crimen o asesinado a Gracia, la mujer difunta de Diego; como si yo quisiera ir introduciéndome hasta acabar echándolos del piso. En realidad, era yo quien limpiaba y me encargaba de cuidarlos durante todo el día, porque Diego muy rara vez venía a almorzar.

»Llegaron las cosas a tal extremo que yo vi amenazada mi relación con Diego y me sentí forzada a trazar un límite. Así se lo dije a él. Una noche tensa, en que no supe si desconfiaba de mí, si juzgaba que todo era un capricho mío, o si se arrepentía de haber iniciado una nueva historia con una mujer que, al fin y al cabo, conocía muy poco. Fue una noche callada y angustiosa. A la mañana siguiente, él se fue temprano y yo, entre las faenas de la casa que cada vez me parecía más grande, llegué a la conclusión de que tenía que pedirles perdón a los tíos de Diego y a él, y hacer lo imposible para que las cosas siguieran como hasta entonces. Excepto el espionaje de los tíos, pendientes de nuestros ojos, de nuestras manos, de nuestras caricias, de nuestra complicidad y hasta de los ruidos que de noche salían de nuestro dormitorio. Eso, que era la causa fundamental de mi queja, tenía que cesar.

»El día se me hizo interminable aguardando a Diego para comunicarle mi arrepentimiento. Llegó al oscurecer. Previamente habíamos hecho el pacto de que, cuando discutiéramos o cualquiera de los dos flaquease, el más fuerte apretaría la mano del otro, y ese gesto sería ya el punto final de los pareceres contrarios y extremados, y la certeza de que cada uno contaba con la fuerza de los dos. (Al margen había una línea cuyo contenido era: "Hoy, ante el abrumador cansancio de vivir, continúo sintiendo la mano de Diego que oprime y asegura mi mano, la más débil.") La noche anterior, Diego no me había oprimido la mano, siendo yo, en aquellas circunstancias, la más necesitada. Al salir de mañana, tampoco... Llegó al oscurecer.

»—Ni ayer ni hoy me apretaste la mano —dijo nada más verme—, siendo tú la más fuerte y yo el que me encontraba entre la espada y la pared. De ahí que hoy, después de haber reflexionado, haya resuelto responder a tu petición de dos maneras: diciéndote que hoy mismo he buscado un apartamento donde estaremos tú y yo, quizá peor, pero sí solos, y también rogándote que aceptes estas flores.

»Era mayo. El ramo que escondía detrás de su cuerpo lo formaban unas azucenas con crisófila y ramas de lentisco. Siempre lo tendré presente en mi memoria. El sol, que entraba por una ventana del vestíbulo, dio en dos flores, haciéndolas de un blanco deslumbrante, que convirtió en mate el blanco de las otras. Aún veo el reborde de los largos pétalos, tan silenciosos y perfumados, y los pétalos mismos, radiantes como alargadas perlas, que dejaban transparentar su brillo interior, y el polen de oro en su centro... Nunca he recibido, a una petición que ni siquiera había formulado, una respuesta tan preciosa.

»Nos mudamos a nuestro nuevo piso, el primero que realmente fue nuestro, un día en cuya noche iba a reinar la luna llena. Frente a lo que para mí tuvo antes la luna de palidez y enemistad, y su luz, de tenebroso lago, gélido y fraudulento, esa noche fue toda albura suave, como de un azulado lino tendido a secar, y una imperturbable alianza. Mientras colocamos los últimos muebles, antes del anochecer, desconocíamos la temperatura de un mes de mayo que se portaba con bizarría, y también la temperatura de nuestro estado de ánimo, aturdido por una tan rápida mudanza; desconocíamos los sucesos mundiales de aquel día y los del día siguiente, la duración de nuestras vidas y la dulzura de las caricias que podrían surgir, y en efecto surgieron, como una prestidigitación, de nuestras manos. Sin embargo, sabíamos que aquella noche, ya llegada, iba a ser de luna llena. Los seres humanos, tan frágiles en el mundo, somos quienes sudamos por el esfuerzo y el calor, o tiritamos por el temor y el frío, o cambiamos de parecer o de casa, y avanzamos, si es que avanzamos, llenos de vacilaciones. Los grandes entes del universo, los astros y las reglas que los rigen, son invariables. O si varían, lo hacen de forma previsible, o tienen acaso para sus variaciones medidas temporales, que pueden exceder nuestras mínimas posibilidades de cálculo, pero son calculables... Ahí estaba el caso de la fría luna, sus fases, sus recorridos, sus eclipses. No dudábamos de que aquella noche era de luna llena. De ella recibimos, con acatamiento, la principal lección.

»Cuando oscureció, en nuestro cubil, abrazados y solos,

empapados por la luz del plenilunio y abrigados por ella, nos sentimos felices. Yo comprobé que, duradera o no, la felicidad existe en este mundo.»

Fue en esta primera y única casa, común e inolvidable, donde Clara culminó su formación, que a mí me pareció siempre cegadora de tan iluminada. Allí inició y concluyó sus estudios universitarios; allí leyó y reposó sus lecturas; allí satisfizo gran parte de sus curiosidades, y fueron, más o menos, contestadas sus preguntas, más o menos urgentes... En una palabra, en los años que convivió con Diego, Clara se cultivó: «aunque no demasiado, ni lo que habría querido, ni siquiera en todos los campos que me interesaban», me dijo con modestia. En aquella casa, como sucede con las crisálidas, se produjo la trasmutación de la hermana Nazaret, llena de ímpetus y de buena voluntad, en Clara Ribalta, uno de los seres humanos de mayor calado que me ha sido dado conocer. Quizá hoy más que nunca bendigo el momento en que eso sucedió. No creo que, a lo largo de mi vida, cualquiera que ella sea, deje de bendecirlo.

3

Algún tiempo después, no mucho por desgracia, acaso un año, vinieron a mis manos, por voluntad de Clara, todos sus manuscritos. Sobre una etapa trascendental de su vida, había redactado lo siguiente. Era en 1983.

«No, no soy un ángel. Como, bebo y hago cosas más feas. Pero soy la misma que ama, que se entrega y que escucha y siente la música, la misma que se extasía ante un paisaje y de la que se enseñorean el dolor o la dicha. Soy una mujer, no con dos principios diferentes, uno material y otro que no lo es; no con dos niveles o dos realidades distintas e incluso contrapuestas. Tengo, sí, una dimensión que me sobrepone a los animales y a las plantas; pero tal dimensión no es un espíritu puro, sino transido de corporalidad. No se trata de un timonel ni de un jinete ni de un chófer, sino de algo, pareja de mi cuerpo, que integra sus múltiples elementos, le da permanencia y lo hace consciente de sí mismo. Mi cuerpo no es uno de mis componentes, es el resultado de esa unión misteriosa en que se incluye el alma y me permite escribir lo que ahora escribo.

»Para lo que proyecté hacer de mi vida —qué petulancia decir *proyectar* y *mi vida*, cuando no es que yo la tenga a ella, sino ella a mí—, mi cuerpo ha sido imprescindible. Sus sentidos son mis únicas vías de acceso. Si amé, a su través ha sido. Aunque el último motivo fuese otro, amé un cuerpo y me amaron el cuerpo: sus besos, sus caricias, él mismo entero. Los momentos en que me supe deseada, a él los debo, aunque no sólo a él. No entiendo hoy que se marquen jerarquías. Que al alma, que es asimismo el cuerpo —su razón, su excitación, su voz—, se la instale como una estatua egregia sobre una rústica peana, me supo mal cuando tuve conciencia de la vida. Antes me avergonzaba tener un cuerpo con fervores, necesidades, caprichos, ansias, pulsos. No me extraña que él tenga recelos aún, resabios y temores de mi otra parte, si es que hay dos, que es la que más se equivocó y quizá a quien menos debo. Porque delicadezas del cuerpo me trajeron y llevaron: con sus brazos abracé el universo. Ha sido, en los extremos, yo como nunca; como nadie ha sido yo mi cuerpo. En la solidaridad del amor y en el aislamiento desgajado por la muerte, cuando algo de mí quiso expirar, el cuerpo guerreó los más graves asaltos; cuando algo mío quiso cerrar los ojos y concluir, mi cuerpo resistió.

»Para bien y para mal, ahora estoy seria e insondablemente de acuerdo con él. Y dialogo con él, o él conmigo, satisfecha de que seamos uno de un modo arrebatado, sutil y confundible. A estas alturas, no habría querido ser de otra manera: no habría recibido tanto don como el que recibo. Amo, porque fueron amados, mis ojos zarcos, mis largos dedos, mis manos, mi cintura, mis pechos que no sirvieron más que para el amor; amo mi frenesí y mi estupor, la calidez y la frescura de mi piel cuando aún las tenía; amo cuanto llevo dentro y me sostiene viva y erguida. Y cuando ya no me sostenga, amaré de mi cuerpo lo que quede; amo mis pies, mi cuello y mi pelo y mi rostro porque alguien los encontró hermosos. Pero los amo no porque los vea hermosos yo, ni porque estén bien inventados por su creador y sus evoluciones, sino sencillamente porque son todo lo que tengo. O más sencillamente todavía, porque son todo lo que soy.

»Por mis sentidos, que son puentes levadizos tendidos a este mundo, sé que no estoy sola ni lo estuve. Todos vivimos y respiramos el flujo y el reflujo del mundo natural: el ritmo de las estaciones, los sonidos, olores, tactos, retozos de la luz... Percibimos el sabor de los alimentos y el abrazo del amado, nuestra vitalidad y la tierra bajo los pies. A través de nosotros pasa un anhelo que nos podría llevar mas allá de lo que vemos; pero hay una parte de nuestro ser que, en el mundo de los sentidos y de los instintos, se halla seguramente en casa. Seguramente aquí y ahora, o sea, en el presente. La vida es el presente nada más, me parece. Hasta la eterna, de la que con tan poca precaución hablamos, sobre todo la eterna, es el presente puro. ¿Cómo vivir en el ayer? Sería una incipiente manera de morir. Por eso escribo estas líneas y me comprometo a transmitirme entre ellas.

»Mis días y mis noches de ayer me han traído hasta aquí igual que este rotulador trae estas líneas una a una. Ellos me hicieron como soy; pero quien vive es mi yo de hoy, este que escribe ahora sin saber para quién que no sea él mismo. Si viviesen los yoes que lo precedieron, estarían aún vigentes otras etapas del ya largo camino en que consisto. Dudo si se hace camino al andar o es el camino el que nos hace; sé que hay que renunciar al camino ya andado, nos sea fácil o no, yo creo que no. Hay que conceder amnistía total a las culpas y arrogancias pasadas, nuestras o de los otros; dejarse de lamentaciones y de resentimientos: no nos sirven de nada... Experiencia temible la de enfrentarnos con quien ayer amamos o con quien ayer fuimos, con la obstinada dicha que nos dieron y recibimos alocados en un presente que no existe más.

»Como tampoco existe el mañana. Si llego a ser, no sé cómo seré. Acaso hará sol como hoy; los cielos estarán profundos y radiantes; no se moverá ni una brizna de aire... No me importa lo que suceda cuando alguien, si lo hay, lea lo que hoy escribo. Siento, sí, la preocupación de que, quien sea, se desvíe hacia este instante, el mío de ahora: porque para él se habrá convertido ya en pasado y yo no existiré. Que lea mis palabras y las acepte como suyas entonces. Que se sienta él o ella, y respire y se abandone al presente en que lee, que para mí no será nada. Que mire por su balcón y contemple los cielos, la quietud o el revuelo de los aires, el reflejo de la vida; que sienta la ropa sobre su torso, sus muslos y sus piernas... La vida aquí no es más que lo que es, lo que está siendo: el resto son construcciones mentales, productos de nuestra memoria o de nuestra esperanza, y de nuestra desesperación o de nuestras ilusiones: válidos, pero efímeros. Vivir es un misterio del que participamos y del que somos: un misterio que sólo se realiza en cada *ahora* y en cada *aquí*. Que aprenda de mí, a quien tanto le costó aprender, el que me lea.»

Y añade unas páginas después:

«Si el sexo no sólo sirve para procrear —y en mi presente de ayer no podía servir—, ¿qué sentido iba yo a darle? O lo ponía al servicio del amor o se transformaba en un juego risueño y en una diversión. Yo amé a Diego Bastida como las madres deben de amar a su hijo; lo amé también como se ama al hombre que nos da el hijo. No buscaba yo cualquier gozo, sino uno humano y totalizador, que exigía el sentimiento y el compromiso plenos. A quien no lo comprenda, no se le puede imponer tal opción; a quien no haya querido nunca, por mucho que me lea, le será muy difícil captar esto que digo: tendría que hacer el previo aprendizaje del amor, que nunca se improvisa. Cuando yo me acerqué a Diego que se me acercaba, iba curtida en otras lides de amor que no son tan distintas como podría creerse.

»Pero el placer, sea el que sea, no incluye la felicidad, aunque sí viceversa. La felicidad no es la alegría, ni la risa común, ni la mutua satisfacción, ni siquiera el amor, a veces muy al contrario. La felicidad es lo opuesto a un proyecto: es lo menos programable que existe; posee más de rapto y de entusiasmo que de comprobación; se trata de una dádiva, no de una consecuencia. Es un trastorno transitorio, un tramo adolescente que puede darse en plena madurez. Es una participación repentina, no imperecedera, del ser entero, físico y espiritual. No consiste en cumplir los ideales de nuestra juventud, ni en una creación gozosa y exultante a la que raramente el cuerpo acompaña. Es una sensación palmaria y flagrante como la misma vida.

»Siempre me he preguntado, fuera o entre los brazos de Diego, si es la felicidad lo que el amor pretende. El amor físico proporciona —me proporcionó a mí— el bienestar del cuerpo y cierto olvido, en un estado de reposo y de serenidad. Me sentía invitada a sumergirme en el deleite entre una alegría acogedora y copartícipe, sin pasado ni futuro, al amparo de cualquier inquietud. Pero ese placer, por su naturaleza, es limitado y precario; te despierta de un sueño y te enseña tu propia frustración. En vez de ser un lugar de encuentro y de cita, puede ser un factor destructivo, mecánico, repetido y absurdo si no desemboca en otro placer de otra naturaleza. Corrí yo ese riesgo, pero no caí en él. Cuando volvía gozosa de los brazos de Diego, me tropezaba con Diego ya esperándome, fraternal, filial, cariñoso, entregado, permanente y recién aparecido, colmando mi corazón de dicha. Venía yo de hacer con él un ascenso apasionado, a oscuras, a ciegas, el ascenso ambiguo y complejo de la sexualidad, y desembocábamos juntos de nuevo, como antes, más que antes, en el ascenso liviano del amor...»

«Fue absolutamente de improviso. Como quien vuela en lo más alto, y un poder superior le retira las alas. Aquel día esperaba, para almorzar, a Diego. Lo que llegó fue la noticia de su muerte. Quise evitarla, ocultármela, no enterarme de ella, esquivar el dolor por un instante más: perdí el conocimiento. Pero al volver en mí, la noticia persistía. Un accidente... Visitaba la sexta planta del edificio que estaba construyendo... No sé, qué importa. La muerte, esa muerte, ¿quién podrá comprenderla? Sólo quien haya perdido a su amante en el ápice de su amor; sólo la madre que haya perdido a su hijo. Dicen que la vida se aclara y se entiende del todo cuando se está al borde de la muerte: no lo experimenté yo de esa manera. Anduve al borde de ella, sí, pero por torpeza y por desgracia mía no me morí... Dicen que la muerte nos hace a todos mucho más comprensivos;

no lo sé, quizá sí más callados. Yo no comprendí nada, no me resigné a nada. Quería sólo morir, pero no pude. ¿Qué hacía yo aquí sin Diego? Por él había dejado todo; ido él, me quedaba sin nada... Maldije, ya lo creo que maldije...

»De esto no quiero hablar, ni saber, ni escribir, ni recordar. A quien le haya ocurrido, ya lo sabe; a quien no le haya ocurrido, nada puede entender. Otra vez otra prueba de la inseparable unión de cuerpo y alma. Es un dolor de todo, una quema de todo, una cuchillada mortal de la que no te acabas de morir... Me decía a mí misma que no olvidara en las tinieblas lo que había visto en la luz; pero no me escuchaba, no me entendía, no quería entenderme. Sólo quería morir, y no morí... Aunque algo sí murió: mi tiempo con él se hizo pasado y él se lo llevó, y se quedó de mármol, duro y oneroso sobre mi corazón: igual que su cadáver, inasequible a toda clase de olvido, lo mismo que un hijo que no acabase nunca de nacer, sólo mío, no para el aire, no para la tierra, no para ojos ajenos, siempre mío sólo, intocable para el remordimiento... Y comprendí otra vez, ésta entre los vapores del dolor, que tanto se parecen a una embriaguez, que vivir no es vivir contra la muerte, que no es la muerte lo que da su sentido a la vida, y que, sin embargo, la muerte, es decir, el final (no, no, ahora menos que nunca el final), es lo que identifica todas las muchas formas de vida unas con otras... Y comprendí que la muerte no hace más que eliminar las lindes para aquel cuya vida sea una peregrinación del ser a través del amor: el minúsculo se diluye y regresa hasta el gran Uno... Lo comprendí, y de nada me sirvió. Porque lo que yo quería era morir, pero no me moría.

»Dicen que el dolor es el precio que se paga por avivar

el corazón. Puede que sea verdad; pero hay precios demasiado elevados. Tanto, que no me consolaba pensar que cada uno recibe sólo el dolor que es capaz de aguantar. Yo estaba aplastada por el mío, implorando la muerte, en el mismísimo confín de ella; no obstante, ella no tiraba de mí. ¿Cuál era, pues, el móvil de tanto sufrimiento? ¿Sólo abatir mi cuerpo y mi alma a la vez? Una voz me repetía que me escudara tras una perspectiva más amplia y más alta; que aguardara la nueva luz: ella me traería una visión más honda de la vida y de mí... Puede que fuera acertado, pero no estaba yo para razonamientos. Yo misma había conocido a cancerosos que, ante la inminencia de la muerte, sacaban una fuerza de sí que los hacía radiantes; había experimentado cómo el dolor es susceptible de transformarse en alegría. Pero esta vez no se trataba de mi muerte, sino de la muerte de la mejor parte de mí; ojalá mi otra parte la siguiera... No valen entrenamientos; no hay ensayos que valgan: nadie puede actuar de pronto como juez imparcial de su condena. La pérdida de Diego me hizo perder mi propio centro en una mezcla de sublevación, desastre, consternación y odio. Sí, de odio también. Porque no temí dejar de ser en absoluto, ni era capaz de buscar el sentido de lo que me ocurría, ni era capaz de darme por mí misma la muerte. Me convertí en una agonizante rezagada y estúpida.

»Y me dio por pensar que siempre falta algo, que algo se queda siempre sin hacer en nuestro sentir y en la pasión que nos estremeció. Algo —un último matiz, la caída de un párpado— que faltó entonces y falta hoy todavía. Y de ahí viene el cansancio. Porque hay quien ama lo imposible y hay quien desea lo infinito; pero quizá lo peor sea amar de modo imposible lo posible, o desear de modo infinito lo finito. Yo cometí en mi vida, si lo son, ambos errores sucesivamente. De ahí que entonces, cuando Diego murió, yo quisiera morir, o dormir al menos en mi penúltima almohada: quedarme y olvidarme, como en los brazos del amor. Y es que el cansancio mayor proviene de sumar todas las desilusiones que nos engañamos al creer ya olvidadas; de acumular todas las desesperanzas a las que cerramos los ojos para fingir que no existieron; de soportar el mundo sobre nuestros hombros, cuya fragilidad pretendimos desconocer. Fue el cansancio de todos los cansancios el que me sobrevino. El de caer en la cuenta de que nunca fui la que aspiré a ser, y el de haber dejado de intentarlo en los brazos de Diego. El cansancio que implica la resignación de cerrar las ventanas a las que se asomaba el sueño de la infancia y el impulso ciego que nos mantuvo, para nada, en pie. El cansancio por todos los esfuerzos que hice, y por los que estuvo en mis manos hacer. Y por aquellos a los que me negué. El cansancio de saber de antemano que no existiría un descanso posible, porque la muerte se retiraba y me dejaba...»

«En una mañana alguien, fuera, de pronto, pronunciaba a gritos mi nombre, y yo, enmimismada, tenía que salir al encuentro no sabía de qué, ni quién me lo ordenaba. Sobrepasada la mayor turbulencia, aguardaba con ilusión el descanso postrero; fue entonces cuando sobrevino el cansancio más grande que ninguno que me haya sido dado suponer. Sucedió como con los venenos contra los que no cabe mitridatismo alguno, porque sus dosis van acumulándose hasta que acaban con nosotros sin matarnos. Yo llevaba luto por mí misma, y giré la cara contra el muro, y me resistí a seguir fingiendo que era la buena enferma, la buena moribunda, la buena samaritana... Pero quien gritaba por la calle mi nombre no dejó de gritarlo. Y quien podía puso entre mis manos unos versos de un sufí ejecutado en Bagdad, acusado de herejía, a principios del siglo XII: "Comeré y beberé, mientras viva, / el dolor de amarte, / y no entregaré a nadie este dolor / cuando me muera. / Mañana, en el día de la resurrección, / caminaré con tan ardiente sed / todavía en mi boca."

»Fue entonces cuando, olvidándome, salí en busca de quien gritaba... Y vi el rostro del otro, del otro ser humano, que, como yo, sufría: el infinitamente débil, el infinitamente expuesto, el infinitamente solo y desnudo. Y escuché su llamada no fuera, sino dentro de mí. "No puedo dejar morir a otro más solo; no, no más la soledad de la muerte. Que el otro no se ocupe de mí ni de los demás no me afecta: yo no puedo desentenderme de ese otro, que son todos, ni negarlo... Aquí estoy, mándame. Soy responsable de cualquiera, aunque haya vivido una vida criminal o vulgar o que no me ataña: sobre todo, si ha vivido esa vida. Soy responsable de la defensa de todo amenazado, de todo condenado a muerte, o sea, de todo semejante..." Vi, como en un relámpago, que los hombres son todos responsables unos de otros; pero yo más que nadie, puesto que no moría en esa amarga prórroga. Dios no está en ningún sitio más que en el rostro del otro que gritaba, sin saberlo, mi nombre. En mi relación con él se encuentra la palabra de Dios. Dios es el otro. No hay más que eso. No hay más que eso. La voz me reclamaba para vivir, cada día, la fraternidad más inmediata. Y únicamente ella puede salvar el mundo.»

Fue entonces cuando Clara solicitó entrar como mujer de la limpieza en este asilo de San Isidro, y cuando se mudó al malfamado y hundido barrio de San Blas. No mucho tiempo antes de que, en su vida, apareciera Gabriel Sánchez. Pero ¿quién era ese Gabriel?

Se acercaba la Navidad. El estado de Clara no era esperanzador. Su compañera de alcoba, María, fue trasladada a la planta de paliativos, y la dirección decidió no cubrir su plaza hasta pasadas las fiestas. Yo dispuse, con ese pretexto, de unas favorables circunstancias para hablar y escuchar a Clara Ribalta. Ella no tenía una opinión muy propicia a la celebración habitual de las Navidades, y me interesaba saber por qué. Escribo aquí, de un tirón, lo que ella me comunicó en diversas sesiones.

Quizá no hay ninguna fiesta menos privada y menos doméstica que la Navidad. Por eso quizá sea la más desvirtuada y más marchita. En ella nace Dios, y entonan los ángeles himnos de paz para los hombres buenos, y los pastores se alborozan sin saber bien por qué, y se transmiten su calor, y arriban reyes de tierras remotas guiados por un astro... Aquí nadie cierra las puertas más que el dueño del mesón. Todo sucede a la intemperie, entre el frío general, el desvalimiento común y la alegría contagiosa. El deseo más antiguo de la humanidad, ser como dioses, se cumple. Dios es ya hombre. Se hizo carne mortal: el descenso de Dios equivale al ascenso del hombre. Va a habitar con nosotros, sobre los muertos de todos, alentando la esperanza de todos, nacido de una muchacha virgen... ¿Quién le ha puesto mordazas a esta fiesta tan pública, quién le ha puesto barreras, valladares, precauciones? ¿Por qué se esconde cada familia a celebrarla, igual que si temiera que los pobres le arrebataran su pavo, su besugo y su turrón? Somos todos como las bombillitas del árbol: él, exiliado del bosque, y nosotros, de la divinidad. ¿Qué hacen las bombillitas en mitad del incendio voraz de amor que la Navidad es?

No; no se trata de una fiestecita privada. No hay más que una familia, la grande, que introdujo su cuña en el tronco de Dios. Este acontecimiento no se pensó para empequeñecerlo. El hombre imagina el misterio, lo recibe como un don palpitante; pero luego, para sentirse cómodo y convivir con él a gusto, lo desvirtúa en un juguete; un espejuelo que reverbera con el sol... Qué asco. No nos sirve el misterio y su celebración para caer en la cuenta de que todos somos un solo ser, y a cada niño, como aquel Niño, se le da la vida para que la viva en el más puro gozo y en el más grande amor. No nos sirve para que quienes consiguen que otros aborrezcan la vida y sufran y odien, para que quienes encarcelan y torturan y matan no descansen en la promesa de los ángeles, ni reciban el vaho del establo, ni los presentes de los pastores, ni los regalos un poco inútiles de los Reyes Magos...

«Hemos hecho una Navidad de misa y olla, encapullada por la desconfianza. Dando gritos hay que salir a las calles, a las plazas, a secar la sangre de los campos de batalla, a secar las lágrimas de las madres sin leche, de los niños sin padre, de los viejecillos extraviados... Fuera paredes, cerrojos, cortinas, egoísmos. Con una Navidad bien celebrada sería suficiente. Pero tenemos miedo, y el miedo inspira miedo... Una limosna tirada desde arriba bastará. Bastará el beso para los íntimos; para los que se adormecen a nuestro alrededor con la calefacción y el alcohol y la cena... Todo es mentira aquí. Hemos dejado por embustero a Dios, en ridículo a Dios. Él marró el golpe; se excedieron los ángeles; se equivocaron los pastores; eran locos los magos... Se trata de una reunión íntima, a la que la inmensa mayoría no es llamada. En ella se humedecen los ojos de los ególatras; se miran unos a otros los cómplices cobardes; se guiña a Dios para darle las gracias porque no nos hizo pobres, ni violentos, ni incorruptibles como los que se arriesgan buscando la justicia... Aborrezco esta forma de Navidad.

»Yo, en estos días, no tengo sitio en mi corazón para ninguno de ésos: los felices, los disfrazados, los afectuosos correspondidos, los que esperan a sus afines detrás de los cristales, los que sienten la paz y la gloria cercarles como un halo las cabezas en recompensa por su buena voluntad... Ellos ya tienen lo que pretendían: a Dios comprado de su parte, editado su evangelio en cómodas ediciones de bolsillo, manejables y pagaderas a plazos... En mi corazón sólo guardo sitio para los solitarios, para los que la ruidosa felicidad exterior, conformista y suavona, les reabre las heridas. Sitio para los huérfanos; para los padres que han perdido un hijo que les parecía eterno, como a mí me lo pareció el mío; para los viudos que, hasta hace poco, le llamaron imbécil a quien más querían en el mundo; para los separados que aún viven en la duda de si hicieron bien en separarse; para los amantes que han dejado de serlo y miran todavía un cepillo de dientes junto al suyo; para quienes, en su casa, albergan un enfermo o un agonizante que amortizan los ruidos de bambolla y jarana; para los que ni siquiera saben que ha llegado la Navidad...

»Y para los que no tienen qué comer ni qué beber, desde luego que guardo un sitio en mi corazón, el más grande; pero también para los que han perdido las ganas de comer y beber. Porque para ellos, y los presos por cualquier causa, y los que nada pueden ya perder, y los viejos que lo dieron todo, es para quien se inventó la Navidad. La fiesta de una vida que empieza y trata de un amor sobre los otros: el que ha de tenerse a los demás porque son nosotros mismos, y el que junta lo natural y lo sobrenatural, para hablar de la vida que nace, como siempre, en los umbrales del invierno. No jubilosa, no musical, no sonora, sino desnuda, de puntillas, inadvertida, invisible. Porque los rechazados por el mesonero fueron los protagonistas de la Navidad, que no está en la posada de Belén sino en el establo de Belén. Los bienaposentados sigan cantando y bebiendo en la posada. La Navidad se hace para los otros, junto a la mula y el buey y la duda en los ojos de José y el impresionante misterio de la vida... Pienso y guardo en mi corazón un asiento para los desolados, para los no admitidos, para los abatidos y crispados por la mano sombría, para los que han visto sobre ellos los ojos fijos y negros de la soledad. Porque ellos son, en estos días más que en los otros, mis hermanos.»

—Como todos los años, vendrá Gabriel —me advirtió con un ascua en los ojos.

No tardé mucho en enterarme de quién era.

Había nacido en un pueblo soñoliento y muy blanco de la provincia de Jaén, rodeado de olivos y asediado por el paro y el hambre. Era el mayor de cinco hermanos. Sus padres decidieron emigrar, dejando atrás cuanto fue lo más suyo, lo único suyo: su clima, su paisaje, su forma de enfrentarse con la vida y la muerte. Se separaron de su tierra con el dolor con que se separa la uña de la carne. La añoranza de la tierra amada tiene, en otros lugares, nombres rumorosos y entristecidos: magua o morriña, por ejemplo; en andaluz no tiene nombre: es demasiado grande para dárselo. Porque quizá sean los andaluces los que más se desmorecen cuando extrañan su congénito patrimonio: el aire perfumado, la tibieza de las tardes, la brisa azul de las mañanas, la soleada y ocurrente conversación con los vecinos cuando la luz se va, en las puertas de las casas, sentados en sillas de anea sobre las aceras, o al pie del mostrador de una taberna umbría... Emigraron a Cataluña el matrimonio y los cinco hijos: los cinco con los ojos de color aceituna: verdosos, unos; otros, negros como las moras. Gabriel tenía los ojos verde claro y llegó a su nuevo destino a los catorce años.

El padre encontró un trabajo poco retribuido, pero trabajo al fin, en un pueblo industrioso a la orilla del río Llobregat. La satisfacción que le produjo se contrarrestaba con las ausencias y las dificultades que ocasionaba sacar adelante a toda la familia. La vuelta a casa desde el trabajo no era como la había soñado. La mujer, acoquinada y alterada, huraña, incapaz de comunicarse con la gente de alrededor, humillada incluso por ella, agotada de bregar con los chicos, que reflejaban, como en un espejo, su nerviosismo, y que difícilmente se resignaban a la superficie del pequeño piso frío, amueblado con las pocas pertenencias que trajeron en cuatro maletas de madera que hacían ahora de mesas y de camas, acostumbrados a corretear libres por el abierto ejido de su pueblo del sur...

Todo fue de mal en peor. «Como si nos hubiera mirado un tuerto», solía decir la madre hablando entre sí, porque a nadie tenía que la escuchase. Una vieja lesión pulmonar del padre se agravó con la clase de trabajo textil en que afanaba. Las horas extraordinarias eran agujeros supletorios por el que la salud se le escapaba. La falta de alimentos indicados, la falta del descanso que le recomendó el médico, hicieron lo demás. El padre de Gabriel murió once meses después de haber desembarcado en Cataluña. Gabriel tenía entonces quince años. Lo único que heredó fue el puntiagudo y engorroso título de cabeza de familia.

Al principio quiso ayudar como podía a su madre y a sus cuatro hermanos; pero el futuro había llamado a su puerta demasiado pronto. A pesar de ello, Gabriel le abrió y se encaró a él con las armas que tenía más a mano: la rebeldía, el rencor, el resentimiento de una adolescencia pisoteada, y la responsabilidad agobiante que se había desplomado sobre sus hombros. Desempeñó, mal que bien, un trabajo de botones en la sucursal de un banco. Fue despedido por una pequeña sisa a una antigua clienta. Y ya se despeñó su castillo de naipes, con los que no había aprendido a jugar. La madre quiso que volviese al colegio, pero él se negó, empeñado en mantener a los suyos: tenía edad más que suficiente para no volver con sus hermanos a la escuela. La madre cosía un poco para las vecinas, repasaba su ropa, planchaba, y se desmoronaba día a día. Gabriel descubrió una forma de apañar unos miles de pesetas: atracando gasolineras a deshora, o dando tirones en las bullas: las iglesias y las fiestas eran su principal campo de acción. No se trataba de lo que él había soñado, pero no dejaba de ser una salida. La madre se abstenía de preguntar por la procedencia del dinero. Si alguna vez lo hizo, fue sin esperar una respuesta terminante, más, deseando no oír respuesta alguna. Suspiró, se colocó bien los pechos de viuda joven debajo de la bata, y continuó, con otro suspiro, su trabajo.

Gabriel era muy parecido a lo que un pintor renacentista habría imaginado como el arcángel de su nombre: el pelo rubio veneciano, los ojos verdes, las facciones tan netas que daba la impresión de faltarle alguna en la cara: una cara adornada de pestañas negras y largas, ojos rasgados, nariz recta y boca de labios prominentes. Había algo de delicadeza femenina en el óvalo de su rostro, en la suavidad y el dorado de su piel, en los hoyuelos que provocaban su risa y su sonrisa. Ese físico le ayudó en el comienzo de su mala carrera. Era improbable que nadie sospechase, a primera vista, de un muchacho de aspecto tan virginal y atractivo como el suyo. La impunidad fomentó su ambición y se atrevió a atracos no muy grandes aún, pero mayores cada día. Robó en tiendas al por mayor; robó en farmacias; robó en supermercados; siguió robando de madrugada en las gasolineras... Y comenzó a ingresar en la cárcel una vez y otra vez. A la primera, la impresión que le produjo verse preso le hizo recapacitar; su abstención, sin embargo, duró poco. Reincidió a las dos semanas. Y ya se abandonó, acreditándose como ratero excelente y carne de penal.

Por fin, planeó un atraco en aquel primer banco que

había conocido. Se cubrió la cara, y fue armado y con un compañero de embrollos y fracasos. Tenía unos averiados y relucientes dieciocho años. La mañana de abril era clara sobre el pueblo laborioso y aprensivo. Entró Gabriel en la sucursal pisando fuerte y gritando que aquello era un atraco, con la naturalidad que proporcionan muchas horas de televisión y algún año de ensayo. Todo salió a pedir de boca. Dentro del coche en marcha le esperaba su cómplice. El botín no era grande, pero suficiente para engalanar la luminosidad de la mañana y para reverdecer las esperanzas del joven malhechor. Alguien, sin embargo, en las oficinas del banco, debió de identificar la esbeltez de Gabriel o la maltratada elegancia de sus manos desnudas. Hubo un control rutinario de vehículos, o eso pensaba él, y la policía, que muy probablemente buscaba algo de más enjundia, detuvo el coche y a sus dos ocupantes una vez descubiertos el arma y el botín debajo del asiento. Los dos fueron a parar a la trena. La reincidencia era muy numerosa; el atraco a mano armada, evidente; la defensa, de oficio y desmayada; la intención de dar una lección sonora, irresistible. Fue condenado a diez años. Pasado alguno, lo único que recordaba de todo aquello era que, durante el control, rezó con todo su cuerpo y toda su alma una salve. De momento no le sirvió de nada. Ya no volvió a rezar. Ya estaba solo.

De los diez años de encierro, ¿qué destacar? Fue violado; provocó grescas y sangrantes contiendas entre los cabecillas que se distribuían el cotarro, el cuerpo de los jóvenes y la distribución del mercado de drogas. No resignado, pero hábil en reconocer la hora de la derrota, Gabriel supo esperar. No tardó en hacerse con ciertas potestades: en un primer momento, como omnipotencia suplicante; poco a poco, en su propio nombre. Sus sueños de vida fácil habían sido abolidos, acaso para siempre; las relaciones con su familia, truncadas, porque la madre no tenía medios para ayudarle, ni tiempo para acudir a las visitas, ni ganas de que el mal ejemplo dado por el mayor contaminase a los demás hermanos. Se vio profesionalmente consagrado como delincuente y como recluso. Diez años, para un muchacho de dieciocho, son más de media vida: son la vida entera. El asco que empezó a sentir por todo, la permanente ira, el ansia de venganza, la vergüenza de verse usado como una prostituta, acabaron con todas las defensas que pudiera tener. Y fue a Roma por todo. En lugar de mantener, aunque fuese aparente, una buena conducta que redujera su condena, se lanzó de hoz y coz a la contestación, a la indisciplina, a las reivindicaciones mal enfocadas y al pacto con los peores veteranos. Él calificaba su actitud de reclamación de sus derechos, de los derechos de la población reclusa entera. Tal postura mesiánica era lo único que lo mantenía con una partícula de fe en sí mismo aún. De una parte, esa generosidad; de otra, el apoyo de los cochambrosos adalides, lo sostuvieron sin que se anudara al cuello una sábana hecha tiras y terminara de una vez con su historia.

Diez años, recomenzando en otras el calvario de la primera penitenciaría. En cada ocasión con más amargura, con menos crédito en los otros y en lo que él creía, con peor sabor de boca, naufragada del todo la esperanza, indiferente a los alivios de la droga, y más a flor de piel la insubordinación, el plante, la majeza, la continua sublevación y la desobediencia sistemática. Viajó de una celda de castigo a otra; de una cárcel a otra de mayor seguridad: de la Modelo a Logroño, de Logroño a Ocaña, de Ocaña al Puerto de Santa María. Y en todas se reiniciaba el proceso de enfrentarse a todos y a todo: a los colegas en principio, a los funcionarios luego. Y bajo su nombre, el calificativo de irreductible le abría las puertas de los peores calabozos y le cerraba todas las demás. Dejó de escribir a su casa porque se hartó de contar sólo penas o mentir; dejó de recibir cartas de su familia, ocupada en sobrevivir y en olvidarlo. Escribía, eso sí, en papeles sustraídos de las oficinas, palabras y palabras sobre la libertad que tan poco había conocido. Quedó finalista en un concurso de Poesía en la Cárcel, y a una periodista gaditana, no muy sagaz, que le preguntaba para su diario cómo puede encontrarse la poesía enchironada, le contestó:

—Es que está en uno, dentro de uno. Lo escolta donde vaya, y la encierran con uno y la atarazan al mismo tiempo que a uno. No se queda a la entrada con los cordones de los zapatos, el cortaúñas, las gafas y esas cosas... —Y con una nueva altivez continuó—: Un poeta no sólo riega rosas y contempla las yeguas blancas de la luna. A veces el poeta roba; a veces, ama; a veces, llora; a veces, mata. La poesía es el butrón por el que se escapa de cualquier cárcel: la única evasión. —Lo decía muy convencido, después de su desastrosa experiencia.

—Pero ¿cómo se puede hablar de libertad entre rejas? —insistió la torpe periodista.

—Entre rejas, tú qué crees, ¿de qué otra cosa puede hablarse?

Y allí siguió él, el poeta desobediente con su musa insumisa, entre los que mañana volverán a delinquir por las bravas, los que han sido o serán asesinos, o reincidirán en ser violadores de niñas en flor; entre los camellos y los testaferros; entre los que se libran, de un costoso timonazo, de sus tinieblas interiores, y los que se adentrarán definitivamente en ellas. Esperando a los nuevos que llegan sin cesar; abrazando a los que comparecen unos meses después de despedidos, encadenados para siempre por eslabones de incomprensión, de falta de empleo, de propiedad privada y de desánimo; despidiéndose de los trasladados; envidiando a los que salen a los cielos de fuera casi olvidados ya.

Pasados con insoportable morosidad los diez años, en los que Gabriel se vio obligado, para no decepcionar a su propio personaje, a mantener el tipo de rebelión, de contumacia e ingobernabilidad; después de diez años, hora por hora, apurando el vaso de la soledad y la repulsión hasta el fondo; después de diez años de no sólo no habituarse a lo que a su alrededor había, sino de imponerse la obligación principal de no habituarse; después de diez años de marginalidad absoluta, cuando Gabriel salió a la calle se manifestó a sí mismo su propósito de integración. Pero, después de diez años, el que entró en la cárcel con principios y hasta con ideales, salía desnudo de ellos y sombríamente vengativo sin saber contra qué.

Dejó por segunda vez su Andalucía, marinera ésta y no campesina, y fue a instalarse, si se puede llamar así a lo que hizo, en Madrid, que siempre le había seducido como ciudad en la que es posible la adopción y la hospitalidad, opinión confirmada por sus colegas. Los cuales agregaban que, si la acogida no se daba bien, cabía en Madrid asimismo mejor que en otra parte el ejercicio de la truhanería. Pero no era de ella de lo que llegó Gabriel deseoso al barrio de San Blas, sino porque era el de San Blas del único barrio del que tenía referencias. Había sido testigo de demasiados reincidentes, de demasiados devueltos al horror de la celda, de demasiados desesperados. Él, nada tonto, intuía la existencia de una rampa de degradación por la que, con excesiva facilidad, se resbalaba a lo más profundo, y de la que sólo un titánico esfuerzo contra sí mismo y contra el entorno era susceptible de librarlo. Aspiraba a sentirse libre en todo el enorme sentido de la palabra: libre de sus cadenas, y entre los hombres libres; libre para olvidar sus acciones y sus penalidades, pero también la incorregibilidad que lo había introducido en las tinieblas: por ir contra el sistema fue condenado; por ir contra las estructuras internas fue mantenido más años de los que, de adaptarse, le habrían correspondido.

Ahora, recién nacido en un día gris y lluvioso y sucio, con veintiocho años y el corazón lleno, a su pesar, de violencia y de sueños frustrados; con la mente llena de quejas contra una sociedad, reinsertarse en la cual no se enseña en las cárceles, sino muy al contrario; preguntándose por qué ha permanecido tanto en una fábrica de delincuentes, fuera del mundo cuyo suelo pisa hoy sin haber aprendido ni un solo procedimiento para entrar en él, Gabriel no habría querido saber nada del pasado, no preguntarse nada, sentir nada más la energía vital que le quedaba aún, que le sobraba aún, que le conmovía aún viéndose, sin haber renunciado a sus ingenuas aspiraciones carcelarias, libre de rejas. A pesar de la lluvia tamizada, del cielo bajo y pardo, de las calles lodosas.

Tardó muy poco en darse cuenta de que, el recibimiento que la prisión externa de hombres libres le hacía, le empujaba a su perpetua postura de asco y al hoyo de su marginación. Tardó muy poco en cuestionarse para qué se había librado de un lugar donde, durante diez años, se cuestionó qué hacía en él. La competitividad, la deshonestidad de los colegas, la ausencia de apoyo, sobrecogieron a Gabriel. Siempre creyó que los más pobres, por el hecho de serlo, guardarían un tipo de fraternidad entre ellos, aunque sólo fuese por el egoísmo de hacerse espaldas los unos a los otros. No era así. Y Gabriel entonces se dispuso a declarar la guerra otra vez a un miserable entorno que lo rechazaba. Ahora era un hombre de dientes de lobo, bien implantados en las encías y bien dispuestos a morder. Se le habían ensombrecido los ojos, le engrosaron las cejas, el pelo cortado a trasquilones le daba un aspecto de descuido y de amenaza. Era, en cualquier caso, un hombre guapo, fuerte, de poderosas manos y con un leve tinte siniestro que a mucha gente podría resultar subyugante. El hecho, conocido en seguida, de haber salido de una larga temporada a la sombra no coadyuvaba a hacer buenos amigos, ni a suavizar las cautelas que suscitaba su presencia. Los primeros que se le acercaron fueron los pequeños camellos, los que vivían las mismas peripecias que vivió él antes de su encarcelamiento, y los que, por azar, estaban exentos de alguna o algunas condenas anteriores.

Pasados un par de meses en que Gabriel sobrevivió sin saber cómo, la tentación de vincularse a alguien que conociese las *ofertas* de la capital fue indominable. Respiró la derrota, la afrenta reprimida, las tensiones que retorcían por dentro a aquella gente libre, su desalmada rivalidad, su ausencia de escrúpulos, su agresividad desatada en el trabajo y fuera de él. Lo decepcionó la injusticia, cuyo amargor ya conocía, la presión ambiental, la indecible falta de oportunidades con que un excarcelado se tropieza. ¿Éstos eran los hombres a quienes había envidiado tanto tiempo? ¿Era ésta la ciudad con la que había soñado? ¿Ésta la situación a la que él anhelaba incorporarse como miembro domado de una sociedad indomable? El barrio que creyó que iba a ser su aliado se manifestó como enemigo; la sociedad, que tenía que arroparlo como a un convaleciente, le escupía su menosprecio en pleno rostro. Los ahogos por la supervivencia le dieron el mínimo empellón que le era necesario. Una tarde de febrero aguardaba, delante de una mojada y no muy limpia barra, a unos conocidos que le habían hecho una propuesta no muy limpia tampoco.

Sería ardua tarea averiguar por qué misteriosos senderos, antes de que llegaran los cómplices, llegó Clara a aquel bar.

Hacía frío; se levantó una niebla húmeda, y la escasa luz del día que aún quedaba fue retrocediendo, acosada por la aspereza de la calle polvorienta. Clara, que trabajaba ya en el asilo, se había visto forzada a dejar el apartamento que compartió con Diego, tanto por la cortedad de sus recursos como por la opresora carga de sus recuerdos, y había alquilado un par de habitaciones en aquella barriada. Durante las no muchas horas que pasaba allí, se entregó al trato con sus humildísimos habitantes como una más de ellos, como una más de los miserables, de los expulsados, de los drogadictos, de los delincuentes. Uno, de ojo avizor, que conoció dónde y por qué trabajaba, le había dicho un día:

—Tú podrías vivir tranquila con tu gente, y vienes aquí con la escoria que somos. Nosotros no tenemos elección, ni tenemos dónde ir. Tú has elegido esto porque quieres, y también porque nos quieres, me parece... Tú eres una tía grande. Sin embargo, aquí no hay gente muy agradable ni muy agradecida: ¿cómo te las arreglas para tener paciencia y buen humor? Aquí te las compones tú, sin ningún preferido y también sin ningún enemigo, eso es verdad... ¿Por qué?

Clara, que sabía la causa, se había echado a reír y se dejó convidar a un café.

Para tomar otro entró en aquel bar aquella tarde, casi noche ya. Al atravesar la puerta, lo primero que vio fueron los ojos alucinados de Gabriel: la deslumbraron y la desconcertaron a la vez. Se sintió atraída por él sin que ni remotamente adivinara la razón. Vio a una criatura al borde de un abismo. Oyó una petición muda de socorro, inaudible incluso para quien la emitía. Se acercó a él. El dueño de la cafetería, o lo que fuera aquello, los presentó a su modo:

—Es Gabriel, un cliente. Esta señora es la Virgen del barrio. —No había ironía alguna en su voz, pero el joven se fijó en la mujer, mayor y todavía guapa de una especial manera, y la palabra virgen lo llevó a imaginar lo que no era verdad.

—Gabriel, como el ángel de la Anunciación. Yo me llamo Clara.

—Clara, como la cerveza con gaseosa —dijo Gabriel provocando la risa del dueño y la de la recién llegada.

Se estrecharon las manos. Clara ratificó su primera impresión. Tocaba, podía tocarse, la tirantez del muchacho. Como se podía tocar lo que latía debajo de la máscara ácida, muy por debajo, escondido, prácticamente anulado por la escombrera o el vertedero que se advertían. Clara presintió un peligro inminente. Era preciso echarle una mano. Y se la echó.

—Encantada de conocerte. ¿Tú vives en San Blas?

—Vivir, vivir... —dijo el muchacho con su tono más escéptico.

—Estás parado. —Gabriel afirmó con la cabeza—. ¿Tienes familia? —Negó esta vez—. ¿En casa de quién andas?

—Le ha dejado una habitación *el Gordi* —comentó el dueño.

El Gordi era un drogata minorista, un hombre para lo que se terciase. Clara lo conocía, y vio allí la llamada de atención.

—¿Quieres subir conmigo? Te ofrezco un vino tinto. Mi casa está ahí arriba.

—¿No podría invitarme aquí?

—Arriba es preferible.

Era un piso pequeño. «De dos ambientes», había dicho la casera. También Gabriel estaba interesado en aquella mujer, delgada y alta, con ojos de un azul brillante y claro, que casaba tan mal en aquel ámbito, que lo miraba con una intensidad casi acusadora. Sintió curiosidad y, habituado a lo sucio, malinterpretó la invitación de Clara. Hizo un gesto con las dos manos abiertas y, encogiéndose de hombros, se dispuso a seguirla.

—Si preguntan por mí —le dijo al dueño—, que ya estuve esperando y que no tardo.

Subieron a la tercera planta, donde Clara vivía. Le ofreció asiento en una de las dos modestas butacas, que tenían una mesita en medio. Sirvió un vino y unos cacahuetes, y se sentó casi enfrente de él.

—Hay días en que uno necesita un amigo, ¿no es verdad, Gabriel?

Gabriel, sin más trámites, se levantó, se acercó a Clara, se inclinó sobre ella y trató de besarla. Algo, no mucho desde luego, le daría aquella mujer. Clara apartó la cara sonriendo.

—No así, no así... Me refiero a otra clase de amistad. Siéntate y tómate ese vaso.

Gabriel se sintió confundido y un poco ridículo. Ignoraba qué pretendía aquella señora de él. Era imposible que cayese en la cuenta de que no pretendía nada; de que, al contrario, se le ofrecía de verdad como amiga.

—Me gustaría ayudarte. Me ha parecido que pedías ayuda o la esperabas. Debe de hacer mucho que nadie se pone de tu lado.

—Acabo de estar diez años en la cárcel. He salido hace sólo dos meses. Me han parecido siglos. —La voz de Gabriel era sombría y sus ojos se habían vuelto casi negros.

—Te han parecido siglos los meses más aún que los años... Lo comprendo. No has encontrado lo que buscabas. La libertad...

—La libertad no existe —bramó Gabriel.

—Sí existe, pero hay que conquistarla. Se puede ser libre en una cárcel, y, fuera de ella, sentirse más preso... En el fondo, todos los seres humanos somos uno. Lo mismo que las hojas de un árbol: cada una puede creer que es distinta, autónoma, independiente. Y pueden creerlo también la raíz y cada rama y el tronco... Todos juntos forman eso que vemos y que se llama un árbol. Decir: hay gente buena y hay ladrones, hay gente honrada y asesinos, es equivocarse. En un momento el árbol deja caer las hojas, amarillean y se pierden. Cada uno defiende lo suyo, su individualidad: yo, tú, él. Nos vemos tan de cerca, porque somos miopes, que nos parecemos descargados de la solidaridad con los otros; si nos alejáramos un poco, descubriríamos que todos somos uno, todos un árbol. Igual que el cuerpo que tiene manos, pies, corazón y cabeza, y ninguno de ellos se atrevería a pedir la emancipación. Si duele la uña de un dedo meñique, por pequeña que sea, le duele al cuerpo entero; si una mano es violenta o roba o mata, lo hace todo el cuerpo... ¿Te estoy dando la lata? Bebe otro vaso.

Gabriel la observaba intentando recordar a alguien que le hubiese hablado así en su vida. Observaba la suave sonrisa que alargaba los labios de la mujer y descubría los dientes tan blancos, las manos casi inmóviles, las cejas alzadas como en una permanente sorpresa, y los ojos celestes que se metían por los suyos y lo dejaban indefenso. Gabriel negó una vez más con la cabeza.

—Quería reinsertarme —dijo con una voz casi inaudible.

—Y has resistido estos dos meses.

—Hoy iba a dejar de resistirme, esta noche...

No había cortinas en la habitación. La noche, fuera, brumosa, acechaba golpeando con su negrura los cristales.

—Quédate aquí. No necesitarás pagarle nada al *Gordi.* Quiero decir que quizá pretendiera cobrarse de algún modo...

Gabriel dedujo que ella comprendía. Que aquel ser, blanco y poderoso, a su nivel y al tiempo tan arriba, respetable y afectivo y sabio, comprendía. Que comprendía su manera de ser, su orgullo, su pesadumbre, su gana de tirarlo todo por la borda, su inermidad y el riesgo que suponía, su enrevesada tristeza y la amenaza, para los otros y él mismo, que tanta decepción acarreaba...

—Me tengo miedo —susurró Gabriel.

—Yo no te tengo miedo. —Clara sonrió, se puso en pie, le rozó un hombro con la mano al pasar—. Voy a preparar un poquito de cena. Tendremos que inventar algo, porque siempre ando escasa.

Aquel ser sabio, providente, adivino, se metió en una cocinilla con una ventanita que daba a un patio diminuto; abrió un pequeño armario y sacó un par de huevos y unas patatas, y puso encima de uno de los dos fuegos una sartén minúscula. Gabriel la veía ir y venir desde la butaca de tapicería muy desgastada, y entendió de repente la expresión del amo de la tasca: «Es la Virgen del barrio.» Se levantó muy despacio. Se acercó a la cocina. Cogió la sartén de las manos de Clara.

—Déjelo. Yo lo haré.

Luego dejó la sartén en donde pudo, y se echó a llorar como si no hubiese llorado nunca, como si se hubiese olvidado hace mucho de llorar, y, de improviso, lo recordase a la perfección.

—No te preocupes, se va a resolver todo, ya lo verás. Pero el mundo seguirá envenenado.

Gabriel había tenido en las cárceles mucho tiempo para pensar. Su inteligencia procuraba ocultar su sensibilidad. Cuando notó que con Clara no hacía falta ocultarla, y además sería inútil hacerlo, se abandonó. Unos días después, cuando ella, a la que todos respetaban, le buscó un puesto de repartidor de gaseosas, se descubrió Gabriel pensando en ella de una manera que no acababa de interpretar. Era como una madre, pero no era una madre. La echaba de menos durante la jornada, hasta que coincidían los dos en la habitación, de la que le dio una llave desde el primer momento. Esa total ausencia de desconfianza, unida al esplendor de sus ojos, la amistad ofrecida y la distancia que nada subrayaba, la sonrisa interminable y la voz acariciadora hablando de lo que nunca se habla, todo llevaba a Gabriel a un amoroso estado de templanza y de placidez, de expectativa y de un hondo deseo de poseer y de compartir el atractivo secreto de Clara, como un niño al que se muestra la puerta de una habitación donde no debe entrar. Ambos se contaban lo que hacían durante el trabajo, las mínimas anécdotas del conductor de una furgoneta en Madrid y de la limpiadora de una casa de ancianos. Se sonreían y se reían juntos. Los dos estaban convencidos de que el otro servía para mucho más.

Clara obtuvo las confidencias de Gabriel. Supo que tenía una familia; investigó su dirección en Cataluña. Desde allí le comunicaron que había regresado a su pueblo de origen. Consiguió que el muchacho escribiera a su madre. Estaba sola: un hermano había muerto, otro se había casado, los dos restantes emigraron a Holanda.

Despacio, Gabriel fue ascendiendo hasta situarse entre los administrativos de la empresa. Llegó un día en que pudo mandar algo de dinero a su madre; en que se presentaba en la casa con pequeños regalos que Clara se vio obligada a prohibir.

—Ahorra lo que puedas Gabriel. Pronto formarás tu propia familia y deberás ahorrar para ella.

—Yo ya tengo con usted la familia que quiero.

Clara sonreía y callaba. Llegaba cada vez más cansada. Y era Gabriel, cada vez más, quien se ocupaba de todo con una desusada ternura que a él mismo sorprendía y cuya fuente no había descubierto hasta entonces. Clara se encontraba una flor en su mesilla de noche, y la cena preparada, y el concierto de Rachmaninov, en el nuevo tocadiscos que sustituyó al anacrónico de antes, listo para sonar cuando ella entrara. Gabriel le había contado su atormentada vida; sin embargo, desconocía la de ella, a la que veneraba con una devoción encendida y entrañable, callada e íntima, pero siempre creciente.

Sólo le lastimaba una sombra: que Clara se dedicara tanto a otra gente del barrio; que la obsequiase con los regalillos que él le llevaba; que tuviese siempre su puerta abierta a todos: a todos igual que a él. ¿Qué era aquel sentimiento que se recreaba en alcanzar una consagración exclusiva, lo mismo que la que él le concedía a ella?

Un día le propuso cambiar de casa, irse a otro barrio más tranquilo: él ya ganaba bastante para eso.

—Para ocuparse de los pobres, de los más pobres —le respondió Clara sin insistir, como si pensase en otra cosa—, hay que ir junto a ellos, hay que vivir su vida. Y desde arriba no se les ve tal cual son. No es sonrisas y buenas palabras lo que ellos necesitan, o no sólo eso, sino que se haga lo mejor en cada instante. Hay que saber en dónde está el verdadero pobre, porque hay que optar por la verdad más que por él.

La pobreza no es un estado de infelicidad sino de injusticia: acuérdate de ti. Es preciso ver a las personas como lo que son, como inocentes; si no, no sabremos amarlas en justicia... Jesús no rechazó a los malos, porque los entendía: rechazó a los hipócritas, que eran crueles con los débiles. O acaso ni a ellos, sino a su conducta, y se lo echaba en cara para que despertasen.

Gabriel, como siempre que le hablaba, se bebió sus palabras.

Cualquiera hubiese vaticinado lo que un domingo sucedió. Gabriel había asistido a misa con Clara. Había rezado con ella las oraciones que volvió, con ella, a aprender: él sólo se acordaba de la salve que recitó en aquel momento crucial. Llevaron churros para desayunarse. La mañana era de una incoada y fulgurante primavera. Todo el mundo caminaba con pasos de alegría. Nada más llegar a casa, la casa en día de fiesta, Gabriel, sin poderlo evitar, los ojos bajos:

—Te quiero, Clara —dijo tuteándola por primera vez—, y te pido que te cases conmigo.

—Ni tú ni yo —le contestó Clara sonriendo, después de una pausa, con su mano en el brazo de Gabriel— tenemos necesidad de pasar malos ratos. Te dejaría aquí, porque yo estoy acostumbrada a vivir en cualquier parte, si el barrio no fuese para ti una amenaza continua; pero, en realidad, éste es mi sitio. Creo que es mejor que tú vivas en otro mejor, más de acuerdo con tus aspiraciones. Dios proveerá. Mientras tanto, mañana por la noche dispondrás de una habitación cómoda y sólo para ti, y no como este salón, cada día más chico. —Se echó a reír—. Dudé si mudarme yo: es cerca de San Bernardo, por la calle del Pez. Estarás bien.

Retiraba el servicio del desayuno. Gabriel respiró hondo. Se sintió desamparado de pronto e insensato. Se sintió perdedor una vez más. Supo que se le arrebataba de las manos la única cosa enteramente limpia que, desde su adolescencia, había tenido. Lo creyó injusto, pero no se quejó. Según su corazón, fue un domingo en que la primavera que se abría no sirvió para nada.

Por Navidad estuvo Gabriel con su mujer, que conservaba un aspecto juvenil y garboso, y sus dos hijos: uno rubio como debió de ser él, y otro moreno. Gabriel era ahora un hombre de cuarenta y tantos años, firme y apuesto, pendiente de su compañera y de los niños. Me miraba como preguntándose qué hacía allí yo, y quién era, y cuáles serían mis relaciones con Clara. En un aparte se lo expliqué como Dios me dio a entender.

Él insistió, como todos los años y en todas sus visitas, en que estaría mejor en su casa, más atendida, más mimada. Pero Clara se debía a los demás, no a ella.

—Aquí tengo aún quehacer. En tu casa me apoltronaría.

Se despidieron. Los dos eran conscientes de que quizá se estaban viendo por última vez. Los ojos de color aceituna de Gabriel, cosidos a los de color celeste de Clara, se decían cosas indecibles. Se besaron, las caras juntas, con lentitud. Los niños, que llamaban yaya a la anciana, jugueteaban con la silla de ruedas. Salieron con su madre. Detrás íbamos Gabriel y yo.

—Clara es la única mujer a la que yo he amado de verdad —me dijo—. La amo todavía. Está tan joven, que el tiempo parece haberse olvidado de ella. Yo, no... Adiós.

Se apresuró, después de estrecharle la mano, y cogió por los hombros a sus hijos. Su mujer, a la que llamó Lina, caminaba tras ellos. Luego se volvió un segundo y, sonriendo, me hizo, con las manos abiertas y los hombros, un gesto de efusiva y acostumbrada resignación.

4

Escuché, desde el pasillo, hablar a Clara. Imaginé que tenía una visita, aunque no era hora de ellas, o quizá a un médico o a otra anciana. La palabra anciana rechinaba, sin acoplarse, cuando me refería a Clara; no obstante, lo era por su edad. Continuaba hablando con breves intervalos. Golpeé la puerta. Me mandó entrar. Estaba sola.

—Sabía que eras tú.

—¿Con quién hablaba?

—Con los míos —respondió con regocijada naturalidad—. No están aquí, pero tampoco me han abandonado... Hablaba con mi padre. Le recordaba la historia del conejo blanco.

—¿Qué historia es ésa?

—Nada especial... Me regalaron un gazapillo de orejas grandes y nerviosas. Lo cuidé. Le daba de comer las hojas más verdes de la lechuga y correhuelas que cogía del campo. Crecía, para mi gusto, demasiado despacio. Ese verano me mandaron a casa de una tía con unos primos míos muy traviesos. Yo, con seis años, era la más pequeña, y me tenían en palmitas. Una tarde de agosto me llevaron a un melonar. Dos días antes, me había cedido uno de los chicos, a cambio de una estampa, una navajita colorada. Les propuse comernos un melón entre los cuatro; pero era necesario calarlo para saber si estaba bien maduro. Con mi navaja hicimos una cata en cada uno de los melones de todo el melonar. Qué pena, estaban verdes. Y estropeados, por supuesto, definitivamente... Qué escándalo se armó. Castigaron a los tres chicos, y ellos me miraban, embobados y boquiabiertos, cuando yo declaré que la culpa era sólo mía... De regreso en septiembre a casa, busqué mi gazapillo. Me encontré con una especie de sofá blanco con ojos rojizos que me miraba sin reconocerme. Tampoco yo lo reconocía a él. No era verdad, no podía ser verdad que el tiempo nos maltrata de tal modo... Luego he comprobado que sí... Ahora hablo con mis muertos, ya inmutables para siempre, míos y maravillosos para siempre.

—¿Y le responden ellos?

—Por descontado: no me gusta hablar sola... Nada se pierde, hijo mío; no lo olvides. Amarillean las fotografías, desaparece la tinta de las cartas; pero no debemos dejar que se desvanezca nuestra intensidad... Hemos de revivir (no sólo recordar) los momentos en que fuimos esencialmente amados, imprescindibles para alguien; cómo reaccionamos bajo aquella mirada, bajo aquellas palabras susurradas, con aquella carta en las manos... Nada pasa: basta desclavarlo, como un cuadro, de nuestra memoria y exhumarlo de nuestro corazón... Quizá es ahora, más que entonces, cuando nos damos cuenta de que de verdad vivimos en ese instante lo mejor de la vida. Cerca de una ventana, en un atardecer sombrío, con las manos vacías o con un caleidoscopio entre ellas, revivimos lo que nos sostuvo y nos consoló hasta hoy, aun sin percibir que era aquello lo que nos consolaba y sostenía. Si todo estuvo bien, todo está bien. Porque somos los mismos que ayer fuimos, Mauricio, y nuestra historia tiene capítulos en que, de cuando en cuando, debemos albergarnos.

Era en enero. La tarde de un día en que alguien estaba impidiendo que cayera la nieve. Todo tenía el color desvaído de las perlas grises: el cielo blanquecino, las nubes plomizas, la luz con mucho tiento filtrada, la grava del jardín, la voz también de Clara que, de tarde en tarde, se desleía en la grisura de la habitación.

—Por fortuna —continuó después de un largo paréntesis— creo en la otra vida. Ignoro qué pintará Dios en ella y si estaremos más cerca o más lejos de él que en ésta. Pero sería bueno que nuestros ojos se cruzasen, aunque fuese sólo eso, con los ojos de los seres que aquí amamos, junto a los que anduvimos el camino que nos lleva a ese edén desconocido. Un edén que, desde aquí, juzgamos incompleto si no hemos de compartirlo con quienes aquí lo compartimos todo... A medida que envejezco, encuentro que es bueno a veces vivir un poco sola, con quien fuimos, privada de los auxilios humanos, y tener que esperar y confiar tan sólo en Dios. Él basta. Es el todopoderoso que otorga su fuerza a quien cuenta con él —hubo una alteración en su voz: se amortiguó—, y además, en el fondo, da igual ya... —Surgió de nuevo con toda su potencia—. Pero no consigo creer en el juicio final. No sé por qué me da un poco de risa. Dios juzgando *in extremis*, qué carnavalada...

Aquella tarde fría estaba en vena Clara. Se expresaba con una gran parsimonia y, cuando iba a exponer una frase que auguraba que me chocaría, soltaba una risa jovial y cristalina. Acababa de hacerlo.

—La Iglesia se ha esforzado en ser geocéntrica y antropocéntrica. Desde mucho antes de Galileo. Con pretexto de honrar al hombre, empequeñece el humanismo y declara la ciencia casi como patrimonio diabólico. Es decir, mantiene la ignorancia en nombre de la humanidad, que es lo que ella controla; como la divinidad le excede, la rodea de sombras... Es difícil pensar que el hombre sea el coronamiento de la vida. No es precisamente nuestra insignificancia, en el espacio y en el tiempo, lo que nos permite hacernos ilusiones: para la rosa es eterno el jardinero...

»Y, sin embargo, yo he llegado a aprender, en mi contra al principio, que es el hombre lo que al hombre debe importarle. Creo que ésa es la voluntad de Dios, en cuyos suburbios convivimos: mirarnos en el espejo de los otros, todos hechos a su imagen y semejanza... Su voluntad y también su justificación: como escribir con renglones torcidos y reservarse la potestad de sacar bien del mal. Si no hubiese creado a la criatura susceptible de pecar, se habría frustrado la potestad de hacer florecer y dar frutos al sufrimiento y al vicio. Y los ángeles habrían tenido menos motivo para cantar sus alabanzas. ¿Cómo va a juzgar, al final, un Dios así?

Se detuvo un momento y reanudó con más brío su monólogo.

—En la Edad Media, la fiesta de los locos hacía hincapié en lo ridículos que son ante Dios los poderes: todos los poderes. A la manera del *Magnificat: Deposuit potentes de sede et exaltavit humiles.* Era la denuncia de cualquier prepotencia: social, eclesiástica, política. Los locos se reían de ellas; pero el opresor nunca se resigna a ser objeto de la risa... La Iglesia se tomó demasiado en serio siempre, y de ahí que halle mucha dificultad para adoptar su función de servicial y pobre a la que se refería el Concilio Vaticano. Si no es una servidora del hombre, ¿qué será? Qué crisis hemos vivido, quiero decir he vivido yo...

Se distrajo un momento mirando por el caleidoscopio, y, antes de retirarlo, siguió:

—Oye esto, que te vendrá a ti bien. El Vaticano II reconoce que el significado de la caridad y la contemplación no está reservado a los religiosos, ¿sabes? Y no es ya un ideal inaccesible para la mayoría. Ahora, más que nunca, pese a quien pese, se ha hecho la teología materia de los hombres. Porque el único objetivo de ella es el hombre... No hace falta salir del mundo para ir a Dios: hay que tropezarse con él en el seno del mundo. La fe y la gracia no han venido a eclipsar la grandeza de Prometeo. Siempre ha sucedido así: el hombre se eleva, sin dejar de serlo, hasta Dios o los dioses, y arrebata su fuego. La fe no es una alienación, sino un complemento de la perfección. Creo que las márgenes alienadas de la religión son enemigas suyas: el silencio humillado y obligatorio, la complicidad con el poder (me parece que desde Constantino esto no marcha), la resignación frente a la injusticia, el conformismo, el dogmatismo, el ritualismo... Le fe es ciega, pero no tonta. El mundo no está terminado todavía. Fíjate: a pesar de nuestro desvalimiento, su porvenir está en nuestras manos. Y el hombre, es curioso, no ha nacido para morir, sino para comenzar; para vivir una vida siempre renaciente, siempre recomenzada, como el mar...

»La esperanza final, la virtud de la esperanza, no disminuye lo importante de las tareas terrestres, sean grandiosas o menudas, sino que apoya su cumplimiento, hechas ya trascendentes. Hay que estar persuadidos de que las conquistas científicas y técnicas, siempre que cuenten con el hombre, son una señal de la grandeza de Dios. La Iglesia no está por encima de la historia como para otorgar a los hombres un destino. Descreo de todo eso... La teología de la liberación hace crecer un germen de vida, desde abajo, desde la masa humana, en lucha incluso contra la jerarquía, que recorta las alas de los ángeles, liberados por el último concilio. Hay que llamar a rebato a una acción para mejorar el mundo. Hay que luchar contra quien menosprecie la imagen divina que es el hombre, desfigurado por la injusticia. Cuánto dolor...

Dejó que se espesase el silencio. Luego continuó:

—Ésa es una de las aspiraciones de la humanidad frente a la Iglesia espectáculo y frente a las tendencias imperiales de Roma, que nombra obispos de cara al pasado y no de cara al porvenir... Los cristianos han de descubrir las vías de su propia redención: colabora con ellos cuanto puedas. No hay de veras libertad ni de veras democracia, sino cuando cada uno pueda participar en las decisiones que afectan a su propio destino. A su destino en esta vida y en la otra. Aunque ambas quizá sean la misma... Lo divino y lo humano, la carne y el espíritu, lo trascendente y lo inmanente se reconcilian en la acogida que la naturaleza y Dios hacen al hombre, ese torpe hijo pródigo de ambos. Y es que la gracia, muy lejos de contradecir a la naturaleza, le concede todas sus dimensiones y la llama a su plenitud. No lo olvides: ocuparse sólo de lo sobrehumano no añade ningún alimento al fervor. Yo lo he sufrido.

Se había puesto a nevar y la vaga luminosidad del principio había desaparecido casi por entero. La voz de Clara resonaba con un eco mate en la habitación.

—¿Qué fue Jesús de Nazaret? Un subversivo; si no, no habría sido crucificado. Como los cristianos primeros, tan crudamente perseguidos desde Nerón hasta Diocleciano. El amor para todos ellos no fue una bobadita pasiva: fue algo militante. Hablaban de libertad y del alzamiento de los menesterosos. Hasta Jesús, todas las sabidurías meditaron sobre el destino y la necedad confundida con la razón. Él habló de la locura, de la vida, hizo moldeable la Historia. Todos los dioses habían muerto por fin, y comenzaba el hombre con el Hijo del Hombre. Pero Constantino robó su mensaje y lo secuestró por orden superior: lo convirtió en autoridad, y subyugó a los redimidos. Al hombre, del que Jesús dijo que fue creado creador y no súbdito... Con razón dicen que Elena, la madre del emperador, encontró la cruz de Jesús: si regresara ahora, serían los cristianos los que volverían a crucificarlo en ella.

Hizo un alto aún más largo que los precedentes. Su pecho estaba agitado, no respiraba bien. Me asaltó la preocupación por los progresos de su enfermedad. No me dio lugar a preocuparme. Sin volver la cara, como si no se dirigiera a mí, preguntó, o más bien afirmó:

—Te he escandalizado.

—Yo sé que la cruz fue locura para los judíos y escándalo para los gentiles: lo dijo san Pablo.

—Muchas veces los santos dicasterios de Roma se resguardan tras el escándalo de los pusilánimes. Me alegro de que tú no seas uno de ellos. Voy a decirte un secreto: yo no aspiro ya a estar de la parte de Dios, sino a que Dios esté de la mía. —Su voz se transformó en un murmullo: no se dirigía a mí—. Ése es uno de los caminos de la infancia, ¿verdad, padre? Los niños son amorosos, preguntones, razonadores, hasta que los mayores los echan a perder con sus sistemas de creencias, y no preguntan más: ya están atiborrados de prejuicios... ¿Te acuerdas de cuando te pregunté para qué servían las cucarachas? Yo vivía, como tú, entre la naturaleza: nada especial me sorprendía, porque todo me sorprendía. Pero, más que nada, que Dios te hubiese creado a ti al mismo tiempo que a las cucarachas. ¿Para qué? «Para que tú notes la diferencia y sepas que ellas también la notan», dijiste...

Supe que Clara ya no hablaba conmigo y salí de puntillas de su habitación.

La compañera que la ocupaba junto a Clara, María Benavides, había vivido una historia muy significativa de los tiempos y de la distancia entre los corazones. Nunca tuvo hijos y fue, no obstante, una hija perfecta. Su madre había sufrido una fractura de cadera. No se consideró, en aquella época, que fuese prudente operarla por su avanzada edad. Era una vieja alborozada. Contaba María que le dieron tanto calcio, para favorecer la soldadura de sus huesos, que le produjo una tercera dentición. Seguro que fue así. Su hija estuvo atenta a cada uno de sus deseos y sus padecimientos; se entregó en cuerpo y alma a ella y a su cuidado; abandonó incluso el de su propia casa, a la que se llevó a la anciana; y estuvo siete días a la semana y veinticuatro horas al día pendiente de ella.

Cuando Dios quiso llevársela, María creyó llegada la hora del reposo, y tal idea aclaró un poco la negrura de su pérdida. No estaba escrito, sin embargo, que descansara. Un tumor cerebral, lento e implacable, atentó contra su marido, un buen hombre, generoso y aplomado. Perdió primero la vista, luego la memoria, y luego, no a corto plazo, la vida. María pasó de un lecho a otro, con los ojos puestos en la certeza del *cuídalos y te cuidarán*, y en la máxima de que *con la misma moneda con que pagues serás correspondido.* Pero no siempre se cumplen los dichos de los pueblos.

María había solicitado de su hermana, madre de bastantes hijos, y, por tanto, según su peculiar criterio, excusada de atender a ninguno, una de las niñas para aligerarle la carga. Prácticamente la adoptó sin papeles, y se ocupó como podría haberlo hecho con una propia hija. Entre las enfermedades ajenas que la atosigaban, la vio crecer y se enorgullecía de ella, que era trigueña y muy guapa. Llegada la hora, la casó bien casada, y metió al joven matrimonio en su casa, poniendo a su nombre cuantos bienes tenía. Una noche aciaga, María, ya bastante torpe, se levantó de su cama para ir al servicio, tropezó contra un poste del baldaquino, se cayó y se partió la misma cadera, la derecha, que se partió su madre. Se vio sentada en una silla de ruedas, y en ella, después de una larga lista de espera, la trajeron a la residencia donde ahora compartía habitación con Clara. La sobrina, que alardeaba de un desmesurado amor por ella, se disculpaba, sin que nadie la acusase, diciendo que las tareas de la casa, en las que incluía a su marido y a sus hijos, eran incompatibles con los constantes miramientos que la tía reclamaba. Ante tan *terrible dilema,* optó por lo que creía más justo, e iba a ver a la *queridísima* tía cada vez menos.

—Todo es así —comentaba María, muy sorda, poco partidaria de que se comentase su situación, y acérrima defensora de su sobrina a la que, según ella, había impuesto la decisión de internarla—. Han cambiado las cosas y hay que ir con los tiempos.

—Ha cambiado la gente, María. —A Clara no le costaba alzar la voz para opinar sobre este tema—. No se resigna a sacrificar su vida en otras aras que las propias. Tú bien lo sabes, puesto que tan bien te parece. No aceptan responsabilidades, y el sentido de la familia, de la religión, de la vida y de la muerte, son otros. —María, recién bajada de la planta de paliativos por una leve mejoría, y sobre todo porque deseaba la compañía de Clara, se echó a llorar—. No llores, tonta... Hoy a nadie le cunde su trabajo: son más flojos que éramos nosotros, y se acobardan con las enfermedades, como si todo fuese contagioso. No es culpa de ellos: son las circunstancias... Han desaparecido todos los tabúes, hasta el del sexo, pero no el de la muerte. Cualquier niño sabe lo que es un preservativo... —Se detuvo ante el pasmo inseguro de María—. Sí, has oído bien, un preservativo; pero, cuando muere el abuelito, es que se ha ido de viaje, o nos espera en el cielo, o anda un poco enfadado pero ya volverá...

—Yo conocí —intervine— a un abuelo enfermo que adoraba a sus nietos. En cuanto se agravó, los mandaron a casa de unos primos paternos. Al día siguiente al de su muerte, los llevaron al colegio como un día cualquiera. Estaban de mediopensionistas y, cuando volvieron, ya se habían llevado al abuelito al cielo.

—Hoy es ofensivo morirse —dijo Clara en voz baja, que luego alzó para que la escuchara María—. Se aparta a los agonizantes; se los destierra de nuestra cercanía; se exilia a los cadáveres a los tanatorios; se maquilla a los muertos, y se convierte el tema en una idea lejana, vaga y, desde luego, ajena. Sólo mueren los otros, por muy próximos que sean a nuestra intimidad.

—Los pisos son hoy tan chicos, mujer... —trataba de justificar María.

—No es por eso. Es porque, en nuestra época (en ésta quiero decir, que no sé si es la nuestra), la vida transcurre un poco al buen tuntún, sin grandes apasionamientos, ¿no os parece?, y llega, también inadvertida, la muerte, cuya idea nos nubla y hunde nuestro horizonte cotidiano y trivial, sin proyección, sin trascendencia alguna. Su irrevocabilidad ni se menciona: se cambia de conversación, se mira hacia otro lado... Pasa con ella lo que pasaba antes con el sexo. Si conseguimos eliminar del todo el concepto de muerte, aunque no eliminemos el hecho, habremos conseguido de verdad no estar vivos. Porque la primera certeza sobre la que las otras se construyen es nuestra temporalidad: es ella la que nos hace humanos. Pienso que costará menos, o esa ilusión me hago, dejar una vida usada bien y mucho que otra consumida en ilusiones sandias: una vida montada en el aire, sin apoyar los pies en el suelo estimulante de la muerte, que tanto urge y tanta vehemencia nos provoca. Con independencia de un mañana improbable, el hoy debe vivirse sin olvidar que es hoy.

—Y eso que los más jóvenes tendrían que estar muy familiarizados con la muerte, por la televisión... —comenzó María. Clara se echó a reír.

—Esas muertes están despersonalizadas, mujer. Son masivas, son puras cantidades. Se manejan por la sociedad, no por los individuos, y se trata de muertes asépticas, de ficción, tan fisiológicas como los aprietos de los que no es de buen gusto hablar... La manifestación pública de la muerte real se considera hoy un delito de peligrosidad social, un delito casi perseguible de oficio.

—Pero ¿por qué será? Pasa todos los días...

—El progreso técnico —aduje yo— aspira a poseer una especie de omnipotencia frente a la enfermedad, y la muerte es su fracaso. La culminación del ser humano se identifica con la posesión y el enriquecimiento, y la muerte es una prueba radical de nuestra indefensión. Y, por fin, el triunfo del cuerpo, de la juventud y la belleza es el protagonista del deseo colectivo, y la muerte derrota todo ese tinglado artificial.

—Por suerte o por desgracia, María, nosotras dos estamos ya fuera de esos concursos de belleza —rió Clara pidiéndome que la acercase a la ventana.

Yo estaba convencido de que la mayor cruz de Clara era la de saberse clavada de por vida a su silla de ruedas. Aquella fijeza que la invalidaba para el ajetreo que caracterizó su estancia y su servicio en el asilo. Aquella dependencia casi total hasta para las íntimas necesidades de su aseo: el baño geriátrico está instalado en medio de una habitación de azulejos blancos, con una grúa en el centro y un asiento bajo ella, donde poder sentar al anciano mientras se le lava. Siempre colegí que la paralización de su mitad inferior había supuesto para ella un golpe demasiado grande, al transformarla en objeto, en lugar de sujeto activo, de las asistencias de la casa. Hizo lo mejor que pudo —y yo sé que fue mucho— la digestión de tal desventura, y se fue acostumbrando a lo que ella llamaba su *costosa inutilidad.* Pero, desde que se vio en la silla, nada debió de ser exactamente como antes.

Había mañanas en que, conducida por mí, visitaba a los antiguos amigos aún vivos, bromeaba con ellos, los alentaba y fingía envidiarlos desde su *santa sede* o su *potro de tortura*, como bautizó a la silla de ruedas. La importancia que había tenido, y tenía aún, en la residencia, se medía por los agasajos, el agradecimiento y el inmensurable cariño con que era recibida. Las mañanas en que Clara no aceptaba mi ofrecimiento de llevarla a *la tournée des Grands Ducs*, deducía yo que su ánimo andaba decaído y no quería infestar con él ni a los otros ancianos conocidos ni a los nuevos, con los que charlaba también, interesándose por su vida, su lugar de origen, sus nombres que jamás olvidada, o ponderando su aspecto de bienestar, su agilidad y la gracia de su conversación. A los andaluces los buscaba de manera especial, y yo la sentía muy reconfortada cuando se deleitaba con sus eses o sus ces resbaladizas, con sus expresiones tan certeras y gráficas, con sus metáforas, con sus comparaciones y exageraciones, con sus recuerdos, que tantas veces coincidían con los de ella.

—No hay nadie más joven que un anciano lúcido. —Me decía de vuelta a su cuarto—. La nueva senectud (qué sabihonda me suena esa palabra) es muy distinta de la antigua. No sólo se vive más ahora, sino que se vive mejor. Entre las condiciones de vida y los avances médicos, creo que se ha aprendido a envejecer. Cuando conoces a alguien y observas lo que físicamente ha cambiado desde que era joven, el proceso de envejecimiento, o sea, la basculación entre músculos y grasas, parece un fenómeno obvio. Pero está muy lejos de serlo. En verdad, como en la mayor parte de las circunstancias humanas, casi todo viene de aquí, de la cabeza, de la actitud, del modo de adaptarse con habilidad a las innovaciones.

Había recogido su caleidoscopio y apuntó al techo con él:

—Obsérvalo: aquí casi no se atiende a los ancianos, sino a los enfermos. ¿Cómo será un envejecimiento cuando no venga acompañado de enfermedad alguna? A las personas mayores sanas no se las hospitaliza, y por tanto se sabe poco de ellas. ¿A quién se le iba a ocurrir definir la infancia estudiando a los pacientitos de un hospital infantil? Yo pienso que ahora la gente aprende mejor su papel de anciano... —Soltó una carcajada—. Hubo un filósofo del Renacimiento inglés al que no le gustaban los viejos que ponían demasiadas objeciones, ni los que deliberaban demasiado tiempo, ni los que se aventuraban demasiado poco, ni los que se arrepentían de algo demasiado pronto. Tenía toda la razón. Hoy día se aspira a evitar semejante cuadro. No es que ahora dé gusto envejecer; pero es otra historia muy distinta. En nuestra constitución física, por experiencia puedo decirlo, no hay nada que nos imponga un tipo de vejez de total desolación. Quien no quiera envejecer así, puede decidir no hacerlo... Ay, si la medicina lograra eliminar ese riesgo de la arteriosclerosis, las expectativas de vida, de vida buena digo, crecerían tanto...

—¿Imagina cómo será usted el día en que cumpla cien años?

—No seas feroz, hijo. No hablo de mí, no hablo de mí, no tengo ni el menor deseo de hablar de mí... Tú tienes veintiocho años, ¿no? Comparado con tu primer nacimiento, el que consigas al cumplir los cincuenta, es decir, el segundo, tendrá ventajas y desventajas. En los dos aparece una existencia nueva; pero en el segundo puedes planearla por anticipado. En el primero, sin previo aviso, te pusieron en medio de este mundo, más dependiente aún que yo ahora mismo, de dos seres de los que ignorabas todo y que eran tus padres, con un cerebro puesto a trabajar a marchas forzadas, tiritando entre imágenes, sonidos, colores, gestos, tareas y propuestas desconcertantes... A tus cincuenta años, todo ese trabajo está ya hecho. La desventaja de este segundo nacimiento es la vejez antigua, tan amarga y tan desdeñada. Es cierto que no te van a dar un cuerpo nuevo; pero eso no va a incapacitarte. La enfermedad y la invalidez habrán sido, para entonces, postergadas si no eliminadas por completo. Puedes estar satisfecho, hijo... —Pareció soñar un momento—. Ah, qué importante es lo que se está cociendo en este campo. En serio.

—¿A qué se refiere, Clara?

—A que la vejez no sea un largo y ensombrecido pasillo, una supervivencia vacía y tenebrosa, un añadido tétrico a la vida. Que sea sencillamente más vida, no sólo más edad... Y es que en una sociedad cuya cultura tiene como meta más alta la riqueza, todo se concentra en hacer fortuna: el prestigio honra a los que la consiguen, y se considera a los pobres como fracasados. Pero si la meta más alta fuese la longevidad, una larga vida fértil, todo daría la vuelta. Cada año habría más ancianos que realizarían las cinco actividades diarias mínimas por sí mismos: vestirse, caminar, comer, ir al servicio y bañarse, lo cual es una buena definición de la autosuficiencia. —Fingió un puchero infantil—. O sea, que gente como yo apenas existiría.

Rió y luego hizo una pausa:

—Hasta ahora todo el mundo ha querido vivir mucho, pero nadie ha querido envejecer. Cuando se innoven de verdad los esquemas, ya veremos. Cuando la vejez no sea, y empieza a no serlo en algún sitio, equivalente a dignidad perdida y a valor personal incierto... Yo soy optimista. La medicina ya sabe que la deficiencia de dos elementos químicos básicos es causa de dos plagas: la de la acetilcolina, del alzheimer; la de la dopamina, del parkinson. Las investigaciones sobre las neuronas nos llevarán, bueno, os llevarán, muy lejos. Porque los sicólogos ya han comprobado que el desarrollo humano se prolonga, entrada ya la ancianidad, mediante estados de conciencia más elevados. Tales como la sabiduría —rió otra vez—, que por cierto yo no poseo en absoluto.

Comenzaba a anochecer muy pronto. Aproveché esa luz indecisa, favorecedora de las expansiones amistosas, para hacerle una pregunta que hasta entonces no me había atrevido a formular.

—En cierta ocasión, me pareció que usted, de pasada, aludía a un hijo. Nunca me ha contado nada sobre él.

Estuvo mucho tiempo como si no hubiese escuchado mis palabras: las manos, quietas en el regazo, sosteniendo el caleidoscopio, la cabeza ligeramente ladeada, la mirada perdida, la boca un poquito entreabierta dejando ver los dientes de arriba... Luego levantó el caleidoscopio y se puso a girarlo con mucha, como estudiada, lentitud. Cuando ya había perdido la esperanza de que me contestase, con voz apenas audible dijo:

—Es una historia que me duele aún... Es una historia que nunca dejará de dolerme.

Me la contó sin volverse para mirarme ni una sola vez. En un tono bajo y monótono. Supe que me estaba haciendo una confesión importantísima y, desde la primera palabra, se lo agradecí más de lo que hubiera sido capaz de expresar.

Todo empezó en el barrio de San Blas hacía trece años. Una joven pareja, Almudena y Guillermo, hijos de familia de clase media alta, tomaron un apartamento muy próximo al de Clara, si bien algo mayor. Estaban enganchados a la heroína; pero su conducta, al principio, era irreprochable. Comenzaron a tener entre sí los contactos lógicos en una vecindad de planta. Se pedían o se hacían recíprocos favores, que Clara era, por descontado, la última en rechazar. No tardó en deducir que habían caído en la trampa más frecuente: Guillermo trapicheaba con la droga para poder costearse la que ellos mismos consumían. La chica era morena, esbelta y muy simpática, con una forma de moverse altanera, atrayente y recatada a la vez. El muchacho —ninguno de los dos tendría más de veinticinco años— era, por el contrario, rubio, también alto y muy bien educado formalmente. Al salir, se ofrecían a hacerle los recados; le anunciaban que iban a tal o cual sitio por si necesitaba alguna cosa, y Clara les correspondía en la misma medida. No es que entre los tres se hubiese fraguado una gran amistad, pero sí que circulaba una corriente de mutuo agrado, y, cuando se encontraban por casualidad o porque provocaban el encuentro, los tres se hallaban muy a gusto.

Supuso un duro golpe para las dos mujeres que Guillermo fuese detenido por tráfico de drogas, y enchiquerado con los preventivos a la espera de un juicio muy tardío. Como siempre sucede, detrás de él se ocultaron los verdaderos intermediarios, ya que los grandes traficantes son quienes subvencionan las campañas antidrogas que les permiten seguir enriqueciéndose. Clara estuvo, más que nunca, al lado de Almudena. Intentó, con todo respeto, aprovechando el desastroso trance en que se hallaba, apartarla de la heroína. Trató de que volviera con su familia; trató de conseguir que se fuese a vivir a su apartamento; hasta se ofreció a mudarse durante un tiempo al de la muchacha, con el fin de hacerle compañía y de impedir que se picase. Hubo un momento en que intuyó que estaba a punto de conseguir su propósito (había dejado por algunos días su trabajo); pero la pena de la chica era demasiado grande como para poder pasarla en seco.

Poco después de la desaparición de Guillermo, cuyos colegas continuaron suministrando sus dosis a Almudena, ésta le hizo una confidencia a Clara: estaba embarazada del muchacho y hasta entonces no se había enterado. Por medio de un médico de San Isidro se le hicieron análisis. Era seropositiva desde hacía bastante: confesó que se inyectaba de forma promiscua antes de conocer a Guillermo, que también estaría a su vez contaminado, si el camino recorrido por la inmunodeficiencia no era justo el inverso. Clara consideró aquel momento tan clave en la vida de Almudena, que se vio impulsada a solicitar un último y excepcional esfuerzo: se imponía el abandono de la droga para no perjudicar al feto.

La intención de Almudena era exactamente la contraria: había resuelto abortar como fuera y donde fuera. A Clara se le hundió el mundo: ésa era una posibilidad que no había previsto. Su carencia de hijos, su frustrado instinto de maternidad, el amor, tan fructífero en otros sentidos, de Diego, el imperioso deseo sentido hasta en la piel de sostener a un niño contra su pecho, se pusieron de pie ante ella retándola. Rogó, lloró, insistió con ocasión y sin ella. Acompañó a Almudena en sus peores rumbos; aguantó sus caídas, sus recaídas, sus exaltaciones y sus monos; hizo de mediadora con un camello cuando la muchacha se vio impedida de salir a la calle por una hemorragia... Tal fue la insistencia y el tesón que Clara echó al asunto, que el egoísmo de la drogadicta fue cediendo, y entre las dos tomaron la decisión de ser madres del niño.

Fueron meses muy largos. Había días en que Almudena iba con Clara a San Isidro y luego desaparecía. Otros, en que, a su vuelta, Clara hallaba el piso, del que tenía una llave, vacío, y permanecía en él hasta que Almudena, descompuesta y titubeante, regresaba, no siempre antes de amanecer. Porque tal era la condición que la joven había impuesto: no preguntar, no oponerse, no dar la vara con lamentaciones. El hecho de que Clara cumpliera estrictamente lo pactado hizo que Almudena se le entregase, y que confesara a veces la urgencia de contar, de exponerse a cuestiones o de ser suavemente consolada.

A punto estuvo de echarlo todo a perder la reacción de Guillermo: acribillado y deshecho por su estancia en la cárcel, se negó a reconocer al niño y no quiso saber ni una palabra más ni de Almudena ni de Clara. Los padres de él, por si fuera poco, escribieron a la muchacha acusándola de ser la responsable de la perdición de su hijo, y exigiéndole que se olvidara hasta del santo de su nombre. Esto sucedió en el cuarto mes del embarazo, y echó a Almudena en los brazos de Clara que, si ya entendía la soledad de la infeliz, llegó a entender hasta su avidez por la heroína. Mal que bien, mucho más mal que bien, fueron pasando los meses de gestación. El niño —fue niño, y Clara rogó que se llamase Diego— nació en la clínica de un ginecólogo conocido de Clara, que ya había tratado a la joven y advertido a las dos del gran riesgo que se corría.

En efecto, el niño nació seropositivo. Pero —y esto era, según el médico, una insólita buena noticia— conservaba todas sus defensas. No le había sido contagiada la hepatitis que la madre había sufrido, aun cuando se imponía una revisión cada seis meses para el seguimiento de su estado. Almudena no tenía muchos ánimos, ni muchas ganas, ni mucha propensión a la maternidad. Desde el primer momento, del niño se encargó Clara. En seguida empezó a llevarlo a la residencia de ancianos, con el consentimiento del director, que percibió una especie de celebración continua de la Navidad entre los ancianos. El niño se quedaba en un rinconcito de la enfermería, y hubo que establecer un turno de visitas y agasajos, porque todas las enfermeras —y muy en especial las monjas sin hábito—, todas las ancianas y gran parte de los ancianos se habían empeñado en tener como suyo al pequeño Diego, que era morenillo como la madre, con la tez y los ojos claros de su padre. Clara planteó la posibilidad de hablar con sus abuelos, los maternos por lo menos; pero Almudena la disuadió: sus padres la habían desterrado de su lado hacía años, su diferencia de criterios era sangrante, ni siquiera vivían en Madrid, y tenían además nietos legítimos con quienes solazarse si ésa era su intención. Allanados, pues, todos los caminos y con un documento firmado por Almudena, Clara consideró que el pequeño Diego era, desde luego, su nieto, si es que, por vías sesgadas, no había concluido por ser hijo suyo.

En cierta forma acabó siéndolo. Al volver una desapacible noche de invierno desde la residencia a casa, en taxi para que el niño no sufriese las barrabasadas del clima, entró Clara, antes que en la suya, moisés en mano, en el apartamento que Almudena compartía ahora con otros dos muchachos, pareja al parecer. Los muchachos no estaban; se habían llevado todas sus pertenencias. Y Almudena yacía muerta cerca del baño. «Sobredosis», dijo el médico al que, en medio del frío y de la lluvia, se vio obligada Clara a llamar. Pero los dos sabían, como era natural, que no se trataba de una sobredosis verdadera, sino de una fatal adulteración de la droga para sacar más beneficios de ella. Así acabó la vida de una muchacha, que por tan distintos derroteros podría haber transcurrido. El resto de la noche, después de que se llevaron el cuerpo al Instituto Anatómico Forense, lo pasó Clara con el huérfano en brazos, llorando mansamente, alimentándolo y encomendándolo a la divina providencia, con la que estaba en tan continuas, aunque no siempre propicias, relaciones.

Durante tres años el pequeño llenó la vida de la mujer y se hizo el personaje más popular de la residencia de ancianos. Había aprendido, y con su media lengua repetía, el nombre de muchos de los asiduos, y pedía, como un tiranillo, que se le complaciera en todo, y más aún en ausencia de Clara, su única educadora. El niño la llamaba mamá sin que nadie se lo hubiese sugerido, y se le iluminaban los ojos redondos y azules cuando la veía aparecer, corriendo hacia ella con las piernecillas abiertas de un lobo de mar y las manos extendidas para tocarla antes. Nunca como entonces experimentó Clara lo que era saberse necesaria, más aún que con los viejos, ni la dulzura y la ternura de la recíproca dependencia. Cuanto había recibido en sus relaciones con los ancianos no era nada comparado con la divinización con que el niño y su total desvalimiento la ensalzaron. El sentimiento de la maternidad no puede ser descrito ni imitado. Y, sin embargo, era ese sentimiento el que llenaba el corazón de la mujer y le producía la impresión de andar siempre con una gran brazada de flores contra el pecho: una carga que, en lugar de agobiarla, le proporcionaba una agilidad casi aérea que hacía muchos años había dejado de tener.

El pequeño Diego pasaba sus revisiones con la entera satisfacción del médico, que hizo con él muy buenas migas, y se alegraba, por todos, de una situación que permanecía estable y halagüeña.

Fue un mes de enero, poco después de la fiesta de los Reyes. Había en el aire una como milagrosa anticipación de primavera. Se abrieron por primera vez las ventanas y entraba desde fuera una brisa muy dulce. Intempestivamente se desperezaba el jardín, y los ancianos soñaban con una nueva juventud, no ajena a los hechos de fuera, sonrientes ante la tersura de la mañana. El pequeño Diego, que al mediodía fue a ver Clara, se hallaba en brazos de una enfermera. Tenía unas febrículas, nada en definitiva. Lo cogió Clara, y el niño reclinó la cabeza en su hombro con una alarmante fatiga. Suspiró y cerró sus ojillos. Clara corrió a solicitar el pertinente análisis. Se había producido una bajada en su sistema inmunológico y una bacteriuria intensa. Se comprobó una disuria sobrecogedora; se diagnosticó una pieronefritis con el consiguiente fracaso renal. Clara se negaba a llorar, pero el temblor de su barbilla era, por segundos, más irresistible. El pequeño Diego yacía, desentendido de todo, agotado, sin el menor deseo de comer los que eran sus platos favoritos. Se quejaba de dolores en el abdomen y en las fosas renales, hasta que entró, en los brazos de Clara, en una crisis convulsiva. Le ardía la piel. Luego llegó el coma provocado por una acidosis metabólica, como consecuencia de una subida del ácido úrico. Cuatro horas después era cadáver.

En el tanatorio de la residencia dispusieron el pequeño féretro blanco. Todos los residentes, compadecidos de una vida tan corta, desfilaron cerca de él y besaron a Clara, la limpiadora, con la que tanta confianza tenían y que les aliviaba sus propios miedos y desconsuelos. Clara, con la cabeza entre las manos, no veía a nadie, no saludaba a nadie. Era incapaz de sonreír, de agradecer, de dar la más mínima manifestación de vida. Sufría un dolor tan grande que, de haber querido, no le habría sido posible describirlo. Allí estaba, ante ella, el pequeño Diego, apaciguado y pálido: detenido en un solo gesto, él que era una infinita sucesión de gestos; quieto, él que era virtualmente ubicuo; silencioso, él que mordisqueaba sin cesar las palabras; ajeno, él que era la única y maravillosa propiedad de Clara, el mayor regalo que le había hecho la vida... Ella quiso consolarse con el pensamiento de que el pequeño Diego se habría encontrado por fin con la desgraciada Almudena y con Diego el mayor. Pero pensar así no la consoló ni un solo instante. Sólo el tiempo, otra vez vacío y sin razón de ser; sólo los meses, que le volvieron a la fuerza, con violencia, la cara hacia las necesidades de los otros; sólo su corazón, incapaz de permanecer deshabitado, consiguieron que Clara, con la sonrisa algo marchita, se incorporara otra vez a la vida, que para ella sólo consistía en un quehacer diario en beneficio de quienes la rodeaban.

5

Nació en 1910 y vivía sola desde que enviudó ocho años antes. La Comunidad pidió una plaza urgente para ella. Dado que María, la compañera de Clara, había vuelto a ser trasladada a la tercera planta, la instalaron, de forma provisional, con ella. Fuensanta, así se llamaba, era una mujer reconcentrada y recóndita. No se fiaba de la buena fe de nadie, quizá porque había tenido motivos para desconfiar. Saltaba a la vista que requería toda clase de ayudas, pero también que era muy reticente a recibirlas, circunstancia no extraña en los ancianos, según comunicaban los Servicios Sociales del barrio de Chamberí, donde estaba su casa.

Hacía ocho años le consiguieron una plaza en esta misma residencia. Sin embargo, Fuensanta la rechazó alegando que podía valerse por sí misma. Un año después le enviaron un voluntario como yo para que la atendiera unas horas al día en su domicilio: tampoco le fue bien: lo acusó de husmear y de desquiciar su casa. Últimamente los Servicios decidieron, ante su estado, proponerle una asistencia domiciliaria tres días por semana, pero chocaron con su negativa a justificar ingreso alguno. Tenían noticias de que una pareja de sobrinos la visitaba a veces y de que el portero de la finca le hacía los recados. Los sobrinos, una vez por semana, la sacaban a dar un breve paseo, y ella los invitaba a almorzar en un restaurante próximo, donde no le pasaban la factura, sino que la apuntaban para que la abonase en alguna ocasión en que paseara sola, lo que hacía de vez en cuando. Cruzaba la calle con ayuda de algún transeúnte amable y se sentaba en un banco, cerca de su casa, a ver pasar el color de las horas. Por lo común, se alimentaba de leche y bollos que le llevaban sus sobrinos; si al final de la semana se le agotaba la leche, mojaba los bollos en agua con azúcar para hacerse la ilusión de que aún le duraba.

Los vecinos no tenían buena opinión de ella, si es que tenían alguna. «Vive aquí mucho antes que nosotros, pero se la ve poco y no hace nada por que la conozcamos.» Fue justamente una vecina la que avisó a la policía y a los bomberos cuando escuchó lamentos en el piso de Fuensanta. La hallaron tumbada en el suelo, donde había caído al romperse su cama tres días antes. Sólo consiguió arrastrarse hasta el salón, acercarse al balcón grande, y gritar pidiendo socorro. Hasta que en la mañana del domingo la circulación no se calmó, no pudo oírla nadie. Sin comer ni beber ni hacer sus necesidades como era debido, la hallaron deshidratada y llena de contusiones, pero no había fracturas ni otro problema óseo. Comunicó a la policía que había ahorrado tres millones de pesetas, que guardaba en una red de ganchillo, para pagarse, llegado el momento, una buena residencia. No se descubrió tal dinero, aunque sí ochocientas mil pesetas en billetes dentro de una bolsa de plástico. A pesar de que alguien se lo sugirió, se negó a gratificar a los bomberos que se habían descolgado desde un balcón más alto que el suyo, para romper el cristal de éste y abrir a la policía la puerta de la vivienda. Toda su obsesión era acusar a sus sobrinos de la desaparición de los tres millones.

—¿Usted cree que me voy a morir? —preguntó, con su boca sumida y desdentada, nada más acostarla, al enfermero que la trajo.

—Yo creo que tiene usted cuerda para rato; pero que le conteste esta señora —dijo señalando a Clara, al tiempo de salir—. Es la que más sabe de esta casa.

Clara, que ya había sido puesta en antecedentes, me pidió que la acercara a la recién llegada.

—Nadie se muere por caerse de una cama —le aseguró—. Y, como los viejos no necesitamos comer mucho, tampoco por haber ayunado tres días.

—¿Este sitio es muy caro?

—Si lo fuese, no me lo podría pagar yo.

—¿Usted tiene sobrinos?

—No tengo a nadie —Clara rió—. Pero he oído decir que, a quien no tiene hijos, el demonio le da sobrinos.

—Qué verdad más grande. A mí me embaucó una pareja de ellos y me ha robado todos mis ahorros.

—Despreocúpese usted, que ya los descubrirán. Ahora descanse en esta cama, que es un poco más firme que la suya.

Trató de coger la mano emaciada de la vieja, a la que habían puesto un gota a gota. Fuensanta la retiró. Clara dejó la suya inmóvil y, muy poco a poco, la suspicaz puso a tiro su mano.

—No quiero irme de aquí —dijo mirando a Clara con ojos llenos de susto y súplica.

—No se irá si no quiere. Tranquilícese: ya ha llegado, ya está en buena compañía. No se verá sola nunca más.

—Nací el 8 de septiembre de 1910, en Córdoba —dijo la anciana con ánimo de hacer méritos a los ojos de alguien—. Tengo buena memoria y me manejo bien...

—Por eso le pusieron Fuensanta, ¿no es verdad? Qué bonita es la fiesta de la Virgen, con las acerolas ya maduras, y los puestos de avellanas de Trassierra y garbanzos torrados, y las campanitas de barro... Yo estuve un par de veces. Y vi el caimán y el pozo y la procesión chiquita de Nuestra Señora...

A partir de ese preciso minuto Fuensanta sólo vio y oyó por los ojos y los oídos de Clara. Su resistencia se diluyó como el azúcar en el agua los fines de semana. Hablaba, cuando pudo, de la Córdoba de su infancia, antes de que sus padres, con la guerra, salieran de allí por ser republicanos y se refugiaran, con poca puntería, primero en Badajoz y más tarde en Madrid. Su marido fue un bala perdida —«Menos mal que no tuvimos hijos: habrían salido a él. Aunque ahora ya no sé...»—, y ella se pasó la vida recelando de todo el que se le acercaba.

—Menos de mis sobrinos, que han sido los que al fin me han robado. Siempre hay algo peor que lo peor. Piensa una que estar sola es lo malo, y lo malo es tener sinvergüenzas con una.

—Aquí no se sabe dónde está el bien y el mal, Fuensanta. Hay que estar siempre colgada de la lluvia de bondades de Dios.

—Yo no creo en esas cosas.

—Y qué le importa a Dios. Él seguirá lloviendo bondades sobre usted. —Clara se reía—. Mañana mismo, sin ir más lejos, vamos a celebrar una boda en la iglesia de aquí. Y estamos invitadas.

Era cierto. Un emigrante asturiano de ochenta y nueve años, después de setenta de haber salido para Cuba en busca de la fortuna y de haberla encontrado en diversos países, vino en busca del amor de su novia, que tenía dos años menos que él. Investigó y consiguió dar con ella en San Isidro. Él, Ceferino, era dos veces viudo; a ella, Covadonga, se le había ido el tiempo y la oportunidad sólo en la espera: cuando acordó, no era ya hora de empezar otra historia.

Había mandado el hombre engalanar la iglesia de la residencia con flores blancas y amarillas. Decía Clara que simbolizaban la virginidad de ella, quizá algo seca, y el dinero de él. A la novia le había regalado un elegante vestido malva, con una rosa blanca en el centro del pecho, del modista Elio Berhanyer. El padrino de la boda fue el director del centro, y la madrina, por deseo de la novia, Clara Ribalta, a la que el novio también obsequió con un sencillo vestido negro de seda. Clara se había resistido casi con uñas y dientes; alegaba que la silla de ruedas restaría empaque a la ceremonia y la desluciría. Pero Cova insistió:

—A los ochenta y cinco años, en mi boda, o se hace lo que yo quiera, con empaque o sin empaque, o no me caso.

Entre los asistentes, como es debido, hubo mucha emoción, quizá más que en los mismos novios: lo cierto es que Covadonga no podía evitar cierto resentimiento.

—Se me ha evaporado tan a lo tonto la vida, que ahora...

El banquete, que terminó no demasiado tarde, se dio en la residencia para facilitar la asistencia de todos. De Asturias bajaron tres amigos de él y unos parientes de ella, no muchos: habían enterrado a los demás. La cena fue exquisita y opípara, fuera de todo régimen. El indiano no reparaba en gastos. A su mujer se la llevó, dijeron que con dos guardaespaldas, a un viaje a Palma de Mallorca; luego se instalarían en Gijón. Los invitados, una vez que se fueron los recién casados, siguieron disfrutando. Se reían, contaban chistes alusivos subidos de color, y cantaban canciones de sus tiempos. Hasta que llegó el momento de la retirada obligatoria.

La tornaboda no fue tan divertida. Nadie echó de menos a uno de los invitados o, si lo echó, no creyó prudente advertirlo, no fuera a delatar su escapada. El caso es que, muy temprano, telefoneó la policía para comprobar si Cristóbal Gande constaba como residente en la casa. Cuando el director preguntó por la razón que se le llamaba, se supo lo ocurrido.

Cristóbal, caldeado por la bebida del convite de bodas, había salido sin avisar a nadie. No se sabe por qué medios, aunque una vez en Madrid seguramente utilizaría el metro, llegó al barrio del Lucero. Con la paciencia que dan la edad, un propósito firme y una obsesión mantenida durante largos años, se plantó a la puerta de una casa determinada. Cuando salió, después de algún otro, el inquilino que él iba buscando, daban las once y media de la noche. Salía solo. Cristóbal, aprovechando el encubrimiento de la calle, de iluminación muy deficiente, se le acercó por la espalda. De dos puñaladas certeras lo hizo caer al suelo. En él, con sangre fría, lo remató.

La víctima era Federico Martínez Griñón, metalista y socio de un taller de automóviles. Se trataba de un hombre alto y fuerte, que debió de ser bien parecido. Hacía años sedujo a la nuera de Cristóbal, que abandonó a su marido y a sus dos hijos. La deshonra, o al menos eso juzgó Cristóbal, había caído sobre su casa y su familia. Su hijo fue abandonándose, humillado y ofendido, hasta caer en una total apatía ahogada en el alcohol. La mujer de Cristóbal gastó la poca vida que le quedaba —tenía el corazón muy delicado— en iniciar la educación de sus nietos. No tardó —eso aseguraba Cristóbal— en morirse de pena.

A los niños los separaron y los dejaron en unas lejanas manos familiares. Cristóbal solicitó y obtuvo el ingreso en la residencia de la Comunidad. Durante las interminables noches de la senectud, en las que todo revive con tintas aún más cargadas de las que en la realidad tuvo, Cristóbal fomentó sus ansias de venganza. El vino y el anís que bebió en la boda —una boda que cerraba con broche literalmente de oro la soledad de Covadonga— abrieron el broche de su resentimiento. Y asimismo le proporcionaron ánimos suficientes para ejecutar lo que tantas madrugadas tramara.

Había pasado a disposición judicial porque ni siquiera se tomó el trabajo de huir: permaneció sentado, en el bordillo de la acera, junto al muerto, igual que un cazador orgulloso de su presa. Su edad y las buenas referencias del asilo obrarían sin duda en su favor.

Fuensanta, enterada del caso, vacilaba entre el asombro, la perplejidad y el enardecimiento. Una boda y un crimen seguidos acaso eran demasiado para ella.

—Esto es vida —decía. Sin embargo, se le notaba una cierta reserva mental. No tardó en confiarla a Clara—. Qué casa tan movida... Me gustaría saber, no es por nada pero me gustaría, si aquí tienen la costumbre de cargarse a los viejos cuando están en las últimas. Nunca me he fiado de estos sitios donde recogen lo que sobra. Mis sobrinos ladrones, quizá para tenerme más a mano, solían leerme noticias de periódicos en las que médicos y enfermeras administraban dosis mortales de morfina o cosas por el estilo. Claro que siempre perjuraban que lo hacían sólo por ayudar a bien morir a los que lo deseaban. —Clara la miraba sonriente—. No sé cómo llaman a eso.

—Eutanasia —dijo Clara, ante la tácita afirmación de Fuensanta.

—Una vez, me acuerdo porque se me pusieron los pelos de punta, a una señora que ya no podía ni tragar ni hablar le pusieron algo en las venas y se desmayó o entró en coma o no sé, y luego, con una bolsa de plástico, la asfixiaron... A otra le dieron pastillas como para matar a un elefante, porque tenía una cosa muy mala por todo el cuerpo, y firmaron un certificado diciendo que había muerto por causas naturales... Tengo miedo, Clarita. Tú, que eres mucho más joven, no dejes que me lo hagan. Yo quiero morirme por mí misma. Comprendo que somos muchos y que faltarían camas; pero yo prometo que haré lo que esté en mi mano, tú díselo.

Clara se reía.

—Estáte tranquila, mujer; aquí no pasa eso. El índice de mortalidad es muy pequeño. La compasión por el sufrimiento de los ancianos no llega aquí hasta el crimen. Los que nos atienden tienen los nervios fuertes. Mira, si no, a Mauricio. Aguantan el dolor y la angustia de alrededor, e incluso, si las hay, las peticiones de las familias. —Volvió a reír—. Tendrías que pedirlo tú primero, porque fueses incapaz de soportar tu martirio, y la vida te hubiese desahuciado, y sólo en forma de dolor quedase algo de ella en ti. Y quizá ni por ésas...

—Bueno, hija, no entres en más detalles, déjalo así. Si tú me vigilas, yo descansaré.

Bajo las caricias de las hábiles manos de Clara, Fuensanta fue quedándose dormida, y su rostro, tan tenso y agrio unos días antes, reflejó una serenidad que lo rejuvenecía y lo armonizaba.

—Qué curioso —comentó, como para sí, Clara—. La eutanasia y el suicidio parecen dos gestos racionales, frente a la irracionalidad tanto de la vida zoológica como de la muerte. Porque lo que aterra al ser humano no es la muerte en sí, como un estado o como la nada, sino el acto de llegar a ella, el tránsito, ese empujón que lanza al paracaidista desde los barquinazos del avión al horror del vacío... Por un lado, la sociedad nuestra derrama la muerte a través de las guerras, de las hambres consentidas, de las discriminaciones y miserias, de la pena capital, de la marginación; pero se niega a conceder una muerte solicitada. Qué raro todo... Tan subordinados a él nos ha hecho el Estado que nos invalida no sólo para vivir por nosotros mismos, como seres independientes, sino para morir por nuestra voluntad... Lo cierto es que, a pesar de todo, nadie es desgraciado sin su propio permiso durante mucho tiempo. Y también que la existencia de la muerte nos fuerza a una de estas dos cosas: o a renunciar voluntariamente a la vida, o a transformarla, dándole una razón que la muerte no pueda arrebatar... Tú sabes, Mauricio, que cuando alguien me dice que teme a la muerte, lo que le entiendo es que no ha vivido su verdadera vida. Y entonces le replico que ojalá su temor le lleve a valorar el momento y a vivirlo con todas sus fuerzas. La vida es eso o nada.

Un día me contó Clara que, a veces, soñaba con rostros o expresiones de alguno de los mayores con los que había tratado y convivido. Y que se repetía a menudo el de una mujer que conoció fuera de La Misericordia y de la residencia, en su propio domicilio. Estaba postrada desde hacía diez años, y con demencia senil algunos menos. Se comunicaba, si se comunicaba, con el reducidísimo mundo de su hija y de su cuarto, a través de unos ojos líquidos, enormes y redondos, que aún lucían un hermoso color zafiro oscuro. Tenía ochenta y tres años, y estaba en apariencia inanimada; pero seguía con aquellos ojos, en los que se albergaba toda su expresión, los movimientos de su hija y los de Clara, que la ayudaba y se ayudaba, atendiéndola de noche, con un módico extra. Su cuerpo era menudo y frágil; quizá siempre lo había sido, pero ahora había acabado por reducirse a su mínima expresión. Clara la atendía, le curaba las escaras, hondas y oscuras, que el continuo roce de la sábana le producía en la piel, tan blanca como fina. Emma era una anciana rica. Su hija y su yerno la habían apartado, por conveniencia de todos, a una ala de la casa.

—Lo de mi madre es una muerte sin cadáver —solía decir la hija.

Se alimentaba por medio de una sonda que ésta había aprendido a manejar. Aquel cuerpo, atribulado por diversos males, se hallaba expuesto a cualquier decisión que alguien tomara. Sólo sus grandes ojos asombrados, permanentemente asombrados, eran los testigos mudos de todo, o lo parecían aunque no lo fueran. Pero, se preguntaba Clara, ¿hasta qué punto aquel cuerpo estaba ya deshabitado por la vida? Dejó un par de noches de ir, a consecuencia de los problemas que Almudena, la madre del pequeño Diego, le planteaba. La noche en que retornó, al sentir la desahuciada Emma el roce del beso de Clara en su mejilla, alargó los labios igual que un niño que finge besar o que está aprendiendo a hacerlo.

—¿Qué tal, ojos bonitos? —la saludaba Clara cada noche.

Y aquellos ojos se movían hacia ella, y luego se cerraban cuando las manos paliaban el dolor de sus llagas. Eran esos ojos, casi muertos y, no obstante, tan humanos, los que comparecían a menudo en los sueños de Clara, como si Emma, desde donde estuviese, deseara testimoniarle cuánto ignoramos sobre el borroso límite entre la muerte y la vida, y qué grave responsabilidad la de provocar cualquier muerte a cualquiera.

Hacía bueno, y llevé a Clara a la galería, muy luminosa, que daba al jardín. Una jaula con periquitos llenaba con su garipío el aire suave.

—Siempre oí decir en Andalucía que traen mala suerte; son tan graciosos que no puedo creerlo.

Una monja pastora —franciscana de la Madre del Divino Pastor— mimaba los cóleos, los filodendros, los ficos, las alegrías de la casa y, en macetones, camelias y pacíficos. Era baja y rotunda, animosa y vasca. Cada vez que ETA cometía un atentado, lloraba sin poder contenerse, como si se sintiera corresponsable de él.

—No, no, así no es —sollozaba—. Así no...

Había entablado, a través de los años, una gran amistad con Clara y quiso llevarla ella misma hasta la soleada terraza, paseándola entre las claraboyas que daban a los almacenes de medicamentos y de víveres, a la lavandería y a la sala de limpieza. Fortunata, éste era su nombre, nos tenía al tanto del movimiento de ancianos, de las noticias del exterior o de la dirección y de los datos de las encuestas interiores.

—Ahora tenemos ciento cuarenta ancianos, con una media de edad de ochenta y siete años, y cuatro centenarios... Ya sé que tiene a Fuensanta Salido con usted y que la ha domesticado. Lo de María Benavides no va a tener arreglo... Hace bien en salir a darse un garbeíto: las habitaciones son tan pequeñas... Claro que, si la gente tiende al aislamiento, hay que motivarla para que salga fuera, y que se relacionen unos con otros y hablen entre sí, ¿no cree usted? —Esa tarde se atrevió a hacerle una petición—. Le agradecería tanto que fuese, cuando buenamente pueda, a visitar a una de las centenarias. Está demasiado metida en sí. Le hablo de Aurelia Antúnez.

Fuimos a verla aquella misma tarde. En el trayecto, Clara me fue contando algo muy semejante a una parábola.

—Muchos son los escaladores que pretenden subir al Everest. En una temporada normal, sesenta y cuatro llegan al campamento base: una mínima porción de los incontables montañeros del mundo. Sólo un tercio de los sesenta y cuatro intentan el asalto final. Dos escaladores perecerán en el intento, otros desistirán y sólo cuatro alcanzarán la cumbre. La pobre Aurelia, sin darse cuenta, está ahí, a diez metros de la cima de la longevidad, cansada, muy cansada, estoy segura. Sin gana acaso de dar un paso más, pero está ahí.

Aurelia, en efecto, estaba allí, demacrada y exánime. El esfuerzo para llegar era demasiado visible. Uno dudaba, al verla, si darle la enhorabuena o el pésame. Clara, de momento, le besó la mano. Turbada, la centenaria miró, hundida en su sillón, a quien llegaba a tocarla, e inclinó la cabeza en señal de reconocimiento. Clara había dejado su mejilla apoyada en la mano de Aurelia. Se mantuvo así un largo rato, tanto que yo creí que la mayor y la menor se habían dormido. Nada de eso. Aurelia, cuya cabeza, de cabellos muy ralos, estaba envuelta en un pañuelo, alargó, después de un espacio, la otra mano, y la colocó sobre la cabeza de Clara. Ésta le preguntó:

—¿Se siente sola, Aurelia?

—A veces, sí, muy sola. —Su boca hundida hizo un mohín—. No ahora.

El mohín se transformó en un esbozo de sonrisa indescifrable. Como me dijo después Clara, aquella soledad era ineludible. En el camino de ascensión —«de ascensión, no de descenso», insistió— se habían quedado sus dos maridos, sus hermanos, sus tres hijos, los amigos con los que emprendió aquella subida al Everest. Tenía sobrinos, pero eran demasiado mayores para ocuparse de ella.

—En el futuro —añadió—, tú verás la cima llena de gente. Llegar a los ochenta y cinco o noventa años será tan corriente como raro es ahora. Sólo constituirá una noticia quien llegue a los ciento diez. Un ataque cardíaco prematuro, un accidente o una enfermedad fatal será lo único que impida a los escaladores pisar la meta última. Por eso es ahora cuando hay que ocuparse de que no se encuentren allí ni solos, ni abandonados, ni tristes, ni fenómenos. —Sonrió al pronunciar esta palabra.

Después de una media hora, en que sólo se oía la disnea de Aurelia, Clara volvió a besarle la mano.

—Adiós —le dijo—, hasta pronto.

—Vuelve, hija mía —le contestó la centenaria—. Antes te veía más.

Durante dos semanas la enfermedad de Clara evolucionó desfavorablemente. Era perceptible la dificultad progresiva de su respiración. Me pedía que la llevara a la capilla. Descendíamos por la rampa que hay junto a la escalera, estrecha, para bajar cogidos con las dos manos, con peldaños de goma y con filos matados. La conducía hasta muy cerca del altar, ante el que había una extensión sin bancos, sólo para las sillas de ruedas de los imposibilitados. Y me rogaba que la dejase allí. Su expresión, que yo observaba sin que se diese cuenta, era la de una Dolorosa. Al segundo día, sin poder contener mi emoción, la besé. No estoy seguro, pero me pareció sentir un sollozo seco. Desde entonces la besé cada día.

Ella me había hablado de los lutos que hacen siempre los viejos. Se trata de la consecuencia de una pérdida: alguien que podía andar y ya no anda; alguien al que han tenido que poner un marcapasos, o al que amputaron una pierna, o que acusa un empeoramiento... Ellos tienen que elaborar su luto, y hay que respetarlos mientras lo hacen. Es su derecho, y sólo cabe estar cerca y a su disposición mientras asimilan la nueva realidad. Hay incluso ancianos encantadores que hacen su luto de pronto: porque presintieron lo que iban a perder aun antes de haberlo perdido. Cuando el anciano sale de su luto por fin —me advertía Clara—, sale como era, pero con más riqueza.

—Por ejemplo, una señora vieja, que dejó de pintar, salió del luto suyo pintando más y mejor que antes. Durante la escasa prórroga que le quedaba, por supuesto, y que ella preveía.

Lo mismo sucedió con Clara. Después de aquellas dos semanas, volvió quizá más viva. Nunca le hacía ascos a asistir a la sicoterapia para animar a todos; pero ahora iba con entusiasmo y con fervor. Organizaba coros para cantar canciones de su juventud; trataba de que reaccionaran los autistas; presentaba unos a otros, ofreciendo datos y contando anécdotas, para que estrecharan nuevos lazos; mezclaba a los residentes de las distintas plantas; se manifestaba partidaria de que los demenciados convivieran con los que no lo están para no configurar un gueto dentro de otro gueto; calmaba a las mujeres, siempre un poco más celosillas: «Ayer no me saludó y saludó a las otras»... Sin embargo, sus palabras a mí me sonaban a testamento. Yo sentía retorcérseme el corazón ante esa vitalidad nueva, tan semejante a una despedida.

—Si no encuentras sentido en ellos, Mauricio —me advertía señalando a sus ancianos—, todo es un sinsentido... Tienes que vivir más, saborear las cosas, gozar del presente, hasta en las más duras circunstancias, que las hay. —Se le apagaban los ojos un segundo—. Que no haya en ti momentos lánguidos, sólo tensos y vibrantes. Hay que poseer la vida: que las horas no pasen sobre ti, que no te hagan rodar, que no gobiernen ellas. —Le brillaban otra vez los ojos y daba la impresión de hablarse a sí misma. Yo apretaba su hombro con mi mano para que descansara porque me dolía su agitación, pero no me hacía caso—. El recuerdo y la añoranza son tortícolis. Todo ha de ser como una pequeña carrerilla hacia atrás, para tomar impulso y saltar hacia adelante...

Había en sus ojos una o dos lágrimas rebeldes.

—Esta gente está gastada porque ha dado mucho, se ha dado mucho, y ahora se enfrenta con un vacío de generosidad... Ha sido a menudo desvivida y malpagada. Por eso relativiza todo a su alrededor: se fija en el sol que nace y se pone, en el pájaro que anida, en el geranio. Carga su fuerza en lo importante. Y te sorprenden de ellos, es decir, de nosotros, dos cosas: su falta de prisa, como si dispusiesen de todo el tiempo que tendrían los jóvenes si no tuviesen tanto; y también su prisa, tan impaciente como la de los niños: no saben si van a llegar a la primera comunión del nieto, pero ya le han comprado la medalla... No lo olvides nunca: la tristeza o es misericordiosa o no sirve de nada. Tienen derecho a recluirse en sí mismos, quizá están haciendo balance de su vida. ¿Cómo va a chocar que algunos se nieguen a asistir a las fiestas? Les recuerdan quizá demasiado lo perdido. Y son las fiestas las que están a su servicio, no al revés: no ha de obligársele a asistir a ellas. Yo conocí a un anciano que lloraba porque unos celadores le obligaban a bailar. Esto no es un colegio donde haya que disciplinar a los alumnos: aquí hay personas que han dirigido empresas y han regido sus casas y familias: personas que saben lo que quieren... —Se le quebraba la voz a veces—. Sé tú un buen voluntario, hijo mío, Mauricio. Quizá vosotros seáis quienes deis la calidad de lo único frente a la masificación de lo social. Traed aires de fuera, olor de fuera, vida veraz de fuera, las noticias de fuera...

No tardamos en visitar a una anciana postrada por complicaciones mentales. Su nombre era Carmen, y había sido reina de la belleza a sus veinte años. Todavía le quedaban restos, incluso más que restos, de lo que fue: los pómulos, el arco de las cejas, la dulce forma de la mandíbula... Poseía una hermosa osamenta, que aún sujetaba con altivez y personalidad la piel. Sólo desde muy cerca se la notaba cuajada de miles de menudas arrugas.

—Igual que el adolescente —me había hecho ver Clara—, el anciano es, a su modo, narcisista: vive en la incertidumbre y tiende a replegarse sobre sí mismo, más acaso cuanto más intensa fue su andadura. El adolescente tiene la vida ante sí, y el otro tras de sí, pero ambos se enfrentan con rápidas transformaciones de su físico. Se produce una crisis de identidad. Y como el anciano no puede obrar sobre los acontecimientos externos ni sobre la evolución interna, lo mismo que el muchacho, se angustia o se deprime. Es insoportable para él dejar de saber quién es, o para qué o a quién sirve. De ahí su miedo a perder el control económico: los varones, porque quieren seguir siendo los amos de sus bienes; las hembras, fíjate en Fuensanta, por el temor a las carestías, o a ser desposeídas por hijas, nueras o criadas. Y de ahí también el miedo a perder sus recuerdos, en los que el pasado se mezcla con el presente y con sus fantasías... En cuanto a su sentimiento de inutilidad, es otra fuente de horrores, porque súbita o progresivamente desaparecen gran parte de su autoconocimiento y del sentido que tuvo su vida...

»Todas estas lagunas los empujan a sufrir como en una segunda primera juventud: perdona el trabalenguas. Por eso, sus padres suelen estar presentes en sus conversaciones, y la educación que les dieron, muy viva en su memoria. Para todos, el paso de la adolescencia a la vida adulta provoca un conflicto, latente o agudo, expreso o silencioso, con tiranteces, frustraciones y sumisión a una autoridad arbitraria o no, imaginaria o real. Y esos conflictos siguen vivos en nosotros, y resucitan cuando la edad, por avanzada, vuelve a plantear una situación de dependencia, y trae a primer plano aquellos recuerdos ante estos hijos o cuidadores de ahora, estrictos y exigentes, que despiertan el remoto conflicto de la adolescencia.

—Estoy desazonada —nos dijo Carmen, deslizando su mirada por encima de nuestras cabezas—. Mi padre no autoriza que me presente al concurso de belleza. Mis dos hermanas tienen celos de mí, y mis hermanos se avergüenzan de que pasee en traje de baño por la pasarela. Sólo mis abuelos me quieren... —Su voz y sus gestos eran como los de una niña. De repente, se transfiguró...—. Cuando me dieron el título, todo fue amargura... Yo no fui rebelde, no lo fui, ni desobediente, ni difícil de educar. Quería vivir mi vida; me gustaba gustar, y eso no es malo. ¿Es malo? —Clara le acariciaba la frente—. Allí hay un espejito de mano, ¿me lo traes? No, no quiero verme más... Todo ha caído, todo está por el suelo... Elegí mal: me casé con el peor de todos los pretendientes, con tantos como eran. Siempre me sucedió lo mismo. —Ahora hacía a Clara partícipe de un secreto—. Me quería para exhibirme sólo. Y yo me exhibía, no faltaba más... No fuimos felices. Ni tuvimos hijos: él siempre me echaba en cara que yo no servía para tenerlos... Era muy guapa, pero ¿de qué sirve decirlo ahora? Nadie lo creería... Tráeme el espejito. —Se lo alcancé—. Mi marido, cuando se hartó, me lo gritó una noche: «Eres muy guapa, ¿y qué? Cuando eso se te pase, ¿qué serás?» —Se miró de soslayo en el espejo—. Habría tenido que aprender idiomas... Eso es algo que queda. —Levantó el espejo y se miró sin tapujos en él—. Ya no tengo pestañas... Quizá mi familia llevaba razón: no debí presentarme a aquel concurso, así no me hubiese enterado de que era la más bella... —Volvía la voz de niña—. Espejito, espejito, ¿quién es la más bonita?... Todo fue como un cuento del que a una la despiertan a empujones... ¿Quién soy? ¿Para quién soy? Si alguien me hubiese querido por debajo de la apariencia... Pero yo no tenía nada por debajo. Sólo he aprendido que era tonta cuando ya no me sirve para nada y no puedo ya dejar de serlo... —Lloriqueaba lo mismo que una niña.

—No te amargues, cariño —le decía Clara, con un tono maternal y conmiserativo—. Hiciste lo que creías mejor. Ahora descansa. No te reproches nada.

—No tengo con quien hablar. Siempre hablo de lo mismo, y canso a todos. Pero ¿de qué voy a hablar sino de lo que he sido? Era tan guapa...

—Lo eres, Carmen. Eres la ancianita más guapa de la casa.

—¿De verdad? —Volvió a mirarse francamente en el espejo. Clara le pasó las manos entre el pelo, se lo ahuecó—. ¿Tú crees que me ven guapa?

—Si hubiese un concurso, te elegirían como reina. Tu destino es de reina. No te preocupes: eso no se deja de ser nunca.

—Me gusta tanto oírtelo decir. Gracias, querida. Tú también eres mona. ¿Cómo te llamas? —No esperó la respuesta—. ¿Tú crees que debería ir a la peluquería?

—Sin duda. Y pintarte las uñas.

—¿No será demasiado?

—Lo hacen muchas. Y ellas no son como tú.

—Qué triste es ser mujer. Haber sido mujer...

—No digas tonterías. No dimitas. El otro día oí decir que las chicas buenas sólo van al cielo, y las malas, a todas partes. —Se rió—. Tú tienes que disponer de tu vida siempre, siempre.

—Entonces, ¿tendría que ser mala? —Hizo una mueca con sus labios que quiso ser graciosa.

—Tendrías que ser tú. Tú, con tu voluntad y tu inteligencia y tu espíritu de lucha. Vamos a llegar al siglo XXI, mujer, estamos liberadas... Tú fuiste reina demasiado pronto. Ahora lo serías de otra forma, con otra fuerza.

—Es que yo fui reina en la República, que tiene mucho mérito... —Decayó de nuevo su voz—. Me acuerdo de que, en el momento de la fama, con muchos dengues, yo me quejaba y le decía a mi madre: «La gente, cuando me mira, sólo ve una cara, pero no me ve a mí...» Y ahora digo lo mismo, pero al revés: yo no soy esta cara, este destrozo, este castigo. —Me tendió el espejo, que recogí—. Los párpados caídos, la sonrisa hecha un pestiño, las mejillas sin lisura, los pómulos al descubierto... —Rompió a llorar—. Yo no soy esta cara que odio, no la miréis a ella, miradme a mí... Sí, pero ¿dónde estoy yo? —Y seguía llorando con amargura.

—No llores, que eso afea —le reprochó Clara.

—Eso me decían de chica. —Se consoló en seguida—. ¿Cómo te llamas? —Siguió sin esperar respuesta—. Sí; tengo que ir a la peluquería, pero también tengo que ir al baño para estar aseada y muy chula. Y soy la primera que tiene que ir, no mi compañera de habitación, que es sucia y fea. Y quiero que no entre mientras estoy yo dentro... ¿Cómo me has dicho que te llamas? Se me va la cabeza.

—Sería necesario —me aclaró mi amiga al salir— que conservase su autoestima, que conservase la propia imagen ahora desvaída, que saliera de aquella habitación aunque fuese para exhibirse... Tiene que realizarse hasta el final. Cuidarse las manos, ir al podólogo, peinarse con ilusión... ¿De qué le sirve a Carmen la biblioteca? A buenas horas, mangas verdes. Ella lo que tiene que hacer es mirarse al espejo y volver a sonreírse. Cada vejez, como cada vida, es distinta e intransferible. E impenetrable también.

Junto a la habitación de Carmen estaba el vestíbulo de la planta: amplio, con unas cuantas mesas. Algunos ancianos daban paseos mecánicos. Uno de ellos con la cremallera del pantalón bajada; otro, sentado, babeaba sobre una servilleta; una mujer emitía una salmodia triste, sibilina y continua como un gimoteo que, de vez en cuando, interrumpía con un grito: «Socorro, socorro», un grito que se clavaba en los oídos. No lejos de ellos, otra, con una sonda nasogástrica que la desfiguraba y que sonrió a Clara. Clara se detuvo un momento para acariciarla.

—Acacia, estás muy bien, cuánto me alegra verte.

Acacia negó con la cabeza. Luego Clara acarició también a un paralítico cerebral que, sentado en una silla, gesticulaba crispadamente.

—Hola, Manolo, ¿cómo te encuentras hoy? —El enfermo le contestó algo incomprensible—. Me alegro —le replicó Clara—. Hasta la próxima. —Bajó la voz para dirigirse a mí—. Su familia lo tuvo encerrado en un corral cincuenta años porque se avergonzaba de él. Lo trajeron aquí y está feliz. Todo es relativo, hijo mío. Ha estado en Almería viendo el mar. A mí no me invitaron. Como era limpiadora... —Sonreía—. Acércame a Marina —me pidió—. Es esa que está sola, en la esquina, apoyada en la pared.

Era una mujer seca y alta. La mirada de sus ojos muy oscuros no se concretaba sobre objeto alguno y daba al infinito.

—Estuvo casada con el hijo único de una familia que tenía varias hijas muy brillantes. Lo he leído en su historial, y ella me lo ha ido, paso a paso, confirmando a su manera. Fue una esposa modelo: atendió a su marido hemipléjico hasta su muerte, con soltura y buen humor. Una madre modelo, a la que muchas veces desconcertaba la evolución de sus hijos, que ahora no vienen a verla apenas. Como abuela, fue también perfecta. Cumplió los ochenta y cinco con agilidad de ánimo y sus recuerdos intactos. Nos hemos reído muchas veces juntas. Sabía bromear y poner apodos, pero no con malicia sino con mucha sal. Daba consejos muy juiciosos al resto de los ancianos, que la querían y la buscaban... Desde hace sólo un año está sumida en la depresión en que la ves. Tiene la espantosa certeza de no haber hecho ni haber logrado nada en su vida.

Nos acercamos a ella y detuve la silla justo enfrente.

—¿Cómo estás, Marina? —La alta anciana la miró de refilón y se le volvió a evadir la mirada—. En cierta ocasión te oí tocar el arpa. —Aquella boca agrietada se abrió, muy lentamente, con una sonrisa que venía de lejos.

—Toqué el arpa muy bien. Fue lo único. Sólo era yo cuando tocaba el arpa. Quise que mis padres se sintieran orgullosos de mí... No lo logré, no lo logré, no lo logré. —Cubriéndose la cara con las manos se alejó de nosotros por el pasillo. Se oían sus sollozos.

Después de suspirar, Clara comentó:

—Es la inversión de la función de padres. Los ancianos se convierten en seres dependientes de sus hijos, y los hijos han de responsabilizarse de sus padres. A Marina sólo podrían salvarla los suyos: es una situación previsible, pero siempre coge de sorpresa. Cuando alguien compra una casa no piensa que treinta o cuarenta años después estará impedido para subir o bajar la escalera... Las familias no saben ni cómo ni cuándo se instalará esa nueva forma de jerarquía. Marina se reprocha de algo que, sin embargo, es natural. Quizá alguien tendría que hablar con esos hijos... Porque además la pobre, que quiere ser perfecta, cree que para eso ha de ser la gran víctima. Quizá, de tanto dolor, sólo la muerte pueda liberarla.

En un ángulo se escuchaban las voces y las risas de unas cuantas mujeres, que interrumpieron la reflexión de Clara.

—Yo sé bien castellano, y voy, pongo que a la Gran Vía. Pues no entiendo nada. Todo está en extranjero. Y en Cataluña, mi nuera me ha dicho que es igual.

—Allí, peor.

—De Despeñaperros para arriba, hoy todo es Alemania.

—El mundo está manga por hombro: yo ya no salgo más.

Un viejo indiferente y sigiloso, utilizando un andador, se cruzó con nosotros.

Por una puerta abierta se veía lo que era muy semejante a una guardería infantil: cubos, esferas, grandes puzzles de gama muy brillante, para que los ancianos no pierdan la idea de tamaños, de formas, de colores... Varios jugaban con seriedad irreprochable a colocar las figuras en los huecos correspondientes. No todos lo conseguían, aunque continuaban intentándolo. Salvo uno, que salió de la espaciosa habitación acongojado. Pasó como una sombra al lado nuestro, con pasos muy lentos y un poco rígidos.

—Ahora —comentó Clara entristecida— irá camino de su habitación, y le costará trabajo dar con ella, y, cuando lo haga, se sentará en el borde de la cama y no sentirá el menor interés en salir para la cena. Y así se quedará toda la noche, encerrado en un círculo rojo, el círculo que no ha sabido manejar, dentro del cual revolotearán un centenar de pájaros callados... Llévame ya, Mauricio, por favor... Por el amor de Dios, llévame pronto al cuarto.

Le flaqueó la voz.

6

Fue en la tarde del último domingo de febrero. Haciendo un ensayo de empatía, trataba de ponerme en el lugar de los ancianos. Me hallaba en mi pequeño estudio, cómodamente sentado. A mi izquierda, un sol de oro y plata resbalaba sobre los tejados humedeciéndolos de belleza. Debajo de las tejas brotaban las primeras hierbas. Mi experiencia de memorias y olvidos no era inmensa, pero alguna tenía. La ejercitaba y la ampliaba, para comprender mejor a aquellos a quienes esos dos filos de la misma guadaña pueden dar o quitar la vida.

A veces, me decía, te asaltan, te acosan, te derriban, te inmovilizan sobre el suelo, o se desprenden de las poderosas y altas ramas de la indiferencia como enmascarados enemigos. A veces aparecen igual que invitados impuntuales, tropezando y balbuceando, cuando ya habías dejado de esperarlos, y solicitan permiso para entrar. Tú sabes quiénes son: son los recuerdos. En ellos consiste la depuración de la memoria: cuentas con ellos como el tesoro con su isla misteriosa. La memoria, para los viejos, es un vasto desierto, donde en ocasiones se divisa un oasis húmedo y verde pero, casi siempre, una extensión cruel e inanimada. Ambos, la arena y el oasis, la hacen móvil y nuestra, implacable o ternísima... Qué difícil se ha vuelto cualquier cosa... Ahora te esfuerzas por recordar a ratos, por aquilatar, con un escrupuloso seguimiento, los pasos que otros dieron o tú diste. Y en otros ratos te esfuerzas por apretar los ojos e ignorar. Sin embargo, no eres dueño de tus recuerdos: ellos se acercan o huyen a su antojo. Se reflejan en un espejo donde el vaho del tiempo emborrona los perfiles; cuando deseas percibirlos mejor, frotas la superficie que fue brillante, y sólo ves tus ojos acechando...

Los viejos viven de recuerdos, se dice; en los viejos retrocede la esperanza, se dice. Pero hay un bien que se niega a los jóvenes: el agridulce bien de la nostalgia. Ellos no han disfrutado de tiempo suficiente para lograr aún aquello que luego tendrán que echar de menos. En sus almas no cabe el sutil sentimiento de girar la mirada a lo que se tuvo y no se tiene. Es el envenenador de la memoria, con sus tóxicos...

La experiencia y la edad son mi única impedimenta —continuaba diciéndome—, ¿y de qué están formadas? Avanzamos, so pena de morir, obligatoriamente. Y la avanzadilla no cesa de estar en contacto con aquella primera retaguardia que aún persiste en el lugar donde se abrió la marcha: la lágrima inicial, la primera bocanada de aire que respiramos y nos hizo sollozar, para que se abriesen los pulmones a su tarea indispensable. Es ese vaivén de vanguardia a retaguardia, con los recuerdos como mensajeros, a través del combate, a través de la vida, lo que nos hace quienes somos y como somos. Pero el pasado no vuelve al evocarlo. Nadie revive amores ni placeres, ni tormentos siquiera: otros recuerdos han deformado aquéllos. El olvido no existe, pero tampoco la constante presencia. Hay que apoyar o deshacer recuerdos con recuerdos. Igual que un museo de ciencias reconstruye el animal antediluviano con unos cuantos huesos, intenta el viejo reconstruir su vida. No es así: la vida se construye y se destruye. Nada más, y hay que seguir viviendo. Pero ¿cuánto? Pero ¿en qué dirección? Porque ¿qué otra cosa es la fuente, sino el agua? ¿Qué es la vida, sino la sed y la alegría? ¿Qué los labios, sino la palabra y el beso?

Por un momento, el recuerdo, como un foco, ha iluminado algún rincón. No queda nadie ya. Los mudos testigos que la luz trajo, será ella misma quien se los lleve a su guarida póstuma. Los gruesos labios, las manos delicadas, los párpados tesados hacia arriba, los ojos de color increíble... Se llevará la luz, como la vida, la memoria de tanta entrega y tanta docilidad y tanta insubordinación. Todo: las mañanas rampantes, las noches que nunca terminaban, como si un sol interior las inflamase, el regusto del vino y del jardín y de la fruta a medias disfrutada... Se llevará el color de la piel y el tacto de la piel, y el sabor de la lengua que identificaba el corazón, y el timbre de las voces susurrando tu nombre... Sí; pero nadie ni nada podrá arrebatar este sentir que trajo, desde tan lejos, veloz como un relámpago, los rostros tan amados, ni tampoco el sentir con los que ellos un día correspondieron. El anciano, sentado en la serenidad, tiene la certidumbre de que la muerte es la aliada del amor: una aliada forzosa por miedo a ser vencida.

Yo había visto una caja de galletas, o acaso de antigua carne de membrillo, donde Clara preservaba de los demás sus tesoros. La abrí. No había en ella más que una llave minúscula, el crucifijo del ataúd de su padre, un agremán dorado también de ese ataúd, los gráficos de un electrocardiograma hecho a Diego Bastida, unas fotografías de rostros indescifrables. Y cartas que aludían a desconocidos, o escritas por gente desconocida hoy, que, a pesar de todo, perduraron guardadas con melancolía entre los objetos más próximos a su corazón. Y un pañuelo manchado de algo que pudo ser sangre. Y un capullo de rosa, casi sepia, entre papeles anodinos. Y un gemelo sin compañero, en un estuche de terciopelo azul. Y una mandarina ya momificada, como de cuero seco, que una mano hábil, cuando era aún jugosa —sí, la mano, y también la naranja—, perforó con clavos, con veinte o veinticinco clavos de especia, y aún persiste el olor... Cuánto olvido, qué lagunas de olvido, que océanos de olvido.

El saber sí que ocupa lugar: no cabe en nuestra cabeza ajibarada. Se van sustituyendo uno por otro, un recuerdo por otro, salvo quizá los cimientos iniciales, que se mantienen porque son nosotros. Olvidamos primero lo último aprendido, lo de ayer o anteayer. La memoria desmemoriada trabaja en su desván con ruidos de carcoma: horas, días enteros, semanas, hasta dar, o no dar, con el dato que se había renunciado a buscar ya... Porque hay algo peor que vivir olvidados por todos: vivir sin recordar. Es una contradicción decir que se vive sin tener la conciencia de haber vivido. El viejo muere a menudo de una fatal enfermedad: la de no existir ya para sí mismo...

En rincones perdidos va quedando la vida, vamos quedándonos nosotros, que alargamos un pie con temor, que alargamos tanteando con temor una mano. ¿Para avanzar? A lo mejor no tanto: para permanecer... «Antes era distinto», dice Clara. «Cuando precisaba un nombre o una fecha, automáticamente, del archivo interior surgía la ficha. Incluso unos segundos por delante de ser necesitada. Ahora, en el mejor de los casos, conservo los datos todavía, pero tengo que buscarlos a mano, y a veces tardo tanto, que aparto a un lado la mirada y muevo con desaliento la cabeza... Olvidé quién era esta anciana cariñosa, este señor distinguido, esta muchacha que me llama de tú. Todo está en un armario cuya llave he extraviado para siempre...»

No es ya que el pasado fuese una vez como nos lo contaron. No es que lo hayamos convertido en una estatua de piedra tallada a nuestro antojo. Peor: es que ya se evapora, nos quedamos sin él. Sólo nos llega un olor vago, como el que desprenden ciertas cajas de sabina o de sándalo, o aquella mandarina perforada. Perfumes de hace treinta años, cuarenta, recuerdos fríos e inesperados, vaharadas de ayer. «Y me planteo entonces —me dice Clara a veces— si lo malo será no que se nos pierdan objetos, rostros, palabras, gestos, sino que los recordemos de repente en pie, bellos e hirientes o amables como fueron, y nos recordemos también a nosotros como fuimos entonces y como ya nunca jamás seremos. El misericordioso y dulce olvido...»

No obstante, todo eso fue sólo el principio: penúltimos olvidos, preguntas repetidas, fugitiva capacidad de concentración, objetos extraviados en sitios impensables, cambios cada día más perceptibles de personalidad... Todo eso fue hasta llegar a la irreversible pérdida de la identidad propia, al robo de la propia historia, del propio nombre, de la propia familia; hasta llegar a convertirse en un niño cada vez más pequeño, que un día empezará a orinarse encima, y otro se olvidará de caminar, y otro se postrará de nuevo en posición fetal para acabarse, o lo sorprenderá la muerte por asfixia cuando el anciano paciente del alzheimer se olvide de tragar. «Las células nerviosas —me dice Clara— son como las señales de tráfico; controlan la comunicación en el cerebro. Si se apaga un semáforo en Madrid sólo se producen ligeros trastornos; si se estropea un treinta por ciento, se produce un caos total.»

Aquel último domingo de febrero recordaba la voz, en ocasiones mojada, de Clara, que me hablaba como si se despidiera y me hiciese un encargo que yo debería cumplir.

«Lo mejor para el anciano con alzheimer es permanecer el mayor tiempo posible en su hogar con los suyos; para eso la familia requiere formación y recursos. Porque no es nada fácil convivir con él. El espacio que ocupe ha de ser sencillo y despojado, con elementos fijos que lo identifiquen; con relojes y calendarios grandes, que orienten al que era su dueño; con carteles que señalen la ventana, el baño, la salida... La cama, exenta, para poder bajarse por ambos lados; una luz, encendida siempre durante la noche, para alejar los *noctium phantasmata*; en el armario, la ropa imprescindible: zapatos sin cordones, botones sustituidos por velcros; nada de espejos por si se mira y no se reconoce y le produce horror aquel que ve; las bañeras, con barras y cintas antideslizantes; la ducha, con mandos de temperatura inamovibles. Por Dios, que no haya ruidos ni confusión, que nada le perturbe más todavía, que cada hora de cada día que aún le quede sea una rutina estable.

»A veces, no siempre pero a veces, podrá mostrarse agresivo. En estos casos hay que calmarlo con dulzura, con palabras muy suaves, abrazarlo, eliminar lo que le irrita. No tratar de que razone: no le es posible razonar. No afearle su conducta: no lo entendería. Cuando se niegue a cooperar, a comer o a vestirse, hay que observar qué es lo que le trastorna y evitarlo; pero lo mejor es no insistir, distraerlo de aquello que lo enoja. Le asaltarán a veces, y hay que estar preparados, ideas obsesivas: levantarse de noche y salir a la calle, o repetir incansablemente la misma pregunta. Es preciso actuar con delicadeza, responderle sin impaciencia, muy despacio, tratando después de entretenerlo con alguna propuesta distinta o con algún otro proyecto mejor. Puede llegar el caso, y llegará, de la regresión a la infancia, con una gran desinhibición sexual: perder el pudor e intentar tocamientos. No se le ha de reñir, no se le ha de avergonzar: no es responsable...

»Y cada vez tendrá más importancia la comunicación no verbal; las palabras acaban por perder su sentido. Para hacerle comer habrá que masticar enfrente de él; la expresión del cuidador nunca será de cólera o de preocupación, porque influirá en su ánimo y lo empeorará, lo empeorará todo. Hay que hablarle despacio con frases cortas y palabras sencillas, gesticular muy poco a poco... Y, no obstante, no se le ha de excluir de la convivencia ni de las conversaciones. Y, sobre todo, tocarlo con afecto, acariciarlo, mirarlo con cariño y sonreírle: ésa es la mejor forma de suministrar seguridad a él y a todos. Una tenue y volátil seguridad, tan lábil como la de una nube, a un ser ya sin raíces, a un niño sin futuro que desaprende en lugar de aprender, preso en su laberinto.»

Tenía una extraña impaciencia por que llegara el lunes. Fui temprano a San Isidro y pregunté en la recepción por Clara.

—Está en su habitación. O quizá en la terraza —me contestaron, y me tranquilicé.

Cuando la vi sonreírme, amagándome un poco con el caleidoscopio, la besé con más calor que nunca. Ella adivinó lo que me sucedía y me palmeó la mejilla.

—Espera un poco todavía —me dijo.

Yo me senté en el suelo, no del todo enfrente, y apoyé la cabeza en el brazo de su silla. Ella me habló con el mismo tono paulatino y un poco monocorde con el que imaginé que me hablaba el domingo.

—Para empezar a descubrirte a ti mismo —me rozaba la frente con la yema de los dedos—, hace falta profundidad, soledad y retiro. Quien se conoce a sí mismo, conoce todas las cosas y todas las respuestas... Si yo no creo en mí, ¿cómo puedo creer en Dios o en ti? Yo debo estar convencida de que no sólo soy un accidente producido por unos gestos de mi padre y de mi madre, sino algo superior, alguien que porta un encargo que cumplir... Hay que ser optimista y saltar por encima de lo que vemos. Si el mundo fuese sólo lo que los ojos columbran o lo que entiende la inteligencia, peligraría el futuro, más aún, sería una experiencia aterradora... Por eso hay que recuperar una nueva inocencia para no tener que apoyarse siempre en el pensamiento, ni en la necesidad, ni en la posesión, para vivir.

»¿Y qué hacer? Simplicidad: guardar silencio, recogerse en sí mismo, detenerse de una vez, contemplar en paz. Vivir la religión, sí, pero como pura experiencia, no como ideología. Que te ame Dios, que te fecunde Dios. Y no llames al otro ni negro ni judío; no lo llames creyente ni pagano; no lo llames ni emigrante ni extraño. Despierta para darte cuenta de que no tenías ni toda la verdad ni toda la razón. Cada uno ha de reconocer la relatividad de su importancia. Mira la mía: te necesito tanto a ti... ¿Qué habría sido de mí de no tenerte? —Volvió a acariciarme el pelo—. El que contempla está en comunión con todo en este mundo y en el otro, con la realidad divina y la humana, con la antigua y la por venir...

»¿Estamos en medio del nihilismo? ¿Hemos llegado a él? Quizá sea sólo egoísmo, degradación, utilitarismo y nada más. Quizá Occidente ha perdido, o nunca tuvo, el tercer ojo de la trascendencia, de la autenticidad que no se palpa. Hay que desdogmatizar a Occidente, apartar las certezas inconcusas en que se basa su soberbia, y buscar y hallar y ofrecer el panorama de una nueva visión del universo. Como si fuese una teoría de la relatividad aplicable a espacio, tiempo, Dios, materia, felicidad, hombre, dolor... Todo es menos taxativo de lo que creemos —miró a través del caleidoscopio—: los colores del arco iris tienen difusos límites y, sin embargo, no son contradictorios. Tenemos la obsesión por la certeza y su posesión en exclusiva. La sabiduría es la perplejidad y la duda. La plenitud no es nunca ególatra ni excluyente, y la técnica no conduce a plenitud alguna. Eso es tarea de la vida, y la vida es el arte de lo imposible: va contra la entropía... Y además lo imposible es Dios.

»Eres un buen voluntario, Mauricio, un buen benevolente, como los llamábamos en La Misericordia. No dejes que te ganen ni el pesimismo, ni el temor, ni la decepción. Mira que la vejez es una época propicia al buen humor, porque impulsa al desenfado del que sabe que todo es relativo; y propensa al fomento de la amistad, tan esencial cuando se está aparcado como un coche que no es lo que era; y propensa a la capacidad de complacerse complaciendo; y a la simpatía comprensiva, que destierra los falsos estereotipos de la lejanía y el rechazo del hoy; y a la vehemencia por la vida que, sin ignorar el dolor, le da sólo la importancia que tiene.

»La vejez es una época oportuna para la alegría, pero sabe que no es la risa lo que la sustenta. La alegría ha de lamer, hasta abatirlos, los cimientos del dolor. Es el resultado de mucho estar de vuelta. Y hasta el sacrificio se ha de aceptar con ella: ella es la afirmación de nuestra privilegiada condición humana.

»Y es buena hora la vejez, mi voluntario, para la indulgencia que, con los demás, nos lleva a echar a broma sus torpezas, pero no a favorecer la mediocridad de creernos superiores; y, con respecto a nosotros, nos lleva a sentirnos conformes con lo que somos, aunque nos reconozcamos imperfectos. Porque la imperfección aceptada nos hace más profundos, más perspicaces, más generosos, más creativos.

»Y es buena hora la vejez para la amistad, jamás mejor valorada que a esas horas del alma en que la comunicación es sustancial, y se comparten las buenas vibraciones y la luz de la sonrisa, y se han olvidado la violencia y la agresividad, porque cada cosa ocupa ya su puesto y a cada sentimiento se le da su medida.

»Y es buena hora la vejez para la tolerancia, que enseña a

participar en lo que se tiene de común y en lo que se tiene de diferente, y que confirma que si fuésemos todos iguales todos seríamos peores. Y enseña a reconocernos en los otros, sean cuales sean nuestras disparidades, porque lo esencial está por debajo, y sólo los prejuicios que fomentan dogmas o totalitarismos nos enfrentan y enemistan... Ya no hay ambiciones, ni codicias, ni ansias, ni rivalidades asesinas. Se tiene un concepto más estricto de lo suficiente: antes, nada era suficiente para el que lo suficiente era muy poco.

»Cuanto nos traiga el sentido del humor será la mejor terapéutica: la gracia es salvadora. Opinar que, para entrar en el paraíso, hay que pagar el boleto con llanto es una blasfemia. Opinar que el mundo y la vejez son dos valles de lágrimas es otra. La vida, por encima y por debajo de todo, es alegría. En el mundo cada cosa está dispuesta para producir la exaltación que se llama gozo de vivir: el colorido de los animales y las flores y los cielos, la fragancia infinita, la luz que ilumina montañas, insectos, pétalos y volcanes... El dolor y la alegría son dos hechos distintos, pero no incompatibles, aunque opuestos. Eso lo saben bien los viejos...

Irrumpió en ese momento la hija de una vecina, acompañada por su hija, una criatura casi albina, de nariz respingona y ojos deslumbrados. Traía una muñeca, a la que empezó en seguida a hablar, y a la que arropaba y cuidaba, como si estuviera enferma, durante el tiempo que duró la visita. La joven madre, al despedirse, le dijo a Clara:

—Cuídese mucho y manténgase bien.

—Cuídate mucho, ya lo sabes, para ponerte buena —le recomendó la niña, imitando el tono de la madre, a su muñeca. Clara se echó a reír, y la pequeña la miró casi asustada y le preguntó—: ¿Por qué te ríes si te vas a morir?

—Por eso precisamente, bonita. Me tengo que reír mucho más que tú y más de prisa, porque me queda menos tiempo.

«Cuánto me gustaba mi trabajo de limpieza. Fregaba debajo de las camas, miraba de reojo a los enfermos, sacaba la conversación que quizá el día anterior interrumpimos, y me disponía siempre a escuchar. Era toda oídos. Salían los familiares, y nos quedábamos el enfermo y yo solos. Me contaba cómo había pasado el día y la opinión que le merecía su familia, lo que esperaba y lo que no esperaba... Todos somos iguales en pijama o en camisón, con o sin dinero, con o sin fama, con o sin estudios: necesitados, débiles, exigentes de un cariño que no siempre se da, deseosos de que el que ofrecemos sea recibido.

»A veces, un anciano se fijaba en las grietas de mis manos y me brindaba un tubito de crema, y eso aumentaba nuestra complicidad, y mi agradecimiento le hacía crecer un poco y mejorar un poco. Ya estábamos al mismo nivel: al nivel de la protección mutua y la fraternidad.

»Qué diferencia entre unos y otros. Qué ejercicio de puntería al hablarles. Unos dramatizan y otros se encogen de hombros; unos gustan de dar y otros de recibir; unos se quejan y quieren ser oídos, otros lo que quieren es ignorar su mal y conocer el de los demás... La mujer de la limpieza no inspira ni temor ni respeto. De sus manos no van a venir ni la sanación ni el remedio, ni el diagnóstico ni la mejoría. Ella tiene por quehacer dejar el cuarto (sin hacer ascos a cuñas, ni a sondas, ni a pisteros, ni a escupideras, ni a vendajes) limpio para otro día, ordenado y tranquilo. Y cuando todo eso se hace con amor, el anciano lo huele, lo percibe, lo agradece con palabras y actitudes, y saca lo mejor que tiene dentro para que la limpiadora vuelva contenta al día siguiente...

»He sido muy feliz en esta casa. Hasta en la planta de los cuidados paliativos, donde no se hace medicina para curar porque ya nada lo permite, sino una medicina que no da ningún prestigio ni maneja aparatos complicados, que lo único que necesita es una silla y un poco de morfina. Allí no hay tecnologías que valgan. Estamos en la etapa última y crucial; nada es insignificante, ni siquiera la limpieza, ni siquiera la mujer que la hace. Lo que importa no es discutir si el que se está yendo necesita una ampolla o tres, sino tenerlo cómodo, pulcro, sereno. Y la humilde mujer de la limpieza ayuda a eso: a la sensibilidad en los detalles y a prescindir de efectos baratos o vistosos... Sí, he sido muy feliz limpiando los retretes.»

El miércoles subió Clara a visitar a María. Su estado lo complicó una neumonía inoportuna. No se hallaba en coma, pero sus ojos no reposaban en cosa ni persona alguna. Un estupor sin escalofríos le esculpía el rostro, y su oído, que no era bueno, estaba ahora completamente cerrado. Clara no se esforzó en ser escuchada ni atendida. Le decía palabras en voz tan baja que ni yo las oía, mientras le acariciaba las manos, que descansaban, como palomos dormidos, sobre la sábana. Al salir, me llegó un hondo suspiro de Clara.

Mientras descendíamos por la rampa, me dijo que habían sido localizados los sobrinos de Fuensanta, y que sus declaraciones los exculpaban. Según la policía, la denuncia de la anciana había de ser archivada porque la desaparición de los tres millones era un figuración suya.

—Es difícil que a un viejo, con la excusa de la demencia, se le dé la razón. Todos están, por naturaleza, de parte de los que van a seguir vivos.

Llegábamos a la puerta de su habitación cuando me tendió un sobre muy grueso.

—Siempre me resultó incomprensible tu interés por lo que yo pudiera opinar. Te lo agradezco, pero nunca lo he entendido. Te dejo en este paquete mis mejores deseos. Léelo cuando quieras, aunque no tendrás que esperar mucho para leerlo a solas; pero no me hagas alusión a su contenido.

La carta que me dirigía personalmente dice así:

«Convertirse en un ser humano no es algo que se consiga de pronto, ni sin voluntad, ni sin esfuerzo. Es el resultado de un trabajo larguísimo. Muy pocos lo concluyen.

»A menudo verás junto a ti gentes que creerán ser felices, que incluso lo serán a su manera, o quizá a una manera que les será impuesta. Si tú también te sientes feliz y nada te preguntas, no leas los papeles que acompañan a esta carta: no eres tú su destinatario. Pero si te desgarra el aullido de un mundo en el atardecer, de un mundo ajeno al sol que existió un día, que tiene frío y que no entiende, o peor, que sospecha que nada hay que entender; el aullido de un mundo que sufre sin que nadie vele su sufrimiento, sin que nadie lo torture tampoco, sin que nadie lo observe con una sonrisa de complacencia o de malignidad; el aullido de un mundo en el que todo cuanto sucede no es siquiera una broma gratuita, porque no hay quien le gaste esa broma, porque sencillamente nada tiene el menor significado, entonces sí, entonces dentro de ti ha brotado la semilla del hombre, porque lo humano es la duda y la búsqueda. Lo humano es no ver la cara de ningún dios y, pese a ello, anhelar la serenidad para actuar serenamente; no buscar cubrirse las espaldas con una vida póstuma y, a pesar de eso, vivir valeroso ésta. Tal desolación es el reino del hombre, hijo mío, que se halla, como todos los reinos, al borde de un derrumbadero.

»Tendrás muchas alegrías y penas, y buscarás respuestas insondables que no te serán dadas, aunque en cada rincón del extenso mundo un presente de belleza exhibirá, con pudor, el secreto de la vida. Son tales presentes los que te darán sus pequeñas respuestas. Si no las desperdicias, un día te inundará la más grande, cuando seas sincero contigo y sencillo con todos. Aun así, te hallarás solo en medio de la multitud estrepitosa, y sólo contarás con tu amigo interior, que eres tú mismo, más allá de veleidades y emociones, más allá de la vida y la muerte, fluyendo con ellas y entre ellas hacia algo que hemos dado en llamar Dios.

»Si desde tu soledad entregas lo mejor de ti, no estarás realmente solo, porque serás un reflejo de lo verdadero, de lo bueno y de lo bello que alumbra lo más recóndito de cualquier existencia. La compañía se produce cuando el espíritu se asoma a unos ojos y ve a su alrededor hermanos; no cuando se encarcela, o se fanatiza, o se animaliza abandonando el contacto con la vida que le fue asignada. Ama, por tanto, la compañía, porque te multiplica, y ama la soledad porque te engrandece. Avanzarás entre las dos para encontrarte contigo y con los otros. Pero no ames la compañía de manera que te aleje de ti, ni ames la soledad de manera que te aleje del mundo, de este mundo tuyo que te correspondió, para refugiarte en otros pasados o futuros. Y ten la seguridad de que la muerte no es liberadora ni condenadora: es sólo la consecuencia de tu vida.

»Ojalá seas un hombre imposible de reducir a fórmulas ni a números, exento de las estadísticas. El hombre que padece el hervor de las rosas y la armonía de los astros y la insatisfacción de las interrogaciones y la curiosidad sin fin. El que confunde su pasión con la del verano y su voz con la del mar. Un hombre que sea libre sin ser rico; fuerte, sin usar uniformes; heroico, sin tener que morir; justo, sin necesidad de creer en la perdurabilidad; solidario, sin estar vigilado; superior, sin ser cruel. Acaso algún día me lo oíste decir: ignoro si el mono, perfeccionándose meticulosamente, llegó a hombre; pero creo que el hombre, si se perfecciona, llega a Dios: eso significa su imagen y su semejanza. Un Dios modesto y cotidiano, perecedero y vulnerable, pero Dios. La divinidad no está en la omnipotencia, ni en la eternidad, ni en la inmutabilidad: ser Dios quizá consista en ser hombre hasta las últimas y mejores consecuencias: la creación no está acabada.

»Recuerda siempre que, si a un hombre pueden considerarlo un desecho los otros, la humanidad entera es un estercolero. La falta de responsabilidad individual es atractiva: se descansa en ella; pero es una derrota que debes rechazar. Ninguna obediencia puede ser absoluta: ni a una religión, ni a un poder, ni a un amor. Ser hombre es no arrodillarse nunca ante otros hombres, y en cierto modo, transgredir o poder transgredir. Si los hombres fuesen verdaderos, no habría guerras. Acaso la convivencia, al ser diferentes, se hiciese más difícil; pero las guerras se harían imposibles. Acaso los avances tecnológicos serían más lentos; pero progresaría a su nivel el hombre, no como hoy, y desaparecería el riesgo de barbarie al triunfar la unidad de la vida. El individuo es quien sufre, quien se impacienta, quien fracasa; la especie es la que espera. Quizá el individualismo sea un pecado contra la naturaleza, pero el hombre es la naturaleza y un poco más. Un náufrago ahogándose en el mar es más grande que el mar, porque el náufrago sabe que se muere, y el mar no sabe que lo mata. Ahí está la tragedia del hombre y su magnificencia: ser esperanzada y desesperadamente él mismo, contra los otros a menudo, pero también en beneficio de ellos.

»Te quiero y te acompaño, esté yo donde esté. Clara Ribalta.

»PS. Por si los considerases útiles, te lego todos los papeles y libros que poseo.»

El viernes la encontré muy cambiada. Me prohibió avisar a nadie. Reía y lloraba, en ocasiones casi a la vez, como si no pudiese controlarse. No era un buen síntoma. Me habló en voz baja para no molestar a Fuensanta, que dormitaba alejada de todo, lanzando de vez en cuando un angustioso y truncado ronquido. Eso me obligaba a acercar mi cabeza, de forma que casi descansaba en el pecho de Clara. Ella, de modo maquinal, pasaba sus dedos sobre mi pelo. Yo sentía un deseo muy grande de llorar, pero me obligaba a contenerme. Un leve jadeo la hacía detenerse a veces. Yo escuchaba la lucha que se libraba en su pecho. Y pretendía aprovechar las pausas, en que esa lucha se recrudecía, para preguntarle algo. No me atrevía sin embargo, y me quedaba aguardando que su palabra se reanudase.

—Hoy me asalta, no sé por qué, la carta de san Ignacio a la cristiandad de Antioquía. Termina diciendo: «Ya no hay en mí fuego para la materia; no hay más que una agua viva que me grita: ven hacia el Padre.» —Se echó a reír y me pareció que, en ese momento, era esa llamada lo que ella más deseaba—. Cuando se está cerca de la muerte, una se ve, más que nunca, con las manos vacías. Lo que nos espera después es demasiado grande: desapareceremos... Hasta mañana —dijo y no le pregunté por qué me lo decía. Hizo un alto, en el que respiró con más dificultad—. Me muero a gusto. No os envidio a los jóvenes, Mauricio, perdidos entre familias que han abdicado y se han disuelto; perdidos entre Iglesias arrinconadas, o cultivadoras de una religión espectacular que no se enfrenta ni resuelve las cuestiones vitales: Iglesias fijas todavía en sus obsesiones del sexo, confundiéndolas con las auténticas angustias de este tiempo; perdidos entre escuelas que os deforman para integraros en lo que exige la economía, la técnica, el aparato de los Estados a cuyo servicio aspiráis a ofreceros... —Descansó su mano sobre mi cabeza—. No me atrevo a desearte la felicidad si consiste en estar conforme con esos desvaríos. —Retiró su mano y enarboló en ella el caleidoscopio.

»Sé apóstol de los viejos, Mauricio. Pienso que ésa es tu vocación. Rompe el telón de acero que han puesto ante la senectud. Rompe el sentimiento de repulsión que, en tu época, hace de la ancianidad y de la muerte el ultimo tabú... Enseña a los demás cómo es preciso portarse con una madre que un día ya no nos identifica como su hijo, al siguiente nos toma por su padre, y al tercero no nos reconoce en absoluto... Enseña cómo vivir con un marido que, en unas pocas semanas, se convierte en alguien que se acuesta, cierra los ojos, es incontinente y depende por completo de su esposa... Enseña esa triste revancha femenina frente a la decrepitud de los varones, que causa una revuelta de angustias, de conflagraciones y de violencias ocultas en las familias y en la sociedad...

Se le secaba la boca y se humedecía los labios con la lengua.

—Enseña cómo resignarse a entrar en la antecámara de la muerte andando hacia atrás, por el túnel del retorno a la infancia. Enséñaselo a un mundo sobrepasado por los medios de comunicación, que trata al anciano como una piltrafa, vegetalizado por los tranquilizantes mientras aguarda la hora de la eutanasia... Antes se fallecía en medio de la vida; hoy se hace entre sombras y casi nadie muere de su propia muerte... Enseña a todos que la maldad con los ancianos no conduce sino a otra maldad suicida; que la crisis no es un deterioro; que el organismo humano no se repara lo mismo que una máquina; que nombrar el peligro es el principio de evitarlo o suavizarlo; que tendrá mucho ganado el que haga iluminarse con una sonrisa el rostro, roído por el tiempo, de un anciano.

—¿Por qué me hablas así?

—Porque te quiero, y quiero que me quieras... Cuando se tiene tu edad, no se muere uno nunca: no va a morirse uno. Si imagina la muerte, es como un viaje de ida y vuelta, como un recurso para aumentar la vida... En mi adolescencia, cuando un viento barrió los sueños de mi infancia, estaba tan viva que me quería morir. Ahora, no. Ahora mi muerte está sentada aquí. ¿Con impaciencia? No lo sé. Ya he aprendido que no se muere de una vez, sino que se va una muriendo con cada cosa, con cada persona nuestra que se muere. Y yo he muerto ya mucho... Pertenezco a esa comunidad de los difuntos en la que ingresas sin presentar instancias. Apenas si me queda un hilito de vida. —Me acarició la sien derecha muy despacio—. No será muy difícil cortarlo. Porque estoy llena de muerte, aunque no muera. —Me acarició la frente—. Sé que estoy despidiéndome. Pero *festina lente*... El que irá lejos va despacio.

—No quiero oírte hablar de esta manera.

Creo que no me oyó, o al menos prosiguió como si no me hubiera oído. Y prosiguió riendo:

—Pronto no me sentaré más en esta silla que me hizo tan desdichada, ante esta mesa que no me sirve casi. No bajaré más ni subiré por la escalera con riesgo de estamparme. No veré esas mimosas que el aire mueve con delicadeza. Todo me está diciendo adiós... —Y reía, y las lágrimas le resbalaban por las mejillas—. Y sigo sin saber el día ni la hora ni el sitio en que, puesta en pie, me recibirá mi muerte pasando su mano por encima de mi hombro, pero ya otra vez también en pie yo... Alguna noche de insomnio oigo rechinar la última puerta abierta, oigo gemir sus hojas mal cerradas —rió de nuevo—, abierta para salir, no para entrar... —La besé en la cara—. Pienso en tantos trozos del corazón bajo la tierra: en Diego que era mi vida y me dejó sin ella, en el pequeño Diego que temía a la luna y ya le habrá perdido el miedo...

—Pero ¿qué te sucede? Voy a llamar a un doctor. ¿Por qué hablas así hoy?

—No te hagas el idiota, hijo... No es que tenga el presentimiento de la muerte: con ella se convive. No se trata de eso, sino de la certeza de avanzar en su verdadera dirección con una velocidad acelerada e inevitable, y sin quererlo evitar... A veces tengo prisa, hoy tengo prisa, la echo de menos ya. —Se reía de nuevo—. Da igual: es la protagonista de mi vida y a ella me dirijo a velas desplegadas... Quería decirte conscientemente adiós. Por el camino aún veo las flores, me entretengo con ellas, sonrío a quien se cruza conmigo, me hago la distraída, me demoro un poquito en la música... Pero la muerte, por fortuna, me aguarda. Está ahí. Me ha acompañado. No es el fin del camino: es sólo una parada. Adiós, Mauricio. Vuelve mañana.

Pasé una mala noche, en la que dormí apenas. Al día siguiente Clara tenía los ojos muy brillantes y se había acentuado su dificultad para respirar. Me habló, con muy escasa voz, al oído.

—Déjame contarte algo sobre la aproximación... Anoche...

—La aproximación, ¿a quién o a qué?

—Es un ejercicio de quietud, de oscuridad y de vacío.

—¿Una meditación?

—No siempre es lo mejor meditar sobre algo.

—¿Y entonces?

—Hay que dejar la mente al margen, entrar en lo no creado, en la informe luz de Dios... Tu mente, fuera de sí, entra en la mente universal. Se pasa de la inconsciencia a la supraconciencia, pero sólo al final...

—¿Quieres decir que la individualidad desaparece?

—Sí, en cierta forma. Porque, cuando tú piensas, estáis el pensamiento y tú; pero en la aproximación, cuando conoces, tú eres el conocimiento... Hay momentos... Anoche... Entras en la nada y la nada te ama, te responde y te llena. Y en ella fluyes como un río constante... Es un don. Se parece a una experiencia erótica, pero aquí en la garganta, no en los órganos sexuales. Como una respuesta de amor que te anonada y a la vez cada célula, llena de luz, es feliz.

—Pero ¿cuál es el camino?

—No lo hay. En la noche te llega el amor y una cree morir, y no hay nada más que vida. Pero es irrepetible: la voluntad no cuenta. La mente no cuenta. No hay nada a que agarrarse. El infinito. Nada. La luz...

—¿Y no se siente temor hacia esa nada?

—¿Por qué? Es la realidad más honda. Se es amada como absolutamente nadie en este mundo. Se está como muerta... En la relación sexual el alma no sólo participa, sino que es el sujeto de la experiencia. El momento del éxtasis del sexo, por el que tantos crímenes se cometen, trasciende de este mundo, y no obstante es tan breve y tan precario...

—¿Entonces sería como un orgasmo prolongado?

—No se trata de tiempo, sino de amor. Cada miembro de la pareja, humana o no, ha de amarse y reconquistarse a cada momento. El matrimonio es un constante esfuerzo... Subes a un monte y ves que hay otro más alto más allá. Tienes que descender para ascender al otro, y así siempre... Estoy enamorada como nunca, pero no sé de qué. —Reía y lloraba y me miraba con una intensidad irresistible—. Me he entregado y ya está.

—Pero ¿a qué? —Rectifiqué la pregunta—: Pero ¿a quién?

—No lo sé... A un muro a veces, a veces a un horno luminoso.

—¿Y qué es lo que se entrega?

—El yo. El amado es ya todo. El amante, nada: desaparece... Y el resto no interesa: llega un momento en que no se desea decir a los demás quiénes son: una se queda sola y se va, y ha de hacer un esfuerzo para volver. No hay que luchar, ni siquiera moverse: sólo decir: «Estoy aquí, mándame, mándame.»

—¿Tendré que retirarme, entonces, del mundo, en contra de lo que me dijiste ayer?

—Realiza la verdad dentro de las condiciones de tu vida. Yo no me he retirado nunca... No hay un mundo material y otro espiritual: son uno el reflejo del otro; más aún: son uno solo. La única manera de amar al prójimo como a uno mismo es caer en la cuenta de que el prójimo es uno mismo. Yo estuve muy equivocada. —Volvía a reír casi a carcajadas. Se tapaba la risa con la mano—. Ahora llévame a la iglesia.

Descendimos por la rampa. Clara levantó la voz:

—La vida hoy es más vida y más preciosa que nunca... El secreto está en no ir tras ella, en no perseguirla, sino en dejar que ella nos anegue.

Entramos en la iglesia. Había una luz apacible.

—Nunca me han parecido tan bellas las cosas de este mundo, tan dulces sus sabores, pero ya no lo sigo. Porque sé que hay algo más hermoso todavía. Me cuesta darle un nombre, porque lo empequeñece. Y aunque no es de este mundo, tampoco está en otro sitio sino en él... Vete ahora, alguien te necesitará más que yo y te ofrecerá mejor tarea. Antes de irte a tu casa, vuelve a buscarme. —Iba a salir desconcertado—. Ah, Mauricio, me bajé el caleidoscopio. Tómalo, lo necesitarás. Te lo regalo.

Salí al jardín. Me sentía agitado, con ganas de llorar, y me las reprochaba. Me reprochaba todo. Corté unas mimosas: su olor era dulzón. La tarde se abatía con una gran dulzura. Se levantó una brisa. Me senté. Contemplé un rato los mínimos rosetones góticos del caleidoscopio, inquietos y versátiles. Reflexioné durante lo que me pareció un momento. Cuando miré al reloj había pasado más de una hora. Fui a la iglesia. Se hallaba desierta como antes, y me acerqué a la silla de Clara. Tenía la cabeza echada hacia atrás. Se me cayeron de las manos las mimosas. Estaba muerta. Como si una mano misteriosa la hubiese embellecido, era tersa su piel, sus cejas bien trazadas, y los ojos abiertos, más azules que nunca, al parecer alertas a un recado infinito. Se los cerré, y la besé en la frente.

ÍNDICE